AMOROSO

ZUZA HOMEM DE MELLO

# Amoroso
*Uma biografia de João Gilberto*

COMPANHIA DAS LETRAS

Copyright © 2020 by Zuza Homem de Mello

*Grafia atualizada segundo o Acordo Ortográfico da Língua Portuguesa de 1990, que entrou em vigor no Brasil em 2009.*

*Capa*
Beto Martins

*Foto de capa e quarta-capa*
Nellie Solitrenick/ Abril Comunicações S.A.
Dario Zalis

*Foto de miolo*
Acervo pessoal do autor

*Pesquisa iconográfica*
Porviroscópio Projetos e Conteúdos
Coordenação Vladimir Sacchetta
Colaboração Antonio Venancio

*Preparação*
Maria Emília Bender

*Checagem*
Érico Melo

*Índice onomástico*
Luciano Marchiori

*Revisão*
Ana Maria Barbosa
Luciane H. Gomide

Dados Internacionais de Catalogação na Publicação (CIP)
(Câmara Brasileira do Livro, SP, Brasil)

Mello, Zuza Homem de
    Amoroso : Uma biografia de João Gilberto / Zuza Homem de
Mello. — 1ª ed. — São Paulo : Companhia das Letras, 2021.

    ISBN 978-65-5921-314-6

    1. Bossa Nova (Música) – Brasil – História 2. Cantores – Brasil –
Biografia 3. Gilberto, João, 1931-2019 4. Música popular – Brasil –
História I. Título.

21-76600                CDD-780.092

Índice para catálogo sistemático:
1. Brasil : Cantores : Biografia e obra       780.092

Cibele Maria Dias — Bibliotecária — CRB-8/9427

[2021]
Todos os direitos desta edição reservados à
EDITORA SCHWARCZ S.A.
Rua Bandeira Paulista, 702, cj. 32
04532-002 — São Paulo — SP
Telefone: (11) 3707-3500
www.companhiadasletras.com.br
www.blogdacompanhia.com.br
facebook.com/companhiadasletras
instagram.com/companhiadasletras
twitter.com/cialetras

*Para João Bosco, meu amigo tão querido,*
*superlativo integrante de honra*
*da galeria da nobreza da música brasileira.*
*Ouvindo você e ouvindo João Gilberto vivo momentos inesquecíveis,*
*os mais sublimes na música.*

# Sumário

| | |
|---|---|
| *Apresentação* — Ercília Lobo | 9 |
| 1. Amizade | 11 |
| 2. Juazeiro | 21 |
| 3. Rio via Salvador | 31 |
| 4. Porto Alegre | 37 |
| 5. Diamantina | 53 |
| 6. Rio Bossa Nova | 60 |
| 7. Bossa Nova USA | 80 |
| 8. Vozes em harmonia | 103 |
| 9. Livre da Bossa Nova | 117 |
| 10. Celebridade | 139 |
| 11. A dança da melodia com a harmonia | 161 |
| 12. Arredio e magistral | 181 |
| 13. Minimalismo | 204 |
| 14. Pôr do sol | 229 |
| 15. Adeus | 251 |
| *Agradecimentos* | 265 |

Discografia ..................................................................... 269

Notas ........................................................................... 279

Referências bibliográficas ................................................. 301

Créditos das imagens ....................................................... 305

Índice onomástico .......................................................... 307

# Apresentação

*Ercília Lobo*

Não tinha uma pedra. No meio do caminho tinha um engasgue, um sentimento misto entre a dor da perda e a honra pela tarefa a cumprir.

Cabia a mim, sua mulher e companheira na profissão, finalizar a última obra de Zuza Homem de Mello. A última obra de um homem que carregou consigo a responsabilidade de espalhar aos quatro ventos a importância da música como elemento fundamental na vida, como elemento de redenção; a música que agrega, a música que educa, a música que salva.

Zuza nasceu musical, pela música abandonou carreira certa. Vivia da música, que o alimentava e dele emanava a cada gesto. Como gostava de conversar sobre essa arte tão volátil!! A cada chegada, rodas se formavam à sua volta, e Zuza ensinava sem perceber. Tudo isso para dizer da sua enorme admiração e do seu amor especial pela música brasileira, a melhor do mundo, como dizia; um preâmbulo para contar da sua determinação de não partir antes de escrever mais profundamente sobre o artista que reputava como o divisor de águas da canção brasileira: João Gilberto. Antes e depois de João Gilberto.

E, assim o fez, sempre empenhado, sempre atento, com tanta alegria, pesquisando e anotando, viajando, entrevistando e escrevendo, conversando com quem pudesse trazer um detalhe especial e esclarecer uma dúvida, acrescentar algo novo; anotando, escrevendo e revisando, revisando e escrevendo... até que deu por terminada a sua meta. Exatos quatro dias antes de nos deixar, aos 87 anos. Cabia a mim, em frangalhos, finalizar o processo até o seu lançamento, de par com a Companhia das Letras, que, compreendendo o momento, me deu todo o apoio.

Cabe-me também mencionar a dedicação de Beth Machado, amiga querida, de Bartô Gelpi, meu filho, e de Ricardo Teperman, para além de meu editor, o meu amigo Teté, assim como a grande força deles recebida. Um carinho muito especial por todos aqueles que contribuíram para que o propósito de Zuza fosse atingido: a publicação do fundamental *Amoroso — uma biografia de João Gilberto*.

*junho de 2021*

# 1. Amizade

Lembro nitidamente a primeira vez que ouvi João Gilberto. Eu descia a rua Manuel da Nóbrega numa perua Dodge 51, verde com capota branca, modelo "saia e blusa". Estava perto do *Monumento às Bandeiras* do Brecheret, no Ibirapuera, quando escutei no rádio. Não acreditei, fiquei estático, no duro. Encostei o carro na guia para escutar direito até o fim, sem perder nada. Ouvia João Gilberto pela primeira vez. A cena se passa na minha memória até hoje.

Músicos, compositores e cantores da geração pós-bossa nova não se esqueceram de quando ouviram pela primeira vez João Gilberto cantar "Chega de saudade" no rádio, todos eles: Elis Regina estava varrendo a casa; Chico Buarque ficou siderado; Gilberto Gil, Milton Nascimento, Edu Lobo, Francis Hime, Marcos Valle, Eumir Deodato e outros jovens se lembram desse momento capital que mudou a vida deles, tanto que decidiram se dedicar à música. Para Caetano, foi um divisor de águas em sua vida: "Ouvi pela primeira vez em 1959, em disco, mostrado por um colega do ginásio, Syeliton, que me levou ao clube Irapuru para ouvir 'um cantor que cantava tudo desafinado, a orquestra indo prum lado e ele pro outro'. Segundo ele, eu gostava de coisas estranhas. Essa canção, esse disco mudaram a minha vida". João Gilberto foi o gatilho.

Não muito tempo depois, ele estava ali, à minha frente, no estúdio da TV Record, perto do Aeroporto de Congonhas. Sentado numa banqueta alta, ajeitava o violão, aprontando-se para cantar no programa *Astros do Disco*, um hit parade semanal apresentado por Randal Juliano e a garota-propaganda, como se dizia à época, Idalina de Oliveira. Eu estava a poucos passos dele, era só chegar e falar com o homem. Mas o que eu lhe diria? Faltou coragem. Fui plugar mais um microfone — minha função, plugar, sempre que ouvia a ordem do Rogério Gauss, meu chefe. Agora já não dava mais. Voltei e assisti de pertinho, bem ao lado da câmara. Bom, pelo menos tinha visto o homem. Com violão e tudo. Eu tinha visto João Gilberto.

Uma vez por ano a TV Record premiava com o troféu Chico Viola os destaques do *Astros do Disco* num show de gala no Teatro Record da Consolação — na ocasião, eu era o técnico de som dos programas musicais de grande audiência. João Gilberto foi um dos premiados daquele ano. Dessa vez eu ia conhecê-lo. Só que ele não apareceu à tarde para ensaiar. De longe, da cabine da mesa de som, pude vê-lo receber o prêmio. Não deu para falar com ele. De novo.

Seus discos iam saindo, e não sei dizer quantas vezes ouvi os três LPS da Odeon, as capas com um envelope de plástico transparente, comprados na loja Brenno Rossi, nos fundos de uma galeria na rua Barão de Itapetininga.

Em 1965, João Gilberto veio dos Estados Unidos como convidado especial do programa *O Fino da Bossa*, de Elis Regina. O empresário Marcos Lázaro foi quem fechou o contrato. De novo ele não apareceu para o *sound check*, a passagem de som. À noite, Elis anunciou, inflamada: "Joããão Gilbeeerto!". Sob aplausos frenéticos, ele entrou tímido e cantou três músicas. Descontente com o som dos amplificadores, desistiu. Parou e saiu de mansinho pela coxia. Visivelmente atrapalhada, Elis correu para retomar o programa enquanto João já estava longe. Tenho a fita com as três músicas bem gravadas. Pela terceira vez perdi a chance de falar com ele.

Em dezembro de 1967 é que de fato vim a conhecer João. Foi em Weehawken, Nova Jersey, onde ele morava com Miúcha, sua mulher (que havia me dado o telefone deles), e a filhinha Bebel, que ele chamava de Isabelzinha. Cheguei à tarde pela rua sossegada, o chão forrado de neve. Abracei João pela primeira vez e fui ficando. Ele falava baixo, com delicadeza, não perdia um sibilado, nem um *erre*. Passamos a noite conversando, indo de um lado para outro no piso térreo da casa enorme para três pessoas, que fora mobiliada para receber o crítico literário Antonio Candido, amigo do pai de Miúcha, o historiador Sérgio Buarque de Holanda.[1] Quando dei por mim, estava amanhecendo. Despedi-me e voltei de trem para Nova York. Foi o começo da amizade que já estava no ar.

★ ★ ★

Anos mais tarde, em Nova York, telefonei para João Gilberto. Ele vivia um grande momento: acabara de gravar, com arranjos do alemão Claus Ogerman, o álbum *Amoroso*, do qual tinha uma cópia em fita cassete. Morando fora do Brasil havia mais de dez anos, a maior parte dos quais nos Estados Unidos, ele estava hospedado num modesto hotel do East Side. Mais uma vez Miúcha me havia dado o número de telefone, e liguei para saber do disco.

"Esse disco", ele disse na outra ponta da linha, "tem um pouco esses negócios que a gente precisava. Eu vou mostrar um pedacinho."

Fez uma pausa e tocou "Retrato em branco e preto" até a metade. "Tem a música da orquestra, eu tinha tanta vontade de ouvir um samba tocado por orquestra. Agora sim, o trabalho que ele [Claus Ogerman] fez. Zuza, quer escutar uma? Pera aí."

Nova pausa para ouvir "Triste". Ouço a música até a interrupção.

"Zuza, desculpe."

"Por quê?"

"Porque eu fiquei tão feliz que quis botar para você ouvir. Você entendeu, Zuza? A coisa é por todos os lados, música por todos os lados, enquanto estou cantando. Tinha tanta vontade, você nem sabe como. Toda vestida, toda redonda. Tinha tanta vontade de ver a música do Brasil mais diretamente, o samba daquele jeito, que não fosse só o delicado, que fosse redondo, ligado, assim como o Claus fez. Zuza, eu posso tocar outra música aqui?"

"Pode, quero ouvir."

Pausa para "Tim-tim por tim-tim". Dava para perceber que ficou lindo.

"Zuza, você ouviu?"

"Ouvi sim, tem num disco dos Cariocas. É do Geraldo Jacques, não é?"

"Exatamente. Como é mesmo nome dele? Jacques. É Jacques, não é?"

"É. Jota, a, cê, quê, u, e, esse."

Aí a conversa derivou para um exercício de memória, cada um lembrando um pouco, e João sempre surpreendendo: "Eu bem que me lembrava. E Haroldo Barbosa. Você tem esse disco?".

"Não sei se tenho."

"Ôô, Zuza, o disco dos velhos Cariocas do Ismael."

"Do Ismael, exato."

"'Adeus, América' também."

"'Adeus, América' também. Não. 'Adeus, América' não é atrás desse disco."

"É Continental."

Concordei com João: "É Continental, da mesma época".

"Atrás desse disco acho que é 'Leviana'."

"Puxa, rapaz, não consigo me lembrar. Esse disco está lá em casa."

Nesse momento João canta, sem hesitar, o antigo bolero que eu nunca tinha ouvido: "Um dia um sofrimento destrói tua beleza, e há o teu lamento dos tempos de pobreza. Conheces bem a vida, não deves, leviana do amor, continuar, querida, vendendo teu pudor... leviana... leviana...".[2]

"Eu não reparei no verso do disco. Por falar em música desconhecida, me diga uma coisa, você lembra aquela vez em que você estava no Brasil e cantou no *Fino da Bossa* uma música: 'Há quem sambe...'. Lembra dessa música?"

"Rapaz!!"

Em seguida João começou a cantar, emulando as passagens instrumentais, como gostava de fazer: "'Há quem sambe muito bem, há quem sambe por gostar, há quem sambe por ver os outros sambar, mas eu não sambo para copiar ninguém, eu sambo mesmo com vontade de sambar, porque no samba sinto o corpo remexer, e é só no samba que eu sinto prazer, é só no samba que eu sinto prazer, há quem não gosta do samba, não dá valor, não sabe compreender...' Mas Zuza! Obrigado por me obrigar a pensar sobre, eu sabia em minha memória, eu sabia mas pensava que era outra música".

"De quem é essa música?"

"Não sei, deve ser de Janet de Almeida."

"Como é nome dela?"

"'Há quem sambe por sambar'. Mas você pode saber isso com Lúcio Alves." [O título é "Eu sambo mesmo".]

"Eu tenho a gravação desse dia."

"Você tem? Ôô, Zuza, me arranja que eu quero ver o resto da letra."

João canta de novo: "'Porque no samba eu sinto o corpo remexer, e é só no samba que eu sinto prazer, o samba quente, harmonioso, buliçoso, a minoria diz que gosta mas não gosta, e sofre muito quando vê alguém sambar...'. Esse samba está gravado aqui, se o Claus visse... muito bonito, muito perfeito".

"E um outro que você cantou nesse mesmo dia é uma marchinha que fala: 'Olha o pica-pau picando o pau, oi'!"

"Ary Barroso. Chama 'Pica-pau'."

"E a terceira que você cantou foi 'Exaltação à Mangueira'."

"Como é?"

"'Mangueira, teu cenário é uma beleza...'"

"Essa é o Chico [Alves] cantando. Eu vou gravar ela. Vai ficar muito bonito, o som todo. Você me deu o repertório pro futuro."

"É o tipo de música boa para você gravar porque é pouco gravada, né?"

Ele então explicou por que cantava e gravava músicas do passado: "E também a gente nem gravou direito, Zuza, porque tudo começa ali, tudo começa tão afobado, tão apressado também, e há coisas tão bonitas, tão importantes do Brasil. Olha este sambinha 'Tim-tim por tim-tim'. Eu gosto de cantar sempre, a música fica melhor ao coração assim, à lembrança, cheguei e gravei. Claus gravou, puxa, mas tão bonito o arranjo que Claus fez, tão lindo, rapaz, tem uma dimensão... Então eu quero muita música que você diz que não foi muito gravada, porque tem tanta coisa bonita e a coisa foi tão apressada, muita gente fazendo também muita música todo dia, mas não quer dizer que sejam tão boas".

Nesse ponto falei do disco que tinha produzido com a cantora Maria Martha, para o qual havia sugerido duas músicas dos anos 30, o fox "Hei de ver-te um dia" e a marcha "Não pago o bonde", que ele desandou a cantar letra e melodia inteira, sem errar. E retomou a conversa: "Em São Paulo, graças a Deus a música rola, você ouve essas coisas. De noite você pega um táxi, tá tocando essas coisas, tocam as músicas de Orlando Silva, tão importantes, formando música consciente, a raiz mesmo".

Falamos de Geraldo Pereira, e ele cantou um de seus sambas, "Escurinho", do começo ao fim, sem nenhum erro. Aí arrisquei: "Você vai ficar esse fim de semana aqui?".

"Vou, vamos nos encontrar."

"Você tem alguma coisa planejada?"

"Não tenho não, Zuza, vou escrever seu telefone, vou escrever tudo. Eu quero lhe mostrar uma coisa antes."

"Claro."

"Zuza, você fala italiano?"

"Todo mundo de São Paulo fala um pouco."

Mais uma vez João vai ao gravador e toca "Estate" até a metade.

"De quem é essa música?"

"Bruno Martino. Estive em Viareggio há uns doze ou catorze anos."

"Em 62?"

"Sim, por ali."[3]

"É linda, parece feita para você."

"Parece do Brasil italiano, misturou um pouco, né? É tão bonita essa música. Bruno Martino. Ele é cantor."

"Que disco lindo. Tá para sair?"

"Só em abril."

"Sai primeiro aqui, não é?"

"Eu queria propor que saísse simultaneamente. Queria, minha terra. Foi gravado em janeiro, em Los Angeles. Eu fiquei aqui, gravei aqui. Claus levou o tape e botou as cordas em Los Angeles. Eles fazem muito isso aqui, Zuza. Você conhece o George Benson?"

"Tenho ouvido."

"George Benson fez o tape, Claus levou para a Alemanha e..."

Nesse momento acabou a fita de meu gravador, a conversa estava no fim. Nas tardes seguintes ela prosseguiu no quarto do hotel da rua 56, onde João estava hospedado. Foram muitas as tardes de 1977 em que ouvi João cantar naquele quarto. Nossa amizade teve mais um capítulo, e a trilha eram as músicas de *Amoroso*.

Nos meses seguintes, meu telefone tocava altas horas da noite para conversas que avançavam madrugada adentro, como se João estivesse no apartamento ao lado. Ele falava de Nova York e sabia tudo sobre o Brasil, sobre a música brasileira, que amava com devoção.

Ouvir João Gilberto era um prazer para ouvidos exigentes. O mesmo rigor com a emissão vocal de quando cantava se percebia nos telefonemas de madrugada. Não se perdia uma vogal ou consoante. Não era só que João cantava como falava: ele também falava como cantava, articulava cada palavra com dicção perfeita, sem gritar, não se perdia nada do que dizia, mesmo se a gente afastasse um pouco o ouvido do telefone. Sua preocupação com a emissão de voz sempre foi uma constante exercitada exaustivamente.

Seu sotaque não era tipicamente baiano, ele não abria em demasia certas vogais; seus *esses* intermediários não soavam como *ch*, mas eram sibilados como deve ser o *esse*, um fonema surdo sem vibração das cordas vocais, um som sussurrado. Na função plural, o *esse* nunca deixava de ser ouvido no final das palavras. Quando tinha som de *zê*, como em *Brasil*, ele emitia um zunido instantâneo com a conveniente vibração das cordas vocais.

O telefone não era para dar ou receber recados, mas seu meio preferido de comunicação. Consta que foi Tim Maia quem sacou essa: "João não é uma pessoa, é um telefone". Ele adorava passar horas e horas ao telefone, independentemente da distância que o separava do interlocutor. A maioria das pessoas com quem conversava nunca o teve diante dos olhos, estavam na outra ponta de uma chamada. Um telefonema noturno seu era uma visita sob a forma de diálogos extensos e deliciosos, sobre os mais diferentes assuntos. João não tinha noção do tempo. Nem do tamanho da conta.

Sua memória dos hábitos dos interlocutores era impressionante, como impressionante era sua capacidade de estar sempre atualizado, o que destoava de sua vida reclusa. Para os que tiveram a oportunidade de receber uma ligação sua, um telefonema era uma experiência.

Muitas vezes o diálogo era interrompido, ele precisava fazer algo que o interlocutor não sabia exatamente o que era. O intervalo em geral era curto, mas também podia durar o tempo de uma refeição. Era melhor do que interromper e ligar mais tarde.

João discorria sobre qualquer tema. Falava de futebol com o conhecimento tático de um técnico profissional; discorria sobre outros esportes, exaltando sua admiração por atletas brasileiros; podia descrever o passarinho que vira tão infeliz na janela e como se penalizara com a tristeza da avezinha; podia se condoer de uma formiguinha esmagada por acaso; era capaz de descrever com precisão o que acontecia de mais relevante na cidade do interlocutor, como se lá estivesse; cantarolava trechos de velhas canções ou criava sons onomatopaicos de assombrosa originalidade. E se por acaso o assunto música viesse à tona, ele não conseguia segurar a empolgação, sua fé no futuro dos músicos, compositores e cantores, revelando um sentimento de brasilidade contagiante. João era um patriota.

Houve um momento em que um suposto círculo de amigos seus acreditava piamente na veracidade de mensagens via Facebook que eram postadas por um suposto perfil seu. Eram *fakes*. Nunca se descobriu quem estava por trás disso. Não era João, ele se comunicava pela voz. Uma voz inesquecível, precisa como a batida de seu violão, cristalina nos telefonemas de madrugada. E ele falava sem parar sobre o que jornalistas do mundo inteiro procuravam em vão saber nas entrevistas. E falava sobre o que não se esperava.[4]

Certa ocasião, por coincidência tomamos a mesma ponte aérea. Minha mulher sentou ao lado dele e se encantou com sua simpatia. Ele foi logo puxando papo, perguntando se Ercília tinha medo de avião, e ela, falante, embarcou na boa na dele. A todo momento eu me virava para trás, curioso para saber de que falavam. Minha inveja era tamanha, minha curiosidade era tanta, que no meio do trajeto minha mulher propôs que trocássemos de lugar. Conversamos, João e eu, até o avião aterrissar no Santos Dumont. Foi quando seu acompanhante, que por algum motivo sentava mais atrás, se aproximou para conduzi-lo.

Em 2000 recebi um telefonema de Moacyr Octávio Castilho, conhecido nos meios musicais como Otávio Terceiro, fiel escudeiro de João, me convidando para um evento no Rio de Janeiro, uma dessas gentilezas dele sobre as quais pouco se comenta. Incluía passagens aéreas para Ercília, estadia completa no Caesar Park, carro de luxo do aeroporto para o hotel, do hotel para a festa, enfim, um convite de *grand seigneur*. Ercília parecia não entender a razão do gesto, mas era impossível negar um convite de João.

Tratava-se da festa de confraternização de ex-alunos do professor de direito Simão Benjó, que pretendiam homenageá-lo no salão Le Buffet, no Rio Comprido. Acontece que o professor Benjó atuava na ação contra a gravadora EMI movida por João, que em sinal de gratidão quis oferecer ao amigo advogado uma apresentação durante a festa.

No salão, bandejas passavam com casadinhos de camarão, bolinhas de queijo, croquetes, pasteizinhos, tudo regado a champagne e scotch, aditivos que contribuíam para o clima animado e barulhento. Numa alegria contagiante, os convivas comiam e bebiam à farta, dançando ao som de um conjunto liderado pelo grande saxofonista Juarez Araújo. Não bastasse, cantores amadores — ex-alunos do professor que não resistiam ao feitiço do palco — exibiam dotes abandonados nos *recuerdos* da época de juventude, entoando "Samarina", "Casa de campo" e outros hits dos anos 60.

Mal tive tempo de encontrar João antes do show. Quando abri a porta de uma saleta que lhe servia de camarim, encontrei-o sozinho, tomando um café com leite. Tranquilo, perguntou por Ercília. Falamos por uns minutos e voltei para a balbúrdia do salão, deixando-o só. O nível de barulho aumentava gradativamente a cada novo gole dos presentes.

A horas tantas, o eminente jurista pediu silêncio. Para estupefação geral, anunciou à plateia de causídicos em algazarra uma grande surpresa: "O maior cantor do mundo, João Gilberto!". Àquela altura, João já caminhava, violão a postos, em direção ao tablado, pedindo licença ao abrir caminho entre as mesas dos presentes, que mal podiam acreditar no que viam. "É ele mesmo", disse um deles à esposa, ainda mais incrédula. João subiu o degrauzinho do tablado, sentou-se na cadeira e, qual monge, ouviu de cabeça baixa os pródigos elogios do professor Benjó. Os oitocentos convivas responsáveis pela zoeira de infinitos decibéis foram simplesmente tocados pela varinha mágica em forma de voz e violão. Ouviram em silêncio total e adoraram cada canção.

João atacou os versos que descreviam precisamente aquela cena pandemônica, "Isto aqui ô ô, é um pouquinho de Brasil, iaiá / esse Brasil que canta e é feliz", recebidos com entusiamados e antecipados aplausos ao único recital-festa de João Gilberto.

Uma das gemas era o samba "Às três da manhã", de Herivelto Martins, de 1946, sobre um pracinha da FEB que, de volta ao Brasil, depois da Segunda Guerra Mundial, quer festejar o Carnaval à sua moda. Cantou também "O pato", mais vezes que as três costumeiras, e assim mesmo foi pouco, tantas eram as sutis novidades que introduzia a cada vez numa das mais lúdicas composições de seu repertório clássico. Atendeu ao pedido de "Esse seu olhar", interpretou "Ave-Maria no morro", "Amor em paz", "Insensatez", "Retrato em branco e preto". Mais tarde, guiados por seu violão certeiro, todos cantaram suavemente "Chega de saudade" e, afinados, entoaram "Desafinado" como se tivessem ensaiado à exaustão na véspera. Alguém se aventurou a pedir "Minas Gerais" (confesso que estremeci), e João nem hesitou: "Oh, Minas Gerais, Oh, Minas Gerais / quem te conhece não esquece jamais / Oh, Minas Gerais". Várias vezes, transformando canção tão singela num quase blues, tal o sabor harmônico e melódico incrementado sem ferir o original. Convidou o saxofonista Juarez para tocar com ele "Garota de Ipanema", e ouvimos uma interpretação mais saborosa que a de Stan Getz. Ao final João atacou o "Parabéns a você" dirigido a três aniversariantes da noite. Era uma versão que eu nunca tinha ouvido: "Nesta data querida / Parabéns a você / Muita felicidade / peço a Deus que lhe dê", que deve ser como cantavam em Juazeiro, sua terra. Depois da última canção, como sempre e em qualquer lugar do mundo, ele se esgueirou rapidinho e desapareceu sem que ninguém conseguisse alcançá-lo.

Por volta das três da manhã, deu o ar de sua graça num animado telefonema que, como sempre e em qualquer lugar do mundo, durou quase uma hora, contabilizadas as interrupções habituais e inexplicáveis que podiam durar alguns minutos. Falamos de tudo, até de música. Ercília já dormia. Apaguei a luz, puxei as cobertas, virei para o lado e dormi abençoado.

Programa completo de meu amigo João Gilberto.

# 2. Juazeiro

"Juazeiro, juazeiro/ me arresponda, por favor/ juazeiro, velho amigo/ Onde anda o meu amor?" Os versos de Humberto Teixeira para a melodia de Luiz Gonzaga dão conta de um romance vivido ao pé de uma árvore que se mantém frondosa durante a seca, em desarmonia com a vegetação da caatinga. "Juazeiro, não te alembra/ quando o nosso amor nasceu?/ Toda tarde, à tua sombra/ conversava ela e eu": de sombra abundante, sua copa em forma de redoma se converte em verdadeiro oásis sob o sol do Cariri, repouso para a exaustão, tranquilidade para o barulho, enlevo para os namorados. Podendo viver cem anos, o juazeiro chega a ser contemplado como um oráculo por aquele que sofre nos desvãos do amor: "Ai, juazeiro/ como dói a minha dor/ Diz, juazeiro/ onde anda o meu amor?/ Juazeiro, seje franco/ ela tem um novo amor?". Aqui, como nos versos anteriores, aflora outro verbo que fere a gramática para enfatizar a naturalidade do sotaque nordestino.

"Se não tem, por que tu choras/ solidário à minha dor?" É tão bom que pode chorar de tristeza junto a quem se consome quando sente perder seu amor. Seu tronco largo e retorcido inspira os namorados a cravar a canivete seus nomes entrelaçados com um coração: "Juazeiro, meu destino/ tá ligado junto ao teu/ No teu tronco tem dois nomes/ ela mesmo é que escreveu". A árvore é a única testemunha capaz de compreender o amor perdido, a vida não vale mais a pena: "Ai, juazeiro/ eu num guento mais roer/ Ai, juazeiro/ eu prefiro até morrer".

Teixeira e Gonzaga criaram uma obra-prima. "Juazeiro" foi o terceiro grande sucesso da carreira do genial sanfoneiro.[1] Seu título, embora se referindo a uma árvore, já identificava duas cidades no Nordeste. Uma era Juazeiro do Norte, no Ceará, a Juazeiro do padre Cícero para perto de onde o pernambucano Gonzaga se mudara em 1930, escorraçado pelo pai de Nazarena, a moça por quem se apaixonara. E a outra era Juazeiro da Bahia, na margem direita do rio São Francisco, em frente a Petrolina, Pernambuco.[2] Essa era a Juazeiro de João Gilberto.

Nos anos 40, nenhuma outra cidade do interior da Bahia arrecadava tanto quanto Juazeiro, e isso se devia à navegação pelo rio São Francisco. Empresas multinacionais com escritórios lá estabelecidos preferiam transportar inúmeros produtos da região — farinha, feijão, arroz, tapioca, algodão, milho, couro de boi, peles de ovinos e caprinos para alimentar os curtumes, mamona para lubrificantes e carnaúba para a fabricação de discos — diretamente para fora do país, sem passar por Salvador, a fim de evitar uma tributação dupla.[3]

A agitação das chegadas e partidas no porto de Juazeiro, inundado de vapores, era a mais frenética do vale do São Francisco. Também se chegava a Juazeiro de trem, pela EFBSF, Estrada de Ferro da Bahia ao São Francisco, pioneira no Leste brasileiro. Saía-se de Salvador até desembarcar na imponente Estação da Leste, que teve o mesmo destino de várias outras que foram perdendo sua função, acabaram desativadas e, em alguns casos, abandonadas por culpa do investimento maciço em estradas de rodagem.

As casas em estilo neocolonial, com portas e janelas voltadas para as ruas estreitas, resguardavam a vida alegre, festiva e hospitaleira dos juazeirenses. O visitante era recebido sem cerimônia. Como se diz até hoje, ninguém se apertava, quando você entrava era bem recebido. Bastava chegar.[4]

Era uma cidade pujante, com uma classe social abastada que sabia se divertir aos domingos, embarcando em passeios fluviais dançantes cujo ingresso podia incluir o almoço — os vapores eram dotados de cabines, bar, restaurante e salão de dança com orquestra.

A elite usufruía de seu lazer nos clubes recreativos, participando das festas promovidas pelas três sociedades filarmônicas, a Primeiro de Maio, a 28 de Setembro e a Apolo Juazeirense. A Apolo tinha uma concha acústica para as matinês, onde se dançava ao ar livre das quatro às dez da noite. Quem a frequentasse não punha os pés na 28. E vice-versa.

Nos anos 50, a fábrica de tecidos Bangu promoveu um desfile na 28 de Setembro e enviou cortes de tecido para as dez moças que representariam a sociedade juazeirense. Dulce Costa, da Apolo, uma das moças mais bonitas da cidade, pé de valsa, teve que pisar na filarmônica rival. Caprichou no vestido, sabendo que o primeiro lugar já havia sido escolhido, seria de Lília Siqueira, magrinha e ajeitada. Entrou nervosíssima,

> com o coração apertado mas com muito orgulho, pois não estava de se jogar fora. Quando eu entrei, vi o irmão da Estela, minha cunhada, ele olhou e ouvi ele dizer: "Nossa, que coisa, nossa!". E eu criei alma nova, era muito metida, muito senhora de mim, que eu era mesmo. Entrei como primeira, desfilei, fiz muito bem, na hora fiz um movimento com um espelho, uma coisa qualquer diferente, e a professora Judith Leal Costa falou "Parece um biscuizinho francês". Me animou, fui muito aplaudida. E quando terminou, eu já sabia, o título era da outra. Mas a reportagem foi toda me cumprimentar.[5]

Os festejos natalinos eram comemorados na praça central do Mercado Municipal, onde se tomava um inigualável mingau de tapioca. Havia quermesse, jogos, comidas típicas, e todos aproveitavam. Como em todo o Brasil, durante a tradicional festa de São João, os salões eram decorados em estilo típico, numa exagerada explosão de cores das bandeirolas, chapéus de palha, comes e bebes. A rapaziada vestia camisas quadriculadas e pintava bigodes com rolha, as mocinhas rodopiavam no salão com vestidos de chita bem rodados.

Entre as festas de caráter religioso, o feriado local de 8 de setembro era devotado à padroeira de Juazeiro, Nossa Senhora das Grotas. Em meados do século XVIII, um índio encontrou a imagem de uma santa em madeira entalhada numa grota do rio São Francisco. Sem saber o que fazer, diz a lenda, ele a pegou para mostrar a um vaqueiro, que também ficou abismado. Um frade acabou por identificar sua origem: provinha de uma instituição de franciscanos missionários que em 1706 haviam construído uma igreja ao lado do convento. A imagem foi depois exposta no altar-mor da Igreja Matriz de Juazeiro, atual Catedral Santuário de Nossa Senhora das Grotas.

★ ★ ★

A casa de seu Joviniano e d. Patu, pai e mãe de João Gilberto Prado Pereira de Oliveira, quarto dos seis filhos, ficava bem à esquerda dessa Igreja Matriz, na praça da Bandeira, n° 20. Quando foi transformada em escola infantil, sob a direção de d. Vivinha, a caçula, o quarto onde nascera João Gilberto em 10 de junho de 1931 virou uma sala de aula cujas paredes foram decoradas com desenhos do Mickey e do Pato Donald.[6]

Vivinha, a caçula, recorda-se bem de seu Joviniano: "Do segundo casamento do meu pai, éramos seis, sou a mais nova, com oitenta anos. Meu pai era músico de sopro, nunca achei quem me dissesse o nome do instrumento porque quando ele veio morar em Juazeiro, quando casou com minha mãe, ele doou o instrumento para o Apolo Juazeirense, um clube que tem aqui". O instrumento era um oficleide, da família dos metais, bocal igual ao do trompete. As chaves têm sapatilhas como as da clarineta, das madeiras, portanto é classificado como um instrumento híbrido. De formato próximo ao do fagote, era comum entre os chorões dos anos 20, até que caiu em desuso. Hoje o oficleide do pai de João pertence ao músico baiano Fred Dantas, da Orquestra Sinfônica da Universidade Federal da Bahia.[7]

D. Bebela, professora e escritora,[8] companheira de infância de João Gilberto, foi testemunha da época dele menino em Juazeiro, e sua memória, do alto de seus mais de noventa anos, é viva: "Eu chamava ele de Joãozinho Dona Patu", relembra.

> Eles moravam na casa que tem até hoje na praça da igreja. Os outros meninos que moravam perto, em outra rua, iam de tarde na porta da igreja para brincar e Joãozinho Dona Patu fazia os times de futebol, gostava muito de bola. Às vezes botava a gente pra jogar, pra completar; era engraçado, botava até a Maria José Rocha, a Cidota, a Lurdinha, a Iraci, que estavam na praça. Olha, tinha futebol feminino.[9]

Bem menino ainda, João Gilberto cantava na rua, sentado debaixo do enorme pé de tamarindo na praça, mas poucos prestavam atenção. Maria Pezinho, uma das doidas infernizadas pela garotada de Juazeiro, era exceção. Ouvia Joãozinho cantar. Tinha perdido as pernas e arrastava-se sobre um pedaço de couro para se locomover. Segundo d. Bebela, a pedido de Joãozinho, d. Patu tinha que dar o almoço para as doidas que moravam perto da casa dele. Ele dizia: "Mamãe, uma cuia pra Maria Pezinho!". Depois levava almoço pra doida, era muito caridoso, tinha um coração que a gente ficava admirada.[10]

Nas palavras de d. Bebela, avulta um atributo de João que o acompanhou por toda a vida: a generosidade com os pobres e necessitados, praticada por vezes em situações insólitas.

Na escola, as notas de João eram "normais", como ainda se lembrava a professora Maria de Lourdes Duarte, aos 93 anos. "Ele tinha uma personalidade danada, era bagunceiro, trocava tudo de lugar." Seu irmão, um bom garoto, estudava na mesma escola. Quando a paciência de Lourdes se foi, ela chamou a mãe de João para uma conversa. "D. Patu, lamento muito mas não tenho condições de ficar com o seu filho. Ele é impossível." Patu se indignou: "Tudo bem, então eu tiro os dois". E levou o irmão junto com ele.[11]

Aos doze anos, Joãozinho foi estudar em Aracaju, retornando à cidade natal dois anos mais tarde, de onde sairia de vez aos dezoito, em 1949. Na sua infância e juventude em Juazeiro, ele já vivia para a música. O que será que ouvia?

Até que fosse inaugurada a primeira emissora de rádio,[12] ouvia-se muita música por meio de um serviço de alto-falantes. Aos noventa anos, d. Dulce Costa me contou que "na cidade inteira tinha alto-falantes por todo canto. A cidade inteira escutava".[13] Emicles Pais Barreto foi o desbravador dos alto-falantes, tendo instalado quatro deles em pontos estratégicos, nos postes do centro. Com *erres* vibrantes, os locutores anunciavam o "Serviço de Alto-Falante Cultural de Juazeiro, o maior órgão publicitário do interior baiano". O sucesso provocou o surgimento de três concorrentes: Alto-Falante Comercial, com alto-falantes prateados especializado em música clássica; Alto-Falante Guarani e Alto-Falante Paraíso.[14]

O bom gosto musical de seu Emicles permitiu aos jovens ouvir música de qualidade nas vozes de astros como Bing Crosby, Pedro Vargas, Carlos Galhardo, Francisco Alves, Sílvio Caldas, Dalva de Oliveira e Orlando Silva, o preferido de João. A música instrumental era tocada pelas orquestras de Tommy Dorsey, Xavier Cugat, Glenn Miller, Duke Ellington, a Tabajara de Severino Araújo e a do clarinetista Zacarias. Os Anjos do Inferno e os Quatro Ases e Um Coringa eram os grupos vocais mais ouvidos.

Quatro desses jovens, com idade entre dezesseis e dezessete anos, formaram o conjunto vocal Enamorados do Ritmo — João Gilberto, Valter Sousa, Pedrito Luna, Pedro China e Alberto. Foi a primeira experiência de João em conjunto vocal, quatro vozes distribuídas em acordes harmônicos da linha melódica. Ele era o líder e determinava o que cada um devia cantar;[15] Valter, nascido em Senhor do Bonfim em 1930, era o solista por ter a voz mais aveludada. Anos depois Valter trocou o V por W e o Sousa por Santos. Tornou-se Walter Santos, compositor estabelecido em São Paulo nos anos 60, com discos gravados e participação em shows. Na época dos shows de bossa nova no Teatro Paramount, fez sucesso com a composição "Amanhã".

João e Walter continuaram a se encontrar depois de terem deixado a cidade; unia-os o vínculo musical dos tempos dos Enamorados do Ritmo. Carla, filha de Walter, conta que o pai se lembrava de certa noite fria em São Paulo, quando os dois saíram de uma boate e viram um morador de rua passando frio: "João ficou tão penalizado com a situação do mendigo que convenceu papai a tirar seu casaco de lã, o único casaco quente que tinha na época, para dar a ele".[16] Quando cantavam e tocavam violão, ambos tinham o mesmo hábito: balançavam os joelhos de lá para cá, em sintonia com a divisão rítmica que tinham na cabeça, isto é, quatro notas por compasso, como os tamborins no samba.

Após sair de Juazeiro em definitivo, João retornou várias vezes. Seu amigo Maurício Dias me contou histórias sobre essas visitas:

> Ele dizia que não guardava só a saudade, que Juazeiro era uma cidade mágica da infância dele, onde foi muito feliz. Quando vinha, evitava essas aparições políticas de promoção, como inaugurar centro de cultura com o nome dele ou praça com o nome dele. Para isso ele nunca veio, nunca veio mesmo. Mandava algum sobrinho ou alguma pessoa. Ele não aparecia. Aparecia aqui pra passear com a gente, saía de madrugada, tocando violão, encontrando os amigos, as figuras da noite.[17]

Na morte do pai, João Gilberto foi a Juazeiro com Astrud e passou um tempo na casa de sua irmã Vivinha, onde nasceu. Estava muito triste e durante o velório ficou sozinho tocando violão na praça em frente à casa. É Vivinha quem relembra outra visita:

> Quando minha mãe morreu, ele veio a Juazeiro. Durante o período em que minha mãe esteve doente, quando ela estava mal, eu liguei para ele e ele disse: "Minha

irmã, se eu for para aí, será que ela fica boa?". Eu disse: "Venha". Aí ele veio. Ficou hospedado num hotel, mas passava o dia inteiro lá em casa. Não era mais a casa onde a gente nasceu, era uma casinha pequena. Minha irmã estava aqui também e não tinha mais lugar para ele ficar. Passou quase um mês aqui. Ele sempre vinha ver minha mãe. Passava três, quatro, cinco dias, mas o pessoal nem sabia que ele vinha, ficava dentro de casa, e quando chegava umas dez, onze horas da noite, ele saía com João Duarte para ir comer sarapatel, buchada, já chegava de madrugada em casa. Essa era a vida dele quando vinha aqui.[18]

Quem o levou para o velório de d. Patu foi seu grande amigo Euvaldo,[19] que descreve o que ouviu do próprio João durante o trajeto:

> Quando eu era criança, brincava na praça da Catedral, jogava bola de gude, soltava pião, e todo final de tarde aparecia Deusinho, um garoto pobre que vendia cocada num tabuleiro coberto com um pano. A mãe dele é que fazia. Deusinho aproveitava latas de óleo velho, fazia caminhões de brinquedo, botava aquelas rodas com borracha que pareciam pneus, botava luz com pilha para piscar. Ele vinha puxando o caminhão, vendia as cocadas e brincava com a gente, que queria comprar o caminhão dele. Ele sempre dizia que não estava vendendo. Chegou uma tarde e ele não apareceu. Meus amigos me disseram: "Poxa, João, está escurecendo e Deusinho não veio hoje, que será? Vamos lá procurá-lo, onde ele mora?". Ele morava num bairro pobre chamado Coreia.
>
> Saímos da Catedral, eu na frente, procurando a casa da mãe de Deusinho. Achamos a casa deserta naquela rua pobre. A coisa mais triste que eu vi na vida foi Deusinho sentado diante do caixão da mãe.[20]

A casa na praça da Bandeira tem mais de 130 anos. Era do avô de João, passou para o pai dele e depois foi transformada no Memorial João Gilberto, dirigido por Maurício Dias.[21] Maurício, além de replicar esse relato de Euvaldo, recorda-se em detalhes de episódios fabulosos nas visitas do artista a Juazeiro:

> Em 1971 ele veio aqui com Miúcha e Isabelzinha, Bebel Gilberto. Miúcha ficou aqui em Juazeiro um tempo na casa da mãe de João, d. Patu, aqui na praça da Catedral. Mas eu era adolescente e não me aproximei dele. Conheci João de fato em 76 ou 77, quando ele voltou; nós então ficamos amigos.

Um primo dele chamado dr. Dewilson Oliveira gostava muito de música e nos convidou, eu e o Walter Macedo, um poeta, para que a gente pudesse conhecer João Gilberto na casa dele. Aí fomos com Edésio Santos, um amigo contemporâneo de João, que chegou às onze da noite. Ele conhecia minhas tias, falou muitas metáforas dizendo coisas de Juazeiro que ele percebe e a gente não percebe mais. Depois saímos pela madrugada, visitando a noite de Juazeiro, acordando João Duarte, que era amigo de infância e imitava um trem da época da maria-fumaça. Ele chegou e me pediu para acordar João Duarte às seis da madrugada, eu bati na porta e disse: "João Duarte, João Gilberto está aqui!".

Aí ele disse: "Não grite meu nome não. Minha mulher já me expulsou de casa, se ela acorda vai pensar que é pra eu tocar no cabaré". João Gilberto disse: "João Duarte, faz trinta anos que eu dou risada, vim de Nova York só pra ver você imitar o trem". Ele vestiu a camisa, saímos, encontramos o primeiro bar; João Duarte virou uns três copos de cachaça e disse emocionado: "João Gilberto!". E chorou. João Gilberto disse: "Joãozinho, cadê o trem? Imita o trem como você fez na minha casa. Eu cheguei e não vou incomodar a boemia da cidade".

Aí nós fomos pro cabaré de Juazeiro, a boate Shangrilá no bairro Piranga que concentrava os cabarés da cidade e tinha uma luz vermelha em cada porta para identificar, casa de família ou cabaré. Essa boate era a mais luxuosa, a mais bonita, tinha striptease, coisa e tal. Aí nos sentamos, os homens todos ali. João Gilberto com paletó, todo tímido, todo acanhado, ficou bem no cantinho e disse pra mim: "Maurício, chama aquela morena ali pra equilibrar aqui, são vários homens solitários...".

João não bebeu, não bebia, e eu disse assim para ela: "João Gilberto está lhe chamando pra você sentar na mesa". Ela falou pra mim: "Como?".

"João Gilberto." Ela disse: "João Gilberto, o cantor?".

"Sim."

"Ele está aqui?

"Está."

"Olha minha cara. João Gilberto está aqui?"

"Está ali, olha ele ali sentado. Está com a gente. Ninguém vai mexer com você. É pra você equilibrar porque tem vários homens solitários e se você não for, vai faltar uma menina. Você vai ser a menina." E ela foi. No momento em que viu que era João Gilberto, ela disse: "Por Deus! É ele! Eu tenho um disco dele, vou pegar lá em meu quarto".

Foi uma coisa incrível. E ela saiu com a gente. O dia amanhecendo, João Gilberto tirou o paletó e deu pra ela porque estava fazendo frio. E fomos à casa de João Duarte. Fomos de carro. Quando chegamos lá, João Duarte chegou na porta e disse: "Duvige, abre a porta aí. Você sabe quem veio de Nova York me ver? Você me largou, mas ele veio de Nova York me ver. Abre a porta, mulher".

Ela abriu a porta e disse: "O que é que você quer?". Aí nós entramos, dissemos bom-dia, invadimos a casa dela, sentamos na sala, e João disse: "Agora imita o trem".

"Vou imitar."

Ele tinha umas bochechas grandes, afastou uma mesa, pediu um cigarro, encheu a boca de fumaça, tirou-a e começou a imitar o trem de um jeito que João Gilberto se embolava no chão de rir. A mulher de Duarte também nunca tinha visto aquilo, foi uma loucura, ele imitava que parecia uma maria-fumaça, *tchu-tchu-tchu*, ia prum lado e pro outro, parecia até uma locomotiva, e soltava fumaça *búúúúú*, com a bochecha de um lado pra outro. Resultado: João Duarte voltou de novo com a Duvige. Ficaram lá os dois. E eu disse: "João, você recasou João Duarte com o trem".

Essa é uma das histórias de João Gilberto com a gente em Juazeiro. João Gilberto é incrível, tem muitas outras. Depois nós ficamos amigos, saíamos pra comer buchada de madrugada, na casa de seu Pedro Pirulito. Era um senhor que tinha um restaurante no Piranga, nesse bairro dos cabarés. Ele fazia um mocotó e uma buchada, e a gente ia de madrugada. Naquela época, a gente saía das festas e ia comer mocotó. Chegamos lá três, quatro da manhã, ele já velhinho. E João Gilberto: "Seu Pedro!".

"João Gilberto? Menino, o que você está fazendo aqui?"

João disse assim: "Lá em Nova York não tem mocotó. Nunca mais eu comi".

Seu Pedro foi lá, botou mocotó, aquele pirão, João Gilberto comeu mocotó às três da madrugada. Aí ele disse: "Pedrinho, cadê a manga?". Seu Pedro foi lá no pé, achou uma manga no quintal, aquela manga espada, e deu pra João Gilberto. João Gilberto cortou a manga e chupou. Aí disse: "E o queijo?".

Aqui em Juazeiro, quando a gente comia mocotó, a gente chupava uma manga. Se você botasse pra fora é que você estava ruim. E se entrar pode comer de novo.

Foram três noites fantásticas até que aconteceu a do seu Vadu Corta-Passe. Eu ia deixar João Gilberto em casa e ele disse: "Olha ali, seu Vadu Corta-Passe". Foi o último personagem que encontramos nessa noite. Era dia amanhecendo. Mandou parar o carro e disse: "Seu Vadu! Seu Vadu!". E ele: "Olha aqui! João Gilberto! Estava onde?".

"Eu estava em Nova York."

"E veio fazer o que aqui, bicho? Oxê, neném. Veio fazer o que em Juazeiro?"

"Vim ver as pessoas. Seu Vadu, cadê o samba? Cadê a bossa nova que você inventou?"

Aí todo mundo ficou assustado.

"Você não inventou a bossa nova? Cadê, Vadu?

"Não, não faço mais isso não, João Gilberto. Faço macumba."

"Cadê a caixa de fósforos? Arranja aí uma caixa de fósforos."

Quando João arranjou uma caixa de fósforos, seu Vadu pegou a caixa de fósforos e cantou vários sambas de Noel com a caixa de fósforos: *trrrráá — táá — táá* com os dedos. Só ouvimos uma percussão. Aí João disse: "Não falei que foi ele quem inventou a bossa nova?".

Seu Vadu ficou cantando de novo, nunca mais tinha tocado um samba. Foi João quem fez ele tocar.


Vivinha continuava morando em Juazeiro: "Ele sempre veio aqui. Tocava violão. Tinha até um violão aqui, mas a última vez que veio, ele levou o violão. Foi quando Vavá, meu irmão, morreu, não sei a data. A última vez que ele veio foi na casa que ele nasceu, chorou muito".[22]


Quando ele era criança, a cidade não tinha energia elétrica.[23] Tinha um gerador que às nove horas da noite dava um sinal e apagava tudo, ficava um silêncio, e como Juazeiro tinha pouquíssimos automóveis, João escutava o barulho de um carro que, de longe, vinha se aproximando. E ele pensava: "Está passando na frente da minha casa agora". E à noite o vento trazia o som dos atabaques de um bairro chamado Tabuleiro, onde havia alguns terreiros de umbanda e candomblé. Às vezes, dizia João Gilberto, "era tão perto que parecia que eu estava dentro do terreiro. Quando o dia amanhecia, eu começava a ouvir *Uuuuuuuiiiúúúú, Uuuuiúúúú, rúrúrúrú...* Eram os barqueiros, os empurradores empurrando os barcos com uma vara e conversando, lá na beira do rio. Eu ficava ouvindo do meu quarto também na beira do rio, mas não entendia o que eles falavam. Eu ouvia tudo isso. Não entendia o que estavam conversando mas achava o som muito bonito: *Undiú, undiú, undiú, undiú...*".[24]

# 3. Rio via Salvador

Saindo de Juazeiro em 1949, com pouco mais de dezoito anos, João Gilberto chegou a Salvador. Fez ao lado de seu primo Dewilson a longa viagem no trem da Estrada de Ferro da Bahia ao São Francisco, a popular Estrada da Leste, levando o que de mais importante possuía para sua sobrevivência: o violão. Com a ajuda de outros primos, os Viana, que lá moravam, pôde se acomodar onde foi possível e sobretudo visitar o que não existia em Juazeiro: um estúdio de rádio.

D. Patu era amiga de Odorico Montenegro Tavares, diretor da Rádio Sociedade da Bahia, então PRA-4, emissora pioneira em Salvador, o que ajudou Joãozinho a ter sua primeira oportunidade de encarar um microfone de rádio. Ele foi conseguindo se encaixar aos poucos, ora num programa, ora noutro, para se fixar no cast da emissora. Cantava o mais parecido possível com quem o atraía. Ou seja: cantava como Orlando Silva.

João admirava Orlando por suas notáveis qualidades de dicção, de emissão vocal, de vibrato discreto e por uma característica peculiar: ele imprimia pequenas alterações na divisão, promovia antecipações e retardos que não existiam na melodia original. Tanto que mais tarde, nos ensaios de suas apresentações da TV Record, o maestro Gabriel Migliori costumava avisar aos músicos da orquestra: "Não se preocupem com a divisão do Orlando, ele se atrasa e se adianta às vezes, mas ao final chega junto com a gente". Era disso que João mais gostava.

Muitos anos depois, quando o baiano vinha a São Paulo, sabia onde podia ouvir com tranquilidade os discos de Orlando: no apartamento de um conterrâneo seu, o desenhista e caricaturista Miécio Caffé, o Miecinho. Afável e generoso, Miécio mantinha em seu pequeno apartamento da rua Vitória uma soberba coleção de discos 78 rotações, organizada por sua mulher Hedy, impecavelmente arquivados em envelopes feitos sob encomenda. O caricaturista se orgulhava de receber João Gilberto para as audições do seu ídolo: era só ele dizer o título e o anfitrião ia direto ao casulo de uma das prateleiras que forravam as paredes de seu apê e sacava o disco, sem erro. Dava gosto ouvir música naquele lugar.

Depois de um ano e tanto sem muitas novidades em Salvador, João teve seu grande dia ao receber um telegrama do Rio: Alvinho Sena, componente do conjunto carioca Garotos da Lua, que ele conhecera na Rádio Sociedade, o convidava para substituir Jonas Silva. O que poderia ser melhor do que cantar num conjunto vocal do Rio de Janeiro? Cheio de esperança, ele catou os trocados de cachês, arrebanhou um tanto com os primos, comprou uma passagem da Panair e no mesmo dia aterrissou no Aeroporto Santos Dumont. Levava o violão e também uma carta de apresentação para ocupar algum posto na Câmara dos Deputados, garantia mínima para seu dia a dia.

No início dos anos 50, sentia-se uma inquietude musical na atmosfera carioca. Alguns compositores fugiam do *mainstream*, e se tais ousadias atraíam jovens abertos à modernidade, deixavam de cabelo em pé os mais tradicionalistas. Havia uma tendência para um samba menos acelerado, menos batucado, assim como os de Noel Rosa, naquele momento muito exaltados com o lançamento de um álbum de Aracy de Almeida em setembro de 1950, com seis músicas em três discos de 78 rotações, uma de cada lado. Noel, compositor da Época de Ouro dos anos 30, que vivera seu esplendor compondo marchinhas e sambas carnavalescos, dedicava-se também a músicas chamadas de meio de ano, em que a animação não era tão necessária. Eram essas que atraíam os "inquietos". Aqueles que tocavam de ouvido não entendiam bem o que estava acontecendo nas melodias que não conseguiam assimilar direito, ou nas passagens harmônicas que não eram capazes de reconhecer.

A vida noturna se concentrava cada vez mais em torno de boates com música ao vivo, que floresciam sobretudo em Copacabana, título de um samba-canção que causara o maior charivari quatro anos antes da virada da década, na voz acariciante de Dick Farney, acompanhada por uma orquestra de cordas com arranjos do maestro Radamés Gnattali, outro adepto da modernidade. Ao mesmo tempo que irritou músicos tradicionais, "Copacabana" foi um bálsamo para quem ansiava por inovações, que se faziam sentir também em melodias de Custódio Mesquita. A música popular devia se modernizar, e o samba-canção era um caminho em que acreditavam. Ao contrário do samba-batucada, que tem a dança em seu bojo, o samba-canção se desprendia da marcação rítmica para valorizar a melodia e o encadeamento harmônico.

Nesse clima inédito na música popular brasileira, os nomes que mais chamavam a atenção, os mais identificados com essa inquietação, eram o do violonista Laurindo de Almeida, os de cantores como Dick Farney e Lúcio Alves e cantoras como Nora Ney e Doris Monteiro. Também despontavam Ismael Neto, líder do conjunto Os Cariocas, os arranjadores Moacir Santos e K-Ximbinho, os compositores José Maria de Abreu, Luís Bonfá, Tito Madi, Dolores Duran, Garoto, Valzinho, Antônio Maria e Billy Blanco. Pelo menos dois compositores já consagrados tinham um nítido parentesco com essa tendência que se desenhava: Ary Barroso e Dorival Caymmi. Geraldo Pereira também fazia parte dessa família de ases da canção.

Vivia-se ainda a fase incipiente dos LPs de dez polegadas, quando também surgiram os discos do Trio Surdina e da Turma da Gafieira, instrumentais cujos timbres se encaixavam nos sonhos daqueles jovens ansiosos, sobretudo dos mais ligados ao jazz.

Foi esse o ambiente que João encontrou no Rio quando integrou o Garotos da Lua, contratado da Rádio Tupi, PRG-3, e da gravadora Todamérica, onde gravou dois discos de 78 rotações.[1] Pela primeira vez era possível ouvir a voz de João em disco, pois era o crooner do conjunto em duas músicas, o bolero "Quando você recordar" e o samba "Amar é bom".[2] Neste, cujo gênero se aproximava mais de suas preferências, João revelava ótima dicção, voz suave e uma sutil aproximação com Orlando Silva. Quatro meses depois o Garotos da Lua gravou o segundo disco, no qual não há voz solo. "Anjo cruel" e "Sem ela" eram duas batucadas barulhentas para o Carnaval de 1951, a léguas de distância do gosto de João.

Não é impossível que tal repertório tenha sido um dos motivos de seu desinteresse em prosseguir na formação. Ele foi desanimando. Sempre atrasado, chegando a faltar aos compromissos, deixava os companheiros na mão. Desde logo ficou evidente que o relógio não tinha muita importância em sua vida. Apesar da perspectiva possivelmente favorável no Garotos da Lua, apesar de ter cantado em dois discos e pertencer indiretamente ao cast da Rádio Tupi, Joãozinho não ligou muito quando foi dispensado do conjunto. Deve ter dado graças a Deus. Desprezou solenemente o cargo de escriturário num gabinete da Câmara dos Deputados e consagrou-se à sua vocação verdadeira, a música, a que ele ainda buscava.

De qualquer forma, com o Garotos da Lua João não mostrava claramente a influência de Orlando Silva. Isso aconteceria no ano seguinte, em agosto de 1952, quando lançou seu primeiro disco solo em selo da Copacabana. Gravou dois sambas-canção, um dos quais, "Meia luz", era de um compositor mais próximo da modernidade dos inquietos, o potiguar Hianto de Almeida.[3] Nessa gravação, primordial no legado de João Gilberto, a influência de Orlando Silva se faz sentir nitidamente no ataque, no cuidado com o sentido poético da interpretação, na projeção vocal e nas sutilezas do levíssimo trinado da preposição A no verso da segunda parte, "refúgio dos destinados a sofrer". Enquanto Orlando é mais apaixonado e varonil, João dá uma interpretação delicada, que deixa vislumbrar como cantaria no futuro. Caso seu modelo fosse outro, Sílvio Caldas, por exemplo, ele não chegaria aonde chegou, seria outro João. Há que se destacar ainda o belíssimo solo de saxofone de Jorginho, com certeza o grande sax-alto de sua época, bem como a intervenção do acordeão de Orlando Silveira.

João Donato ia sempre à Rádio Tupi assistir aos ensaios do Garotos da Lua, ainda na época de Jonas Silva. Ele ficou sabendo que um rapaz da Bahia substituiria Jonas. "Olha, ele se parece muito com você", disseram. Antes de chegar, João Gilberto também foi avisado de que encontraria um cara parecido com ele. "Quando nos encontramos frente a frente num ensaio, ele olhou para mim e disse: 'É mesmo!'. Não deu certo no conjunto porque o Jonas Silva tinha uma voz fraquinha, miúda, e eles trouxeram um crooner que tinha uma voz mais fraquinha ainda. Daí não tinha jeito, tiraram ele e botaram outro cara."[4]

A música dos dois Joãos se encaixava espantosamente uma na outra, e o gosto de ambos tinha pouco a ver com o cenário dominante. Os dois, com vinte anos, não tinham muito o que fazer. Donato tocava acordeão e se arranjava, mas João mal conseguia um bico. Falavam mal do mundo, de quem não gostava do estilo deles. Também não gostavam dos sambas dor de cotovelo nem da maior parte das canções que ouviam, consideravam água com açúcar. Queriam uma música moderna, mais harmoniosa — gostavam de música americana e de um sujeito que cantava no bar do Hotel Plaza da avenida Princesa Isabel, Johnny Alf. "Como ele era sozinho, a família tinha ficado na Bahia, ele pegava minhas camisas lavadas e limpas e trocava pelas dele, sujas. O pessoal lá em casa lavava para ele", relembra Donato.

> A gente vivia na boemia. Nós andávamos juntos dia e noite, de cima para baixo que nem cachorro, você sai com cachorro todo dia, fica parecido com ele. João era muito companheiro, sempre aparecia nas horas mais enroladas para mim, surgia de repente como se fosse um ninja. João não queria falar com ninguém, não queria encontrar ninguém, só queria sair de madrugada. "Mas por que de madrugada, João Gilberto?" Ele respondia: "Porque de madrugada é que é bom, não tem trânsito, não tem barulho, não tem nada".[5]

Embora tivesse gravado seu primeiro disco, a partir de 1953 a vida de João Gilberto no Rio de Janeiro ficou francamente à deriva. Morou aqui e acolá, à mercê da benevolência e paciência de ex-companheiros do Garotos da Lua ou de conhecidos que o abrigavam de favor. Levantava alguns trocados em atividades esparsas que nada tinham a ver com suas ambições. Dependendo de indicações dos que apostavam em seu talento, faturava uns cobres cantando aqui e ali em festinhas. Sem o menor futuro. Conseguiu uma graninha atuando em jingles e outra, talvez melhorzinha, como figurante e cantor de coro no show *Esta vida é um Carnaval*, dirigido por Carlos Machado na boate Casablanca, em outubro de 1953.

Namorou duas cantoras em início de carreira, Sylvinha Telles e Marisa Gata Mansa, a qual, com a interferência de Russo do Pandeiro, pôde estrear em disco cantando "Você esteve com meu bem?", de João Gilberto, a rigor sua primeira composição gravada.

O que de fato teria consequência em sua vida nasceu da relação com Luís Telles, do Quitandinha Serenaders, conjunto vocal formado por três gaúchos e um carioca, o violonista Luís Bonfá. Com a saída de Bonfá, abriu-se uma vaga, e Luís lembrou de João Gilberto, por quem tinha enorme admiração. Também não deu certo. Parcas tentativas como integrante do Serenaders selaram os momentos finais de sua errática jornada de quatro anos no Rio. Nos meses derradeiros, foi hóspede de seu fã incondicional, o gaúcho Luís Telles.

Essa soma de frustrações aconteceu justamente quando o samba-canção explodia como o gênero favorito na vida noturna de Copacabana, assim como no repertório dos ídolos da Rádio Nacional e no cenário fonográfico. Elizeth Cardoso alcançou seu primeiro sucesso com "Canção de amor"; Doris Monteiro com "Se você se importasse"; Nora Ney com "Ninguém me ama". Linda Batista gravou "Vingança", levando Lupicínio Rodrigues aos píncaros, e logo depois atacou de "Risque", que mudou a linha de composição de Ary Barroso. Ângela Maria ganhou o Brasil com "Fósforo queimado" e em seguida "Vida de bailarina", enquanto Dalva de Oliveira cantava "Folha morta" e Tito Madi estreava com "Não diga não". Dick Farney brilhou com "Alguém como tu" e ainda abafou ao lado de Lúcio Alves em "Teresa da praia", de Tom Jobim e Billy Blanco. E na hora certa foi gravada a "Sinfonia do Rio de Janeiro" deles dois, exaltando a montanha, o sol e o mar, o que de mais belo era oferecido ao mundo, a estonteante paisagem carioca. A música brasileira ia de vento em popa, o samba-canção reinava no mercado e os inquietos tinham um ídolo: Johnny Alf.

Johnny virou a coqueluche da turma. De setembro de 54 a abril de 55, ele era a atração do bar do Plaza, cantando e tocando piano para uma plateia de músicos profissionais ou amadores de olho numa carreira. Ele era o que havia de mais moderno na música popular. Na outra ponta dessa euforia de criatividade da canção brasileira estava João, sentindo que seus dias no Rio se desmanchavam na frustração do insucesso. Pensou em voltar à Bahia.

Mas foi o gaúcho que o abrigava em Copacabana quem encontrou uma solução, a única que poderia tirar João daquele atoleiro de reveses que desmantelara a crença e a esperança que o haviam acompanhado no voo de Salvador ao Rio. O sensível e bondoso Luís Telles percebeu que a saída para João se ver livre da tormenta era cair fora do Rio.

No verão de 1955, João Gilberto partiu para Porto Alegre.

# 4. Porto Alegre

O Majestic de Porto Alegre, inaugurado em 1933, era o máximo em hospedagem na capital gaúcha dos anos 30 aos 50, não tinha para mais ninguém. Erguido na esquina da rua dos Andradas com a travessa Araújo Ribeiro, na Cidade Baixa, e projetado pelo arquiteto alemão Theodor Wiederspahn, o majestoso edifício honrava seu nome. Uma construção única para abrigar em grande estilo quem desembarcasse dos aviões Junker da Condor.

Grandioso e original, de cor semelhante à da Casa Rosada de Buenos Aires, era constituído por dois blocos comunicantes, um com sete pavimentos e outro com cinco, uma edificação distinta de qualquer outra, a primeira da cidade a utilizar a técnica do concreto armado, que possibilitou as grandes passarelas embasadas por arcadas com terraços e sacadas, com as colunas interligando os blocos.

Seus apartamentos luxuosos, todos dotados de hall, colchões de mola e telefone, receberam por trinta anos personalidades ilustres — os ex-presidentes Getúlio Vargas e Jango Goulart, por exemplo, além de grandes nomes do rádio nacional, Francisco Alves e Vicente Celestino, e a mais famosa vedete da Companhia Walter Pinto, Virginia Lane.

A partir do verão de 1955, o Majestic serviu de teto a um cantor até então desprovido de fama, praticamente um desconhecido que poucos anos depois seria aclamado, no mundo todo, um dos supremos artistas da música popular brasileira. Durante sete ou oito meses, e por conta de seu amigo Luís Telles, o baiano João Gilberto ocupou um dos 180 apartamentos do melhor hotel da capital gaúcha.[1]

João não podia estar mais feliz. Depois de pererecar de pouso em pouso, por meses a fio, no Rio de Janeiro, enfim tinha um espaço só seu, exclusivamente seu, onde podia tocar violão quando bem entendesse, a qualquer hora da madrugada. Era só acender a luz do quarto. E mais: bastava esticar o braço e ele tinha acesso a um aparelhinho que lhe permitia se comunicar com quem quisesse, quando quisesse: um telefone! Bendito Luís Telles.

Embora integrante do Quitandinha Serenaders, e portanto radicado no Rio, Luís Telles mantinha sua base em Porto Alegre. Sensível, percebera a necessidade de afastar João de um ambiente que não só não o ajudava, como contribuía para aumentar a fama de excêntrico, nem sempre favorável para uma carreira. Quem sabe numa cidade onde fosse menos conhecido ele pudesse "ser o que não estava mais podendo ser no Rio de Janeiro. Ser ele mesmo".[2]

Na capital gaúcha, João parecia experimentar uma vida nova. Pouco a pouco foi convivendo numa boa com o pessoal do hotel, conheceu gente nova, integrou-se ao ambiente e fez amizades sobretudo no meio musical, onde era conhecido como Joãozinho. Em certa medida interagiu vivamente com a noite de Porto Alegre, que na década de 50 vivia a transição entre a fase áurea dos cabarés e a chegada triunfal das boates. Há informações de apresentações suas em bares, restaurantes e boates nesse período de cerca de oito meses.[3]

Por intermédio de Luís Telles, Joãozinho conheceu o lendário Clube da Chave na rua Castro Alves, 618, capitaneado por Ovídio Chaves, um dos reis da noite, autor de "Fiz a cama na varanda". Conta-se que ao acompanhar a atriz argentina Noélia Noel em seus boleros, João despertou a atenção com sua pegada no violão.[4] Foi assim que conquistou a admiração da mais fina boemia porto-alegrense, que lhe franqueou a entrada ao clube privé. Deu-se início à relação que se intensificou quando habitués do clube se cotizaram para lhe oferecer um violão novo, permitindo-lhe se apresentar em outros locais. O guitarrista Raul Lima, de quem João ficara amigo, escolheu o violão com cordas de náilon, como ele queria.

Ao longo do primeiro semestre de 1955, João cantou em casas particulares e no restaurante Treviso, que à época funcionava no Mercado Público 24 horas por dia. Foi lá que nos anos 30 deu-se o encontro do cantor Francisco Alves com o compositor Lupicínio Rodrigues. Joãozinho cantou também no El Farolito, na rua Riachuelo, 1609, no Centro Histórico; na boate Côte d'Azur e, novamente levado por Luís Telles, no auditório da Rádio Gaúcha, onde foi anunciado como "um cantor de rádio do Rio de Janeiro".

Também foi convidado por dois clubes da alta burguesia: o Clube do Comércio, em 17 de abril, quando sua performance como cantor foi brindada com uma nota, a única, publicada em 1955 na imprensa local; e a Associação Leopoldina Juvenil, onde foi contratado para se apresentar num baile animado pelo Conjunto Melódico Norberto Baldauf.

Os que se lembram de Joãozinho em 1955 concentram suas descrições no modo como ele tocava. Certamente ainda não era o que depois foi batizado de "a batida de violão de João Gilberto", mas por algum motivo tais comentários foram os mais lembrados. Como interpreta o jornalista Marcello Campos, a temporada de João Gilberto em Porto Alegre naquele semestre é contada em flashes como um curta-metragem sem os detalhes que um longa permitiria. Um desses flashes foi relatado pelo radialista Paulo Deniz, com quem João fez amizade no Clube da Chave: "Houve uma vez em que eu e uns amigos resolvemos fazer uma vaquinha para tirar o João da dureza. Ele ganhou um maço de notas e, minutos depois, deu tudo a um mendigo, dizendo que o coitado precisava mais do dinheiro".[5]

Como se vê, a estada de João Gilberto na capital gaúcha não se restringiu às horas de ensaios intermináveis testando acordes em seu quarto no Majestic. Perambulou pela região do hotel, a Cidade Baixa, bairro boêmio onde havia bares com intensa e agitada vida noturna à época, em contraste com a Porto Alegre pacata de hábitos interioranos.

Joãozinho também interagiu com outros gaúchos, com quem fez amizades que durariam anos. Uma delas foi com d. Boneca Regina: "Luís Telles o apresentara, no Rio, ao advogado gaúcho Alberto Fernandes, que, ao reencontrar João em Porto Alegre, levou-o à casa da mãe, Maria Adelaide Regina Fernandes". Era um sobrado no cotovelo da pequena rua Sofia Veloso, 136, no trecho da Cidade Baixa então conhecido por uma curiosa denominação: as casas em fita, sequência de moradias parecidas umas com as outras.

Eventual colunista de imprensa, d. Boneca Regina fazia de seu lar um entra e sai de gente ligada à cultura, a começar pela família: casada com um crítico de arte, [...] era também prima de Dalva, cujo marido, o professor do Instituto de Artes e compositor erudito Armando Albuquerque, logo passaria a ter a campainha tocada por João para trocas de impressões sonoras nas tardes de sábado. Joãozinho desenvolveu com d. Boneca uma relação maternal que veio para ficar por toda a vida [...] encontrou uma "família adotiva".[6]

Desse modo d. Boneca assume destacada importância nos meses de João em Porto Alegre, atuando como uma segunda d. Patu, o que não ocorrera nem em Salvador nem no Rio. João frequentava a casa com total liberdade, ficou íntimo de toda a família e não demorou para perceber a ótima acústica da cozinha, onde passou a cantar e tocar seu violão.

No dia 10 de junho, quando João completou 24 anos, d. Boneca Regina lhe preparou uma festa surpresa na qual, além do "Parabéns a você" de seus amigos gaúchos, ele ganhou um presente: a menina Malu Pederneiras, neta de d. Boneca, juntou sua mesada e convocou o pai, a mãe, a avó e o tio Alberto para uma vaquinha suficiente para a compra de um novo violão ao aniversariante.[7] Anos mais tarde, escreveu uma cartinha a Malu, na qual confessou que "Porto Alegre é uma terra tão boa, é uma gente tão boa que trata a gente como se a gente já tivesse morrido".[8]

Em Porto Alegre, Joãozinho tinha em d. Boneca uma segunda mãe, que lhe proporcionou a sensação de participar daquela família como um filho postiço. E em Luís Telles um verdadeiro mecenas, que além de lhe custear a moradia, introduziu-o a pessoas que lhe abriram caminhos. O terceiro personagem de considerável relevância nesse período de oito meses foi Armando Albuquerque.

Dos mais destacados compositores do Rio Grande do Sul, nascido em Porto Alegre em 1901, Armando era violinista e pianista, vindo a ser mais tarde professor de harmonia do Instituto de Artes da UFRGS. Embora na mocidade tenha sido pianista de música popular em cinemas e cafés, dedicou-se inteiramente à música clássica. Sua obra, constituída sobretudo de peças para piano e música de câmara, tornou-se mais conhecida quando ele já era sexagenário, talvez por ter sido "uma das pessoas mais modestas e éticas que conheci em minha vida", como rememorou seu vizinho Celso Marques em texto para este livro. "Conseguiu passar toda a sua vida desconhecido entre os de sua terra, pois nunca teve tempo nem vaidade para se preocupar com isso", arremata o vizinho, que teve o privilégio de encontrar João Gilberto na casa de Armando, à rua Lopo Gonçalves, 607.

Ao contrário do também gaúcho Radamés Gnattali, compositor de música clássica que não desprezava a popular, Armando fazia uma distinção quase preconceituosa entre as duas. Numa das respostas a uma entrevista concedida ao jornalista Juarez Fonseca, ele diz: "Na música popular há sempre repetição [...]. Essa coisa de repetir a mesma música e a mesma letra, e de novo, eu acho insuportável [...]. O que me desgostava na música popular era aceitá-la como obra de arte. Depois que a gente a ouvia, na segunda vez não tinha mais graça, pela repetição constante".[9] Tudo indica que essa colocação infeliz e antipática em nada combinava com o saber e a integridade do eminente e respeitado professor.

Jamais se poderá saber o que aconteceu entre João Gilberto e Armando Albuquerque no primeiro e nos sucessivos encontros dos sábados à tarde, um no violão e outro no piano alemão Zeitter & Winkelmann. Nenhum deles contou como eram, e o filho de Armando não testemunhara esses momentos, pois as crianças saíam da sala quando chegavam adultos. Mas pelo menos ficamos sabendo que os encontros eram aos sábados à tarde porque Armando trabalhava como professor a semana toda.

Nascido na música popular, João era ligado ao ritmo e à melodia do que ouvira e praticara nos seus 23 anos de vida. Sua intimidade com conjuntos vocais permite deduzir que — ao menos no que diz respeito aos arranjos para vocalização coletiva — seu entendimento não deveria ser muito diferente do que era costumeiro nesse âmbito. Isto é, a combinação de notas consonantes que, sem demérito, pode ser considerada pouco mais que elementar. Portanto, seu violão devia estar nesse estágio também. De onde se pode indagar: que motivo haveria para a convivência restrita à música entre Joãozinho e Armando? Entre o universo dos conjuntos vocais e o das orquestras sinfônicas? A meu ver a resposta só pode ser uma: a harmonia.

Posso então imaginar que a sequência de acordes executados ao piano pelo professor em peças de música clássica fosse para o apuradíssimo ouvido de João Gilberto como o descobrimento de um mundo novo, um entrar em alfa. Um acorde, depois outro, mais um, depois mais outro no encadeamento harmônico de sons dissonantes, é o que poderia ampliar o horizonte de sua meta. E se tentasse transportar aqueles acordes de notas das teclas do piano para as cordas do violão? Além da busca incessante de um novo modelo de ritmo, as horas ao violão seriam também dedicadas a testar novos acordes. Uma abertura para o universo da harmonia, o elemento que lhe faltava.

Ao cabo de sete meses ou mais, seu período no Sul chegava ao fim. Quando Luís Telles precisou voltar ao Rio, levou João de volta. Foi o movimento certo no momento exato.

No outono de 1960, já casado com Astrud, ele voltou a Porto Alegre pela primeira vez, para uma apresentação no sábado, 11 de junho, na Associação Leopoldina Juvenil, o aristocrático clube do bairro Moinhos de Vento. Seria uma reunião dançante que contaria com sua presença às nove horas da noite, uma apresentação bastante simples que não podia ser classificada como um show, pois nem sequer havia um tablado para o artista. Diante de uma plateia de não mais que cem pessoas, a maioria jovens sentados no chão, senhoras e senhores nas poucas mesas e os demais em pé, atrás, João ofereceu uma mostra do repertório de seus dois discos. Contando com um microfone de pedestal e vestindo terno e gravata, a perna direita apoiada numa cadeira, ele "cantou e encantou uma plateia elegante e animada", conforme o singelo comentário publicado na *Última Hora* local, com duas fotos do evento.

Nessa breve passagem pela cidade, João fez questão de estar com duas pessoas por quem tinha gratidão: Boneca Regina e Armando Albuquerque. Hospedou-se com Astrud no sobrado da rua Sofia Veloso, em convívio com a família de sua mãe gaúcha. João, é lógico, era o centro das atenções, e na sexta-feira, 10 de junho, quando completou 29 anos, na festinha de aniversário em sua homenagem foram todos, d. Boneca, Malu, o tio Alberto, Armando e outros mais ouvi-lo cantar... na cozinha. Possivelmente sem saber, ou, pelo contrário, sabendo que havia um gravador, João os brindou com um recital informal, íntimo e inédito. Alguém apertou a tecla REC e assim foram registradas as conversas, os palpites do que queriam ouvir, as músicas, as palmas, tudo o que aconteceu nessa noite.

Na gravação, precária mas valiosa por sua singularidade, João canta "Samba do avião" e informa ser de um filme italiano que ainda iria chegar. Apesar da limitação técnica da gravação, pode-se distinguir nitidamente sua emissão de vogais e consoantes como se fosse em alta-fidelidade. Uma voz feminina pede "Morena boca de ouro" e ele atende. Depois canta "Sem você" uma vez, faz um breve improviso assobiando e canta pela segunda vez com acordes arpejados ao violão. Termina com assobios e diz: "É Tom e Vinicius". Canta ainda "Outra vez", depois "Acalanto", de Caymmi, e ao final uma canção de ninar, lembrando à pequena plateia que já era hora de dormir. "É hora de ninar nenê, d. Dalva..."[10]

Era inverno. No meio de uma fria tarde de sábado ou domingo, João, com o pulôver branco da capa do LP *Chega de saudade*, tocou a campainha da casa de Armando Albuquerque. Ele entrou e imediatamente se dirigiu ao gato da família, que avistara da porta. Ficou acariciando o bichano por um tempo, completamente alheio aos curiosos da vizinhança, decerto sabedores de sua presença. Só depois de ter acarinhado e falado com o gato é que cumprimentou as pessoas. Os curiosos permaneceram um tempo em frente à casa, observando seu interior através da janela. Foi a segunda visita de João a Armando após cinco anos. Já estivera lá com Astrud, mas não tocara violão nem cantara.

A seguir João foi conversar a sós com Armando no pátio nos fundos da casa. A descrição dessa visita, que o vizinho de muro Celso Marques, então adolescente, elaborou de próprio punho para este livro, clareia a relação de João com quem, suponho, tenha estruturado seu horizonte para o cosmos da harmonia na música, Armando Albuquerque.

Terminada essa conversa mais íntima, voltaram para dentro de casa. João sentou-se, e seu lugar na sala de jantar tornou-se o centro das atenções. Falou com desenvoltura, longamente, a respeito de si e de acontecimentos que tinha vivido. Não me lembro dos detalhes de tudo o que ele falou. Lembro que ele recitou um poema de Carlos Drummond de Andrade e falou da sua admiração pela poesia do Drummond, por Tom Jobim e por João Donato. "Nunca vi o Donato errar uma nota. É perfeito. Tem as conexões do cérebro perfeitas. É um iogue." Foi a primeira vez que ouvi João falar de Donato. Animado pela simpatia e disponibilidade do meu ídolo, mostrei a ele uma pilha de discos que eu andava escutando e pedi a sua opinião. Ele descartou a maioria, muitos do gosto jazzístico antigo do meu pai, separou os que considerava bons e me recomendou escutar Chet Baker, que eu ainda não conhecia na época. Um dos momentos culminantes e inesquecíveis daquela tarde foi o desafio ao Armando proposto por João Gilberto. Lembro do maestro sentado ao piano e João ao lado dele, com o violão Salmeron que o Armando tinha. Os dois começaram uma espécie de duelo musical: João dava um acorde no violão e o Armando, sem a menor hesitação, imediatamente reproduzia o mesmo acorde no piano, sem errar uma nota. Foi um duelo sensacional, começando com acordes perfeitos maiores e menores e aumentando progressivamente as dificuldades com as dissonâncias crescentes dos acordes que João apresentava. O maestro saiu-se muito bem no desafio. E o duelo acabou empatado, com os dois músicos rindo e elogiando-se mutuamente, deliciados com a brincadeira.

Concluo esta narrativa com um comentário sobre a impressão que esse encontro deixou na minha memória. Como é sabido, um imenso anedotário formou a imagem pública de João Gilberto como uma personalidade antissocial, introvertida, idiossincrática, narcisista e excêntrica. No entanto, a impressão que ele me deu na ocasião está em completo desacordo com essa imagem. O João Gilberto que vi foi uma pessoa despretensiosa e simples, extremamente sensível, dada, extrovertida, afetiva e comunicativa. Em suma, um gênio com uma personalidade complexa, intrigante e carismática.[11]

Armando contou a Celso que certa vez, em 1955, foi visitar João no hotel Majestic, preocupado com sua saúde, seu isolamento e a solidão em que vivia. Lá ficou sabendo que ele mantinha as janelas do quarto fechadas, permanecendo no escuro a maior parte do tempo.

A histórica praça da Matriz em Porto Alegre, oficialmente praça Marechal Deodoro, é rodeada por edifícios representativos do poder, das artes e da religião católica do Rio Grande do Sul. Lá estão o Palácio Piratini, do Poder Executivo do estado, o Palácio da Justiça, o Teatro São Pedro, a Catedral Metropolitana e o Palácio Farroupilha, sede da Assembleia Legislativa, que desde 1967 ocupa o terreno onde outrora existiu o Auditório Araújo Vianna, inaugurado em 1927.[12]

O velho Araújo Vianna era muito bonito, segundo o jornalista Juarez Fonseca:

Completamente aberto, tinha uma linda concha acústica de concreto, uns bancos de praça, trepadeiras, e lá se apresentava a orquestra sinfônica. Depois de demolido, o Araújo Vianna foi reconstruído[13] no Parque Farroupilha, conhecido como Parque da Redenção. Ao ar livre, sem cobertura, redondo como uma arena, o espaço era fechado por portões. O palco ficava num dos cantos e para a plateia havia uma arquibancada de bancos de madeira em semicírculo, como um anfiteatro. Todo mundo tinha boa visão. Mas começou a ser vandalizado; uma vez no julgamento do desfile de Carnaval houve uma briga generalizada, arrancaram os bancos, jogaram no palco [...]. Aí fecharam, ficou um ano fechado até que em 1996, no segundo governo petista do Tarso [Genro], foi feita a cobertura. Uma cobertura de lona branca no formato de um disco voador.[14]

"A cobertura do auditório era uma discussão muito antiga, e nunca que era executada", lembra Carlos Branco:

> Eu tinha 25 anos quando assumi o cargo de coordenador de música da Secretaria Municipal de Cultura de 1989 a 1994. O Araújo Vianna estava muito abandonado, nós fomos arrumando aos poucos, e no final da minha administração achei que deveríamos cobrir o auditório; o tempo em Porto Alegre é muito complicado. Comecei esse processo, e quando o projeto estava pronto, deixei a coordenação.[15]

Com a saída de Branco, a coordenação foi entregue a Álvaro Magalhães. Vindo da área de planejamento, Álvaro conhecia as dificuldades do Bonfim, um bairro com problemas de tráfico de drogas e certa violência no entorno do auditório. A data de entrega da obra à cidade foi marcada tão logo a cobertura fosse concluída. Para compor o grupo responsável pela reinauguração, Álvaro, por dentro do ambiente musical de sua época de guitarrista, resolveu convidar dois amigos, Sérgio Karam, saxofonista e conhecedor de jazz, e o ousado músico Arthur de Faria, figuras reputadas na cena porto-alegrense. Em segredo, os três se reuniram para montar uma programação plural de samba e rock para a estreia, um show marcante, ousado. Queriam arrebentar. Cogitaram a Liberation Orchestra e a pianista Carla Bley, mas ainda não era o que desejavam. Álvaro lançou a ideia de seus sonhos: João Gilberto. Não que o nome fosse agradar o pessoal da prefeitura, mas o artista tinha um vínculo muito especial com a cidade que o acolhera em 1955. Decorridos mais de quarenta anos, João se convertera em um ídolo mundial, com espetáculos memoráveis pelos quatro cantos do mundo. Nenhum show em Porto Alegre, porém.

De posse do número do telefone, graças a Arthur, Álvaro ligou para a empresária Carmela Forsin, que o tratou com cordialidade, profissionalmente.

> "Estamos com uma obra andando, e a programação de sua inauguração é de minha responsabilidade; somos três pessoas e é muito secreto. A ideia é ter uma grande atração, que na minha cabeça é o João."

No meio da conversa, eu disse: "Olha, eu quero fazer um pedido, tu diz pra ele por favor que nós nos lembramos dele. Eu sou da Prefeitura, mas a questão é que nós da cidade vamos inaugurar o auditório, é uma coisa muito especial, passo todas as informações, é importante pra cidade, mas eu preciso que tu diga pro João Gilberto que nós nos lembramos dele. É ele! Ele é quem tem que vir!".

No dia seguinte ela me liga: "Álvaro, aconteceu uma coisa muito estranha, muito diferente, inusitada. Não é assim que o João trabalha, o João mandou dizer que tem uma data reservada para você. Ele vai tocar quando você quiser, ficou muito emocionado com a lembrança, tem amigos. Mandou reservar uma data para você".

Foi assim. Pessoal e intransferível. Por telefone. Imagina como eu fiquei.

Levei aos superiores uma proposta grande, ambiciosa. Era um dinheiro factível. A exigência era muito pouca, só som de palco, operador dele e o equipamento. Eu sabia quanto a gente gastava nas obras, não era esse o problema. Eles me disseram: "Faça a programação, mas só com o pessoal daqui. Toma aí metade, tu é muito competente, tu consegue. Metade do dinheiro que tu tinha dito que precisava pra fazer o João Gilberto, tem a metade, te vira".

Eu juntei mais alguma grana, liguei pra moça, e disse: "Eu tenho tanto".

Ela disse: "Tá, Álvaro, eu vou falar com ele".

No outro dia ela liga e diz: "Álvaro, ele mandou reservar a data para você, a data é sua, as condições que você tem são essas? Essas serão as condições".

Por causa do gesto de carinho, João disse à Carmela que fechasse; o que determinou sua decisão não tinha nada a ver com dinheiro, com política, com empresa, com nada.

Queria devolver à cidade a lembrança que ele tinha.[16]

A assessoria de imprensa queria saber das exigências, das toalhas brancas, da água mineral de que país, o de costume. Álvaro estava confiante e deu uma resposta inesperada: "Bota no release que ele não pediu nada, nem água. Vai ser o release mais original".

E João voltou a Porto Alegre para o show de 18 de outubro de 1996. Iria se apresentar no Araújo Vianna coberto. Chegou na véspera, com Otávio Terceiro, seu empresário nas viagens, Maria do Céu, sua namorada, e Castor, seu técnico de som, que de madrugada chamou Álvaro: o equipamento não havia chegado. Álvaro foi ao aeroporto conversar com a Varig, que lhe assegurou que tudo estaria lá às nove da manhã.

A acústica não tinha ficado boa, todos sabiam disso. O auditório era barulhento, todo mundo conversava, fumava-se durante os shows, alguns saíam no meio para bater papo, a informalidade estava alguns graus acima do aceitável. Levar João Gilberto para um lugar assim? E se falassem no meio do show? E um show gratuito! Os ingressos foram distribuídos mediante senha na porta do auditório. Às sete da manhã havia uma fila dobrando o quarteirão. Uma hora depois não havia nenhum tíquete para contar a história. Três mil e cem ingressos se evaporaram. Álvaro teria que encarar mais essa, comunicar que os ingressos tinham se esgotado. É lógico que havia uma lista de convidados obrigatórios, o pessoal da RBS, da *Zero Hora*, que não entraria na fila.

À tarde chegou um moço muito simples, carregador de taco do Country Clube, com reportagens de revistas dos anos 60. Sabia tudo sobre João e intimou: "Eu tenho que ver esse show". Álvaro respondeu: "Cara, vem na hora do show, não vai ficar ninguém de fora". E instruiu os seguranças a barrar só quem estivesse bêbado ou muito inconveniente, caso contrário não haveria restrição, podia entrar, o show era de graça. E foi assim: não só ninguém ficou de fora, como não houve movimento de entra e sai. Mas o ambiente era de muita expectativa, todos se perguntando como seria a recepção nesse lugar tão anti-João Gilberto.

Pois não é que naquela tarde caiu um temporal que inundou a cobertura e vazou na plateia? Às sete da noite, porém, tudo serenou, foi uma calmaria.

João não apareceu para a passagem de som, que acabou sendo feita por Álvaro. Otávio aprovou e prometeu dizer a João que o som estava legal, mas reverberava demais.

Como era de se esperar, João chegou atrasado dizendo que queria conhecer Álvaro. Estendeu a mão, agradeceu e ouviu o desabafo: "Tinha que ser tu".

"Mas você julga esse lugar apropriado, Álvaro? Não pode fazer três noites no São Pedro?"

"Olha, João, tu me desculpa, mas tem 3500 pessoas te esperando, a cidade está mobilizada para esse negócio, e dá pra fazer, João.

"Quem é Araújo Vianna?"

A pergunta tinha lógica, porque no ranking dos compositores de ópera, Araújo Vianna poderia ser o terceiro ou quarto brasileiro na época em que Carlos Gomes era o primeiro. Era um compositor lírico respeitado, Álvaro explicou, homenageado com o nome do auditório anos atrás. E tentou remediar: "Aqui tem uma sala que a gente transformou em camarim, a sala Radamés Gnattali".

"O que você está me dizendo? Quem é esse Araújo Vianna que tem o nome do auditório e Radamés é uma sala lá dentro? Isso aqui tem que chamar Radamés. Como é que pode essa sala ser Radamés e quem é esse tal de Araújo Vianna que tem um status maior que o Radamés aqui na cidade? Como é isso? Não pode ser. Vamos mudar esse nome."

João falava no tom de voz de sempre, educadíssimo, sabia muito bem da importância de Radamés Gnattali. Álvaro nem se lembra de como respondeu, deu uma enrolada concordando e argumentando que o auditório era muito antigo e fora batizado muito antes do Radamés. Mas sabia que João tinha razão. Foi um momento delicado. E houve mais um.

No palco, ele arpejou um acorde de violão e fez uma careta: "Esse violão é empenado, não afina". Álvaro achou que fosse uma pegadinha e, como tinha estudado violão, retrucou bem sério, mas morrendo de medo: "Como não afina? Olha, tu não toca assim. Toca um acorde em bloco, não arpejado, como tu toca".

João fez uma sequência de dois ou três acordes.

"Tá vendo? Tá bom! Você acha que está razoável?"

"Ah, está bem sim."

O show estava marcado para as nove da noite. De terno e gravata, João entrou no palco às dez e quinze, e ninguém se queixou. Ao contrário, estavam tensos, receando o que poderia acontecer, cada qual torcendo para o vizinho ficar em silêncio, temendo a reação do artista se ele ouvisse ruídos. O começo foi preocupante.

"Com setenta minutos de atraso, compensou com uma exibição à altura das manchetes, 'O espetáculo do ano'. Aos poucos, o João nervoso das quatro primeiras músicas deu lugar a um astro mais solto e interativo a citar lugares e personagens da Porto Alegre boêmia de 1955", relatou o jornalista da *Zero Hora*, Renato Mendonça.

Cantou vinte canções, clássicos e surpresas como "Brasil pandeiro", "Eu sei que vou te amar", "Wave", "Estate", "Pra que discutir com madame" e "Chove lá fora", que nunca gravara. Entre uma música e outra, falava de antigos amigos da cidade, como os músicos do conjunto de Norberto Baldauf. Aplaudidíssimo, levantou-se às 23h25, caminhou com o violão em direção à coxia, deu meia-volta e retornou:: "Temos muito tempo pela frente, se eu errar não tem problema, não é?". O público vibrou, animou-se e pediu canções que ele atendia sem hesitação. Cantou "Carinhoso" e "Retrato em branco e preto" nesse bis inesperado e mais que bem-vindo. Alguém sugeriu "Prenda minha". João pediu desculpa caso errasse a letra e atacou o clássico do cancioneiro gaúcho. Cantou mais onze músicas, então se levantou, agradeceu mais uma vez e, inclinando-se numa mesura de grande artista, pôs a mão direita no peito e mandou um beijo antes de sair de vez. Passava de meia-noite.

Maria do Céu, que acompanhou o show perto da mesa do monitor, foi para o hotel mas não subiu, ficou no hall em companhia de Castor e Álvaro. Carmela havia ligado do Rio pedindo a Álvaro para ficar de olho em João, cuidando de que tudo estivesse a postos. Os três ficaram a noite toda conversando no hall enquanto João ligava para a portaria de quando em quando a fim de saber como estava Maria do Céu. Ficou acordado a noite inteira. Fora uma briguinha de casal, segundo Álvaro. No dia seguinte partiram todos numa boa.

A moçambicana Maria do Céu Harris, criada numa aldeia portuguesa e ex-miss Portugal, conhecera João Gilberto aos 21 anos, três dias após ter assistido ao show de 10 de junho de 1984 em Lisboa. Ele se enamorou dela e a convidou para acompanhá-lo ao Brasil.[17] João voltou antes e ela veio em setembro. Passados seis anos sem que a família da moça tivesse notícias dela, sua mãe chegou a pensar que ela tivesse morrido. "Quem falou com ela foi João. Eu era doida, né?"[18]


Em 2001, a Branco Produções era a mais conceituada produtora de shows e eventos do Rio Grande do Sul. De reputação nacional, era invariavelmente a contratante dos grandes nomes da música brasileira para shows ou tournées em Porto Alegre. Naquele ano a empresa realizava projetos para o belo teatro do Sesi na zona norte da cidade. Caetano Veloso e Gal Costa já tinham se apresentado lá, quando cogitaram trazer João Gilberto, cujos shows envolviam sabidamente a intermediação de Otávio Terceiro. O problema é que quando tudo parecia seguir bem, a despeito de adiamentos e mais adiamentos, na hora H a porta poderia se fechar. Otávio era a chave certa. Branco entrou em contato com ele, acertou detalhes de data, transporte, estadia e valores para uma nova vinda a Porto Alegre.

A Branco Produções enviou as passagens para o primeiro voo do dia 22 de novembro, véspera do show. Naquela manhã, Carlos Branco recebeu um telefonema de Otávio: João não iria no horário marcado, mas no segundo voo. Como ele tampouco embarcou no voo prometido, Branco ficou apavorado. Agendaram um novo horário para a manhã seguinte. Mais uma vez ninguém embarcou. Otávio então ligou confirmando que João e sua comitiva viajariam sem falta no voo das duas da tarde para o show das nove da noite no teatro do Sesi. Branco não sabia o que acontecia, se ele perdia o voo ou o que era, apenas recebia as mensagens dos sucessivos adiamentos, todos pagos por Otávio. Duas e pouco Otávio liga mais uma vez: "Olha, ele está dentro do avião, estamos indo".

Viriam sete pessoas: o técnico de som, a namorada Maria do Céu, Otávio, João, dois desconhecidos e mais alguém, que acabou não vindo. Chegando a Porto Alegre, os seis seguiram para o hotel Blue Tree Towers e subiram a seus quartos. Branco foi para o teatro, não havia tempo a perder. Como João Gilberto não havia se apresentado para a passagem de som, assim que o técnico chegou, ele, que tinha sido músico, passou o som com um violão que lhe arranjaram.

À noite a equipe embarcou numa van para o teatro, sem João. Os dois que ninguém sabia quem eram, e nem a que vieram, foram direto para um camarim e começaram a comer, comer, comer muito, sem parar. Branco estranhou: "Vocês estão com fome?".

E eles, bem velhinhos, disseram: "Claro! Estamos loucos de fome! Nos deixaram trancados no hotel o dia inteiro, não comemos nada!".

Branco, surpreso, perguntou: "Mas como? Não lhes deram a diária de alimentação?".

"Não. Não nos deram nada."

"Mas vocês não fazem parte da equipe?"

"Não, nós somos vizinhos do João e ele nos convidou para vir a Porto Alegre e nós aceitamos." Nunca tinham participado de um show, não estavam habituados com tournées, não entendiam nada de diária de alimentação e pensaram que alguém lhes levaria comida. Ficaram isolados, não falaram com ninguém.[19]

João chegou às nove e meia e foi direto para o palco, sem passar pelo camarim. Tinham sido providenciados três banquinhos para que ele apoiasse o pé, e ele, que acabara de ser apresentado a Carlos Branco, lhe perguntou: "Qual você usaria?".

Branco respondeu prontamente: "Eu usaria o do meio".

"Então pode tirar os outros."

Com a cortina fechada e o público de 1700 pessoas esperando, João deu uma volta pelo palco e disse: "Pode abrir". E então fez um show maravilhoso de quase três horas. Era esse o preâmbulo da ótima crítica de Renato Mendonça:[20]

Quando ele finalmente subiu ao palco [...], operou-se o milagre do tempo. Para o público, o atraso de 42 minutos. Para João, parecia ser de 46 anos. Absolutamente afável, emocionado e bem-humorado, o baiano estava mergulhado numa viagem nostálgica, num acerto de contas com a cidade e os amigos que o receberam durante parte do ano de 1955.

O espetáculo iniciou-se com o humilde João aplaudindo o público pela paciência e pedindo desculpas: "Vocês vão me ajudar. Qual é a primeira?".

E o público atônito, esperando um artista irascível, temperamental, e topando com um camarada que não parava de lembrar os nomes dos amigos gaúchos. E nas quase duas horas e meia seguintes de show (que estava previsto para durar apenas noventa minutos), a relação do público com João Gilberto foi de intimidade, diferente da última vez que o cantor havia estado na cidade, em 1996. [...]

João, com setenta anos, evocava Boneca Regina, Cândido Norberto, Luís Telles, Armando Albuquerque, Hedy Pederneiras, Sonia, Cristiano, Maria de Lourdes, Norberto Baldauf, Conjunto Farroupilha, Paulo Deniz ("Que me contratou para cantar numa boate") e o garçom de um bar em Porto Alegre, um tal de Antonio: "Ele dizia 'João, não beba, experimente um Toddy'".

Chegou a narrar um causo de Mario Quintana. "Perguntaram ao Mario 'Como tem passado?', e ele respondeu 'Só tenho presente'." Mas, no palco, o clima era pretérito. No intervalo entre uma memória e outra, João Gilberto mostrava por que era gênio que sobreviveria ao futuro. [...] Esbanjava originalidade, alterando andamentos, prolongando versos até a voz ficar embargada, ritualizando a música popular com músicas centradas entre as décadas de 1940 e 1960.

Cantou quase todas as bossas clássicas, lembrando "Insensatez", "Desafinado", "O pato", "A felicidade", "Solitude" (em que ele mudava de oitava na voz com a maior desfaçatez), subverteu pela enésima vez o ritmo em "Retrato em branco e preto". Homenageou o Sul cantando "Prenda minha", "Se acaso você chegasse", "Gauchinha bem-querer" e "Quem há de dizer", emocionou com a italiana "Estate", além de recordar "Eu sonhei que tu estavas tão linda", apontando que era uma de suas favoritas quando estava em Porto Alegre. E deu pistas de que estava na cidade para um acerto de contas.

Em "Insensatez", frisou o verso "Quem não pede perdão/ Nunca é perdoado/ Perdão, perdão". Quando abriu o espetáculo, chegou a murmurar algo sobre "A carta que eu não escrevi". E as surpresas seguiram, quando ele tocou sua composição instrumental "Um abraço no Bonfá". Depois entoou o Hino Nacional, parou no verso "terra adorada" e soltou um suspiro de enfado, numa manifestação política tão delicada quanto contundente. Deu tempo ainda de farejar alguém fumando: "Cigarro? E o Guaíba? E o crepúsculo?".

Aí tapou o nariz e improvisou "Chega de cigarro/ A realidade é que...". No final, incapaz de lembrar a letra do "Samba da bênção", João improvisou [com] os nomes de outros tantos amigos seus na Porto Alegre de 1955. E, ali na hora, compôs uma música na frente do público do Teatro do Sesi. Cantava: "Bênção todo mundo do Rio Grande do Sul/ A ioga diz que você não é seus erros/ Saibam que eu rezo por vocês/ Foi linda a vida por causa de vocês/ Viva o Rio Grande do Sul que eu adoro".

Passadas duas horas de show, Maria do Céu gritava da coxia para ele parar. Não foi atendida, ficou brava e foi embora. Na manhã seguinte viajou com os demais no voo das sete para o Rio. Sem João, que permaneceu no hotel com Otávio.

Os adiamentos para a volta se repetiram: às quatro da manhã Otávio ligou para o motorista contratado confirmando que iriam no voo das sete. O motorista se preparou, quando veio nova ligação: "Olha, ele não vai mais". Às onze, novo adiamento. Perto das duas, outra chamada. Foram quatro trocas de voo e um dia e meio a mais na cidade até viajarem.

Chegando ao Aeroporto Salgado Filho, João entregou um envelope ao motorista e disse: "Olha, Milton, você só abre quando chegar em casa". E embarcou com Otávio. O envelope continha quase mil reais, muito acima de uma corrida.

Segundo Renato Mendonça, Porto Alegre representou uma ilha de sossego para João e funcionou como um período de acúmulo de forças e estabilidade emocional. Para dar um salto de qualidade, elaborar uma ruptura da grandeza da bossa nova, o artista precisa de um tempo de decantação.

Durante o show, João falou várias vezes a palavra "dívida": "Eu estou em dívida com vocês", "Saldar uma dívida". Porto Alegre teve esse sentido para ele.[21] Em seus dois shows, o de 1996 e o de 2001, João saldou sua dívida com um belo ágio.

# 5. Diamantina

Nos anos 50, embora simples e pequeno, o estúdio da Atlantic Records da 56th Street era dos mais bem equipados de Nova York. Subia-se uma escada estreita até o primeiro piso para chegar ao quartel-general do engenheiro-chefe Tom Dowd. Além do estúdio com tratamento acústico, havia somente a sala da mesa de som, um gravador Ampex de primeira linha e um rack com os demais equipamentos para as gravações. Nada de luxo. Em compensação, o que saía de lá tinha uma qualidade técnica espantosa. O que havia de melhor nos LPS Atlantic, dos irmãos Ertegün, Nesuhi e Ahmet nascidos na Turquia, saía dali. Chris Connor, Ray Charles, Bobby Darin, John Coltrane, Thelonious Monk, Ornette Coleman, o Modern Jazz Quartet, Charles Mingus gravaram discos históricos nesse estúdio.

Tom Dowd era um mestre. Foi dele a ideia de repartir "What'd I Say" nas duas faces de um single, gerando o estouro de Ray Charles. Foi o primeiro a instalar em estúdio a máquina Ampex de oito canais, que possibilitaria gravações estereofônicas. Apesar de os discos vendidos em lojas como a Sam Goody e a Colony serem monaurais, Tom arquivava uma cópia em estéreo de tudo que gravava para lançar quando o sistema estereofônico fosse adotado. O futuro inevitável estava para acontecer em breve e ele o antecipava.[1]

Fiz um estágio de alguns meses lá, sob o comando de Tom Dowd. Nos fundos ficava um lavabo que ninguém usava como banheiro, minúsculo, forrado de azulejos. Além da pia e da privada, havia um alto-falante e um microfone pendurados um de frente para o outro. Era a rudimentar câmara de eco que, manobrada convenientemente, tanto podia produzir um eco artificial quanto dar brilho e profundidade à voz ou ao instrumento.

No processo, o som do alto-falante reproduzindo a voz original e seca do cantor era captado pelo microfone e retornava a outro canal da mesa para ser trabalhado. Daí a diferença. Os azulejos contribuem para reverberar e ampliar o som, parecendo encorpá-lo, o que proporciona aos tenores de chuveiro um brilho artificial que dá gosto de ouvir. Dotado de uma percepção auditiva descomunal, compreende-se por que João Gilberto gostava de se ouvir cantando e tocando no banheiro.

Quando retornou ao Rio, chamado pelos Quitandinha Serenaders, Luís Telles sentiu-se obrigado a trazer João Gilberto de volta, mesmo correndo o risco de uma recaída à melancólica fase depressiva que precedeu o período em Porto Alegre. Apreensivo, mais que depressa tratou de tirar João do Rio de Janeiro pela segunda vez, encaminhando-o para onde ele se sentiria seguro e feliz: a casa de sua querida irmã mais velha, Maria da Conceição Oliveira Paz, a Dadainha, em Diamantina.

Em setembro de 1955, João embarcou na rodoviária do Rio com seu violão para reencontrar Dadainha, que morava em Minas com o marido, Péricles Rocha de Sá, engenheiro da Companhia Mineira de Obras, o filho deles, o menino Pedro Augusto Cezar Oliveira Sá, e uma filhinha nascida havia um mês.

Especializado em estradas de rodagem, Péricles fora designado para chefiar a construção do trecho que ligava Diamantina a Mendanha, parte do plano rodoviário traçado pelo governador Juscelino Kubitschek que conectava Belo Horizonte aos quadrantes do estado. Eis por que o cunhado de João Gilberto e sua família haviam se transferido de Juazeiro para a pacata Diamantina.[2]

A presença da tradição cultural de origem folclórica, manifestações dançantes e folguedos como Marujos, Catopês e Caboclos, de origem negra ou indígena, pode ser encontrada na Arquidiocese de Diamantina, onde há registros que datam de quase quatrocentos anos, afirma o compositor Tavinho Moura, que costuma ir às Festas do Rosário em São Gonçalo do Rio Preto e do Divino em Diamantina.

A cidade transpira música, Diamantina é a terra da modinha, Diamantina é a terra da seresta, Diamantina é a terra de serenatas em noites enluaradas.

Diamantina tem também as Vesperatas, autêntico evento das práticas religiosas mineiras de origem na Liturgia das Horas desde o século xix, sendo celebrada entre três e seis horas da tarde em datas prefixadas nos meses de abril a outubro, o período das vésperas. "Músicos da cidade começam, cada um a seu tempo, a tocar da janela de suas casas", descreve Tavinho sobre uma tradição musical de Diamantina em que o povo passeia pelas ruas ouvindo música proveniente das sacadas dos casarões.

Como trabalhava o dia todo no serviço da estrada, o engenheiro Péricles convidou o cunhado Jovino Antônio Pereira de Oliveira para fazer companhia a Dadainha. Desse modo, Jovininho, apelidado Bulio, mudou-se de Juazeiro para Diamantina, onde cursou o científico no Colégio Diamantinense.

João chegou pouco antes que a família se transferisse da rua São Francisco, 106, para o térreo de um sobrado na praça Barão de Guaicuí, 106, conhecida como praça do Mercado Velho. Entrava-se pelos fundos no beco Antônio de Pádua Oliveira, 104, uma vez que a fachada tinha cinco janelas e nenhuma porta.

João viveu dias felizes em Diamantina, na companhia de sua irmã preferida, do cunhado, do irmão e dos sobrinhos Pedro e a pequena Marta Maria. Reservaram-lhe um quartinho nos fundos, onde não podia estar mais bem acomodado para o que mais precisava: sossego absoluto e condições para tocar a noite toda sem incomodar ninguém. João dividia a prática de violão e voz entre dois cômodos da casa de Dadainha: seu quarto e o banheiro.

Esse tal banheiro assumiu uma relevância, a meu ver desmedida, para dois europeus que chegaram ao Brasil, em momentos diferentes. Queriam ouvir e, quem sabe, conhecer pessoalmente aquele a quem veneravam. Fizeram amizade com inúmeros contatos, tentaram extrair o impossível nos encontros, aproveitaram as mais improváveis oportunidades, receberam conselhos e orientações, gastaram dias e dinheiro até que foram obrigados a desistir. Partiram sem nem avistar João Gilberto. Contudo, o alemão Marc Fischer, o primeiro a vir, fez um livro muito bom, e o francês Georges Gachot, um filme que vale muito a pena. Miúcha, a mulher essencial na vida de João, participa com destaque do documentário falando com João ao telefone na presença de Georges.[3]

Tanto um quanto o outro encararam por mais de doze horas os mais de setecentos quilômetros na cansativa viagem de ônibus do Rio a Diamantina a fim de ver com os próprios olhos o cômodo que mais os atraía na casa onde João vivera: o banheiro. Marc Fischer descreveu detalhes sem conta de seu momento mágico — trancou-se dentro, tocou violão para provar a reverberação e chegou a uma conclusão: "A bossa nova foi inventada na privada!". Frase de grande efeito, mas sem respeito.

Vivendo num cômodo nos fundos da casa, João fez de seu quarto o local ideal para perseguir a levada rítmica que tanto buscava. Podia tocar durante a noite até o amanhecer, repetindo dezenas de vezes exaustivos exercícios de ritmo que só ele era capaz de suportar por tanto tempo. Aquele treinamento incomodava, e bastante, o inquilino do pavimento superior, Vitalino Alves Baracho, cujo quarto de dormir ficava bem em cima do de João, separado apenas por um piso de madeira. Vitalino trabalhava num escritório de contabilidade e levava tarefas para casa... "Era um *pim, pim, pim, pim, pim*, numa cordinha só. De madrugada, moço! Enfiava hora e hora! Eu na cama, sentado, e ele lá embaixo não parava!", contou o pobre inquilino a Wander Conceição.

Quando queria se ouvir melhor, João se alojava no banheiro, aproveitando a acústica proporcionada por uma claraboia que tomava os dois pés-direitos da casa, ou seja, do piso do pavimento térreo onde estava o banheiro até a altura do telhado. A posição dessa claraboia criava uma reverberação sonora que conferia ao som da voz e do violão certo brilho e profundidade. O quarto lhe servia de laboratório para explorações musicais por horas a fio, enquanto o banheiro era o espaço com a acústica ideal para se ouvir.

A única testemunha que presenciou João tocando e cantando entre aqueles azulejos foi Leon Horowitz, apelidado Bubi. Nascido em Amsterdam, Bubi fugira do nazismo e se estabelecera no Rio, onde absorveu a música brasileira e o jazz. Em 1948, se transferiu para a região de Diamantina. Ele fazia parte dos diamantinenses que conviveram com Joãozinho e ainda teve o privilégio de frequentar a casa de Dadainha. Em sua memória, figuram "centelhas com as marcas simultâneas do jocoso e pitoresco ao genial, por ser Joãozinho dotado de uma magnética personalidade musical nada ortodoxa".[4]

Na medida em que foi percebendo a sensibilidade musical do holandês, João desenvolveu confiança e afeto de tal ordem que permitiu sua presença no banheiro durante as sessões. Segundo Bubi, João executava um ritual antes de cantar: beijava uma imagem de santa Terezinha, da qual era então devoto, e em seguida, com toda delicadeza e respeito, retirava o violão do estojo. Afinava cuidadosamente o instrumento até que seu ouvido privilegiado se sentisse plenamente satisfeito.

João fazia exercícios rítmicos repetindo acordes, mas sobretudo tocava sambas do cancioneiro carioca em roupagem rítmica diferente. Às vezes emendava uma música na outra, aproveitando o mesmo tom. Gostava muito de tocar "Morena boca de ouro", de Ary Barroso, e "Rosa morena", de Dorival Caymmi. Para Bubi era uma execução impecável, voz e violão fluíam com a naturalidade de uma conversa "entrecortada por chispas filosóficas, interrogações soltas aparentemente desconexas, mas o convívio me levou a momentos altamente admiráveis e agradáveis, pois era ele também, a um só tempo, dotado de cultura e inteligência geniais".[5]

Ouvinte sistemático de programas de rádio, Bubi possuía em sua casa, à rua Macau de Baixo, uma boa discoteca, que lhe angariou não só a amizade de João como suas visitas para ouvir música, sobretudo orquestras americanas. Escutavam sentados no chão e às vezes João reagia agitando as pernas e expressando com mímica facial e sons onomatopaicos quando não conseguia conter o prazer. Nas caminhadas pelas estreitas ruas de pedra, as conversas versavam sobre os mais variados assuntos, entremeadas de reflexões filosóficas e brincadeiras. Se encontrasse algum cachorro, João se aproximava com carinho para conduzi-lo a algum bar, onde rapidamente convencia a balconista e até frequentadores a oferecer algum alimento ao animal. Por onde andasse, conquistava as pessoas. Sempre muito educado, gostava de conversar, de falar sobre música e literatura, deixando a sensação de estar à frente de seu tempo.

A despeito de Diamantina ser fundamentalmente tradicional e conservadora, João, que para a maioria não passava de um bon vivant que só tocava violão, conseguiu ter um bom relacionamento com a sociedade local graças à projeção de que gozavam seu cunhado Péricles e os irmãos Dadainha e Jovininho. Embora discreto, reservado e observador, alguns o consideravam um sujeito doidão, segundo Wander Conceição. João não teve dificuldade em fazer amizade com os habitués da vida noturna, sobretudo os mais ligados em música. Não se furtava a tocar nos bares e até em reuniões sociais, mas não escondia sua contrariedade quando o falatório superava o limite. Recolhia o violão e ia embora

Como os diamantinenses sabiam que ele trocava a noite pelo dia, não estranharam suas aparições madrugada adentro, para cantar e tocar baixinho na rua, diante de uma plateia acostumada com música. João tomava café à tardezinha na casa de Faustino Andrade, proseava na calçada da Joalheria Pádua na esquina da rua Campos Carvalho e deleitava as irmãs Felício, frequentadoras do clubinho Aquarium, ao declamar poemas de Drummond. Costumava aparecer na casa de vó Nazinha, onde havia um piano Crown de quatro pedais; em outras tardes, passava pela rua do Rosário para ouvir música na casa de um importante comerciante da cidade, Arnaldo Motta, possuidor de uma coleção de discos clássicos. João ficou amigo de sua filha, Drehylde Leão Motta; levava seu violão e se sentia à vontade ouvindo guarânias, mambos, músicas caipiras e boleros na sala de música onde havia uma vitrola que comportava doze long-plays empilhados, caindo um a um, automaticamente.

Em junho de 1956, Péricles aproveitou uma interrupção de seu trabalho, motivada por uma paralisação no trecho da serra de São Francisco que emoldura Diamantina, para viajar com a família a Juazeiro e levou o cunhado, que passou meses na terra natal. Encerrava-se o primeiro período de quase um ano em Diamantina, setembro de 55 a junho de 56.

Sua estada entre Juazeiro e Salvador foi breve, menos de três meses. Breve mas proveitosa: em Juazeiro compôs um baiãozinho que já no título mais parecia uma brincadeira inocente de criança, "Bim bom". "Bim bom bim-bim bom/ Bim bom bim bim bom/ Bim bim/ Bim bom bim-bim bom/ Bim bom bim-bim bom/ Bim-bim/ É só isso o meu baião/ E não tem mais nada não/ O meu coração pediu assim/ Só... Só Bim bom bim bom bim-bim". Mal imaginava que nesses versos quase sem fim, sob a aparente ingenuidade de quem não sabia bem como compor, naquela levada que nada tinha a ver com o baião de Luiz Gonzaga, estava a chave que abriria as portas de sua nova vida na música.

Em agosto ou setembro, Péricles estava de volta a Diamantina, porém como engenheiro civil em escritório próprio.[6] Foi quando João Gilberto iniciou seu segundo período na cidade por outros sete meses, nos quais sentiu que tinha alcançado o rumo certo. Em maio de 1957, adquiriu uma passagem da OMTA,[7] e de Belo Horizonte partiu para o Rio.

Aquela Diamantina não é a mesma. O sobrado da praça Barão de Guaicuí ainda existe, mas hoje o térreo é ocupado por uma imobiliária. A entrada pelo beco lateral foi fechada. No lugar da janela central da fachada abriram a porta principal voltada para a praça. O banheiro foi dividido ao meio, um com a porta voltada para os fundos, exclusivo da gerência, outro voltado para a sala de recepção.

Os depoimentos recolhidos por Conceição, de pessoas que não vivem mais em Diamantina ou que nunca mais se viram, foram unânimes em afirmar que João sempre dizia: "Eu vou ser famoso um dia, vocês ainda vão me ver no rádio e na televisão!". Ele sabia exatamente o que estava fazendo e aonde queria chegar.

# 6. Rio Bossa Nova

João Gilberto voltou ao Rio de Janeiro bem mais disposto. Era outro, acreditava em si. Tinha por quê.

Quando João chegou, o bar do Plaza não era mais animado por Johnny Alf, que havia se mudado para São Paulo, com seu canto baixinho e novas harmonias ao piano, a mão esquerda seguindo a linha dos pianistas de jazz, cercando o solista.[1] Ao causar um vácuo no Rio, Alf deixou aberto o caminho para os inquietos. As rádios tocavam os sambas-canção "Foi a noite",[2] na voz de Sylvinha Telles, e "Se todos fossem iguais a você", de Tom e Vinicius, sucesso de *Orfeu da Conceição*, peça musical levada no Theatro Municipal.

Os inquietos continuavam a frequentar o Plaza, onde alguns deles tocavam e outros davam canjas: o pianista Luisinho Eça, o baixista Ed Lincoln, o baterista Milton Banana, o violonista Baden Powell, João Donato e Claudette Soares. E gostavam de se ouvir, pois a plateia eram eles mesmos das quatro da madrugada em diante. Fanáticos por discos de jazz importados, eram capazes de, como Roberto Menescal e seus alunos Candinho e Luís Roberto, escutar por horas o guitarrista Barney Kessel no disco da cantora Julie London. Procuravam identificar nota por nota de cada acorde, uma trabalheira dos diabos. E a voz do cantor que não era cantor encantava a todos. Como Chet Baker, o trompetista mais cool da

Costa Oeste, que gravara um disco de canções americanas,[3] fraseando com delicadeza, sem tocar trompete. Notas precisas, secas e curtas. *No vibrato at all.*

Apesar de deixar embasbacados os que ouviram seu violão, João Gilberto vivia um novo período de agruras. Tocando em violões emprestados, sem eira nem beira, morava de favor com quem o acolhesse, pulando de galho em galho a cada vez que a relação com os anfitriões chegava a um convívio tóxico. Seriam uns dias só, ele prometia, e acabavam sendo semanas, agravadas pelo inconveniente de ele trocar o dia pela noite. Morou com Ronaldo Bôscoli, que aceitou sua explicação: tinha brigado com Tito Madi, com quem estava morando, e estava sem pouso. Ronaldo já dividia seu quarto-e-sala com outros três, mas João o convenceu de que cabia mais um. "Não conheci ninguém que tivesse a capacidade de persuasão, um jeito próprio de convencer, como João Gilberto", afirmou o novo anfitrião, que lhe emprestou até seu pulôver branco, tipo tenista, que estampa a capa do primeiro LP de João.[4] Bôscoli se maravilhou quando ouviu João: aquela batida era seu passaporte para transitar onde houvesse músicos.

Os meses de 1957 se passavam, e nada de prático acontecia. Até que João foi atrás de um dos inquietos, Roberto Menescal. Tocou a campainha no apartamento de seus pais e foi atendido pelo próprio Roberto. Eis os detalhes:

A primeira vez que ouvi falar em João Gilberto foi durante um ensaio do Trio Irakitan, quando o violonista, Edinho, me mostrou a música "Bim bom". Pouco depois, meus pais — que não eram acostumados a dar festas — resolveram dar uma festa em comemoração aos trinta anos de casamento. Em meio aos convidados, aparece um garoto que, sem se apresentar, pergunta se eu tenho um violão pra gente tocar. Abri a porta e mostrei a ele que estava havendo uma festa e ele me diz: "Ih, rapaz, aí é grave!". Acabei levando ele para o meu quarto e ele começou a tocar. Na hora eu me lembrei de "Bim bom" e descobri que ele era João Gilberto. Fiquei enlouquecido! Na hora eu me toquei, e saímos da festa dos meus pais para a casa de alguns amigos, e só voltei no dia seguinte.[5]

Menescal levou João à Urca para apresentá-lo às irmãs Lu e Aná, que adoravam jazz. Entusiasmado com aquela batida de violão e a bossa do cantor, ele queria compartilhar a descoberta com a turma. Apresentou-o a sua grande amiga Nara Leão, que promovia reuniões com os inquietos no apartamento dos pais em Copacabana; apresentou-o a Carlos Lyra, com quem mantinha uma "academia" de violão.

Conhecendo a turma, João sentiu que tinha clima para uma canja no Plaza. Os inquietos ficaram siderados por aquele violão do ex-crooner de conjunto vocal que, agora sozinho, cantava o baião que trouxera da Bahia e o bolero que ninguém conhecia — "Bim bom" e "Ho-ba-la-lá". Ele tocava um violão como nunca se ouvira. Cantava sem vibrato, fraseava com delicadeza, substituindo a grandiloquência por frases secas que terminavam em notas curtas, sem alongamento, combinando com a precisão do violão.

Menescal também o levou ao apartamento de Chico Pereira, o requisitado fotógrafo de capas de disco. Além de mestre com sua Rolleiflex, Chico tinha o hábito de registrar o que ouvisse de importante em seu gravador caseiro:

> Quando João Gilberto cantou pela primeira vez em seu apartamento, na rua Fernando Mendes, levado por Menescal, Chico experimentou a mesma sensação que tivera ao conhecer o fundo do mar [...] assestou um microfone, alimentou seu gravador Grundig com um rolo virgem e deixou-o rodar [...] para Chico, o que João tinha de gravar, com urgência, era um disco — e o caminho mais rápido para isso era procurar um dos maestros da Odeon, Antônio Carlos Jobim. Não foi fácil, mas o empurrão de Chico Pereira fez com que João Gilberto se armasse de coragem para tocar a campainha da rua Nascimento Silva, em Ipanema.[6]

Não seria o primeiro encontro com Tom. João o conhecera perto da boate Drink, no Leme, no Café Mooca, cheio de músicos. Tom estava sentado e se levantou para conversarem.[7]

Ao ouvir, anos depois, o violão daquele mesmo João, tocando "Bim bom" e "Ho-ba-la-lá", Tom Jobim ficou atônito:

> "O que é isso, João?" "Tirei dos requebros das lavadeiras de Juazeiro" [...]. Tom Jobim mostrou várias músicas inéditas ao piano e uma, "Chega de saudade", ao violão. João Gilberto ficou encantado com "Chega de saudade" e passou o resto da noite tocando e cantando a música e divertindo-se com os acordes que aprendera com Tom e com outros que ia pesquisando. No final da noite, Tom convidou-o para participar como violonista da gravação do disco de Elizeth Cardoso, marcada para dezembro de 1957.[8]

Mais tarde avaliaria o que percebera naquela noite: "O aparecimento do João [...] trouxe uma contribuição rítmica muito importante porque a gente pode fazer uma melodia muito bonita com uma harmonização também muito bonita, mas o ritmo é um fator vital".[9]

Envolvido nas gravações de um álbum das composições com Vinicius de Moraes, tratou de incluir o violonista na pequena formação inusitada que entraria em estúdio em janeiro de 1958.[10] O LP estava sendo produzido pelo selo alternativo Festa, fundado por Irineu Garcia, precursor dos discos independentes, com poemas declamados pelos próprios poetas.

> Tom Jobim, porém, ficou completamente livre para gravar o disco, fazer as orquestrações, escolher naipes musicais, e nós marcamos na Odeon o início da gravação [...]. Originalmente pensamos na Dolores Duran. Mas a Dolores não mostrou interesse [...]. Então abandonamos o projeto da Dolores e na mesma noite caminhamos até o Bar 36, encontramos a Elizeth, formalizamos o convite, o Vicente Vitale a liberou e caminhamos para a gravação do LP [...]. O João Gilberto era muito mimado pelo Tom. Tom gostava imenso do João e queria arranjar qualquer coisa para ele. O João Gilberto entrou no "Chega de saudade" e no "Outra vez", e o Tom dando destaque para apresentar o João Gilberto. Tereza, mulher do Tom, tinha um profundo carinho por ele, como se fosse um afilhado. O João Gilberto era uma pessoa muito difícil, surrealista, foi empurrado pelo Tom. Era profundamente tímido, depois foi desabrochando.[11]

Gentil, cerimonioso, perspicaz e consequente, Irineu se comparava a Dom Quixote. E tinha razão. *Canção do amor demais* é um disco seminal na história da canção brasileira.

A importância desse álbum que o tempo só fez crescer se deve à primeira grande fornada das belas composições da dupla Tom e Vinicius, às excepcionais interpretações da divina Elizeth, à economia das orquestrações de Jobim com uma formação compacta e de eficiência a toda prova, e à batida de João Gilberto. Das cinco faixas de que ele participa, duas pouco a pouco foram se destacando: "Chega de saudade" e "Outra vez", em virtude da marcação nitidamente diferente da forma institucionalizada do samba. Pela primeira vez se ouve em disco a revolucionária divisão rítmica que rompia com o ponteado tradicional de eméritos violonistas do passado (Canhoto) e daquela época (Dilermando Reis).

No dia da gravação, João Gilberto bem que tentou convencer Elizeth a interpretar "Chega de saudade" como ele a concebia; em vão: só serviu para causar certo dissabor entre os dois. Elizeth, afinal, era a estrela, e ele um violonista da orquestra. A despeito do clima de estranheza no estúdio, o resultado foi surpreendente. O álbum foi um divisor de águas.

Considerado um ponto de partida da bossa nova, exclusivamente em virtude do violão de João, "Chega de saudade" é na sua essência um choro-canção, como se depreende pela descrição do próprio Tom:

> Inventei uma sucessão de acordes, que é a coisa mais clássica do mundo, e botei ali uma melodia. Mais tarde, o Vinicius colocou a letra [...] talvez o Vinicius tenha sido levado a intitular a música "Chega de saudade". Ele fazia umas coisas assim. Esse título é engraçado porque a música tem algo de saudosista, desde a introdução. Lembra aquelas introduções daqueles conjuntos de violão e cavaquinho, tipo regional.[12]

*Vai minha tristeza*
*e diz a ela que sem ela não pode ser*
*Diz-lhe numa prece que ela regresse*
*Porque não posso mais sofrer*
*Chega de saudade*
*a realidade é que sem ela*
*Não há paz não há beleza*
*É só tristeza e a melancolia*
*Que não sai de mim*
*não sai de mim, não sai*

"Na segunda parte, o 'Chega de saudade' passa para maior. Acontecem todas aquelas modulações clássicas que você encontrava na música antiga. Isso cria um absurdo, o 'Chega de saudade' tem a saudade. Já é uma saudade jogando fora a saudade", completa Tom.[13]

*Mas, se ele voltar*
*se ele voltar*
*que coisa linda!*

*Que coisa louca!*
*Pois há menos peixinhos a nadar no mar*
*Do que os beijinhos*
*que eu darei na sua boca*
*Dentro dos meus braços, os abraços*
*hão de ser milhões de abraços*
*Apertado assim, colado assim, calado assim*
*Abraços e beijinhos e carinhos sem ter fim*
*Que é pra acabar com esse negócio*
*de você viver sem mim*
*Que é pra acabar com esse negócio*
*de você longe de mim.*

Tom Jobim teve a perspicácia de perceber que a modernidade almejada pelos inquietos estava no violão de João Gilberto, naquela batida, na capacidade de síntese no ritmo de samba. Por isso lutou bravamente para convencer a diretoria da Odeon de que o baiano desconhecido deveria gravar um disco solo. Deveria inclusive cantar a música de mais evidência no disco de Elizeth. Jobim identificou que ali é que estava o coringa. E ganhou a parada na tratativa com o diretor Aloysio de Oliveira. O estúdio da Odeon foi agendado.

Em 10 de julho, realizou-se a gravação da mesma "Chega de saudade", mas para um disco de 78 rotações em que o conceito de João Gilberto seria admitido e respeitado. Mesmo sendo um ilustre desconhecido, João pôde fazer tudo como desejava: impôs dois microfones para si próprio, voz e violão, surpreendendo o diretor técnico Z. J. Merky; convidou dois bateristas que atuaram sob seu comando e imprimiu a interpretação que desgostara a Divina. Tudo como ele queria. E uma composição sua no lado B, a tal "Bim bom". Com a bênção e a tolerância de Tom Jobim, que suportou com galhardia as reclamações de João e os entreveros com os músicos. Nenhum deles havia trabalhado com alguém tão perfeccionista.

Tom escreveu um arranjo novo, mais despojado que o da Elizeth; eliminou o trombone do Maciel Maluco, manteve a flauta de Copinha e acomodou a seção de cordas. Esse segundo arranjo destaca a levada de João Gilberto e diminui a ênfase da bateria do primeiro, que não sincroniza rigorosamente com o violão, criando uma quase imperceptível defasagem na seção rítmica.

Se o que chamou a atenção na primeira "Chega de saudade" foi o violão, na segunda foi o conjunto violão e voz, a essência de João Gilberto mantida até o final da vida. Quanto às duas interpretações, enquanto Elizeth usa sua voz cheia para tomar conta do espaço sonoro, virtude que lhe confere a grandeza de cantora, João parece não se preocupar com a performance. É mais sintético, mais direto, visa projetar a natureza da canção.

"Eu vi a primeira gravação do João em que o baterista era o Juquinha", revelou-me Roberto Menescal em agosto de 1967. E prossegue:

> João prendeu ele totalmente, tirou a bateria toda e só deixou o contratempo e as vassourinhas. Então ele só podia fazer aquilo. O outro baterista, o Guarani [Fernandes Nogueira], ficava com a caixeta dando as batidinhas que o João queria. Juquinha [Juca Stockler] foi o primeiro baterista a gravar lendo a letra da música. João obrigou-o a isso, dizendo que a bateria tinha de andar conforme a letra, conforme o compositor queria.

Ao que Hélcio Milito, que se destacaria no Trio Tamba, comentou depois: "Guarani era o outro baterista, mas, como tinha uma perna mecânica, tinha problema em usar o pedal. O João fez ele tocar em três tamboretes que o Aloysio [de Oliveira] tinha trazido dos Estados Unidos. O João é que indicou como deviam ser as batidas para o Guarani tocar, *tec-tec-tec*. O Guarani tocou como o João ensinou".

Por fim, Bebeto Castilho, o contrabaixista também do futuro Trio Tamba, acrescenta: "O Juquinha tinha de tocar com as duas mãos para encher como ele queria, ele queria aquela escovada cheia, e não aquela escovada separada. Aí teria de usar as duas mãos, então não dava para fazer com aro. Aí o Guarani fez o *toc--ti-toc-ti-toc* com a caixeta".[14]

Assim, "Chega de saudade" foi gravada com os elementos da futura bossa nova que tempos depois seria abreviada como "bossa" nos teclados eletrônicos domésticos vendidos mundo afora. Na época, os rótulos dos discos de 78 rotações informavam o gênero sob o título da música. Abaixo de "Chega de saudade" estava impresso "samba-canção"; "Bim bom", cuja letra dizia ser baião, era rotulado como samba. Alguém pisou na bola.

"Chega de saudade" não era fácil, não correspondia aos anseios do consumidor de discos que elegeu entre seus favoritos do ano "Balada triste", com Ângela Maria; "Cabecinha no ombro", com o Trio Nagô; "Meu mundo caiu", com

Maysa; "A taça do mundo é nossa", com os Titulares do Ritmo. A verdadeira odisseia para a divulgação do disco, as manobras da Odeon com as Lojas Assumpção de São Paulo, envolvendo seu departamento de vendas e o gerente da cadeia de lojas, está minuciosamente detalhada no livro *Chega de saudade*, de Ruy Castro, e termina com a chegada de um novo cantor às paradas de sucesso. O nome de João Gilberto figurava no ranking da *Revista do Rádio* e da *Radiolândia*.

Exatamente quatro meses depois dessa gravação, João entrou em estúdio para o segundo disco, com o bolero já conhecido dos inquietos, "Ho-ba-la-lá," e o inédito samba "Desafinado" no lado A. É a obra de uma dupla de compositores diferenciada, um caso incomum. Tom Jobim e Newton Mendonça eram compositores de música e também letristas.[15] Só para lembrar: Tom assina letra e música de suas primeiras composições (quase todas samba-canção, como "Outra vez" e "O que vai ser de mim").

Com Newton Mendonça, o processo de composição admitia discussões e interferências na melodia e na letra, nas notas e nas palavras. A relação era de igual para igual. De vez em quando o tempo esquentava. A palavra "Rolleiflex", por exemplo, provocou uma discussão que por pouco não desfez a parceria. Como incluir a marca de uma câmara fotográfica de origem alemã num samba brasileiro? Podia? Por fim os dois se acertaram, o verso foi mantido valendo como a isca que chamou a atenção pela extravagância do verso *"Fotografei você na minha Rolleiflex"*. Uma bossa, digamos assim.[16]

"Desafinado" tinha cromatismos melódicos com intervalos habilmente colocados em determinadas palavras: no primeiro verso em *desafino* recaindo nas sílabas *fi* e *no*, um fá recuando para ré bemol na partitura original; no segundo em *imensa* nas sílabas *men* e *sa*, um dó descendendo para mi bemol que desafiavam o cantor despreparado. Não foi moleza para alguns. Eu mesmo tentei ensinar ao piano uma cantora na tv Record e ela teve que rebolar para acertar as notas corretas desses intervalos.

João Gilberto não queria gravar uma música com título de "Desafinado". O que iriam pensar? Que ele era um cantor desafinado, é claro. Foi um custo convencê-lo. Mas teve gente que ficou sugestionada e julgou que João semitonava. Quem sabia ouvir não caiu nessa. Cada nota era absolutamente justa. Tom explica:

A letra de "Desafinado" é uma crítica à especialização [...]. "Desafinado" não tem nada de desafinado, os maestros da época sabem disso. Trata-se de uma pessoa gozando a especialização [...] o desafinado é o sujeito que tem uma namorada, que certamente é muito afinada, bonita, gostosa, e ele, um rapaz desafinado, diz: "Se você disser que eu desafino, amor, saiba que isto em mim provoca imensa dor".[17]

Contrariando outros discos, nada foi escrito no rótulo abaixo do título para descrever o gênero. A responsabilidade dessa quebra de tradição pode ser atribuí-da ao próprio Tom Jobim, como ele mesmo me esclareceu: "No disco do João não escrevemos nada embaixo".[18] Nem era preciso, um dos versos da letra deu à luz do que se tratava: "Se você insiste em classificar/ Meu comportamento de anti-musical/ Eu mesmo mentindo devo argumentar/ Que isto é bossa nova/ que isto é muito natural".

De fato, aquilo era uma bossa completamente nova, que incorporava elementos que legitimavam a afirmação do verso, uma metacanção: o ritmo, a melodia, a harmonia, a letra e a interpretação. "Desafinado" com João Gilberto define a bossa nova. Ponto.

A repercussão dos dois discos entusiasmou o pessoal graúdo da Odeon, que encampou a ideia de Tom Jobim de produzir um LP de João Gilberto. Quatro faixas já estavam gravadas, faltavam oito. Entre 23 de janeiro e 4 de fevereiro de 1959, o estúdio voltou a receber o arranjador Tom Jobim, um João Gilberto mais calmo e um número menor de músicos para aliviar a tensão das sessões anteriores. Entraram duas músicas de Carlinhos Lyra e Ronaldo Bôscoli — "Saudade fez um samba" e "Lobo bobo" — e uma só de Carlos, "Maria ninguém", as três no lado A, que também trazia "Brigas, nunca mais", de Tom e Vinicius. "Lobo bobo" tinha sido feita meio de brincadeira, a partir do tema de *O Gordo e o Magro*; funcionava como uma espécie de versão musical alegre, espirituosa e temperada por uma boa dose de malícia, da fábula "Chapeuzinho Vermelho".[19]

Na face B é que o LP apresentava a surpresa que arrepiou quem já se considerasse bossa-novista diplomado: eram quatro músicas de anos anteriores revividas por João Gilberto e soando como novas. Como bossa nova. "Aos pés da cruz" fora gravada por Orlando Silva; "Rosa morena", pelos Anjos do Inferno; "É luxo só", por Elizeth Cardoso, e "Morena boca de ouro", por Sílvio Caldas, três delas nos anos 40. João remontou as harmonias e dividiu as frases à sua maneira, mostrando por A mais B que sua proposta rítmica era extensiva a canções de todas as épocas. Às novas da bossa nova e às da antiga que ele catava no cofre da memória.

68

Essas quatro interpretações permitem que se faça uma comparação com as originais, e aí a diferença é gritante: fica claro o quanto havia de novo na bossa nova de João Gilberto. Em "Rosa morena", a extensão da sílaba *da* na palavra *andar* que traduz o jeito dela, a súplica para ela deixar o dengo de lado, a repetição do último verso mais duas vezes eram apenas detalhes da versão totalmente diferente da que o Anjos do Inferno cantou em 1943 com o *ch-qui-tum, ch-qui-tum* do pandeiro sendo trocado pela leveza do violão. Na interpretação de João o ouvinte é levado à Bahia para assistir à cena de um cara reclamando por ver que Rosa, sabendo-se desejada, vai embora toda gabola com o requebro natural das cadeiras e deixa o pessoal à sua espera, pedindo-lhe que volte e venha sambar. Até Caymmi ficou chapado.[20]

Nesse disco, sente-se nitidamente a depuração do supérfluo apoiada pela economia nas orquestrações e na duração de cada faixa. O primeiro LP de João Gilberto, intitulado *Chega de saudade*, teve o poder de mudar quase tudo que se julgava inabalável na música brasileira. Com sua capacidade de síntese, como quem busca a essência de cada canção, João dá a suas interpretações uma fluidez rítmica e melódica que não se imaginava existir. Consegue uma contextura de universalidade que a partir daquele momento conquistaria os mais sensíveis ouvidos musicais no país e no exterior.[21]

O Brasil vivia um período de superação e autoconfiança adquiridas por conquistas históricas no esporte e nas artes. A tenista Maria Esther Bueno tinha sido bicampeã no torneio de Wimbledon e a primeira mulher a conquistar o Grand Slam em duplas. Éder Jofre tornara-se bicampeão mundial nas categorias de peso--galo e peso-pena. A Seleção brasileira de futebol alcançara a glória de vencer a Copa do Mundo com o time de craques formado, entre outros, por Pelé e Didi, e capitaneado por Bellini, que inaugura o gesto comemorativo de erguer a taça com os dois braços acima da cabeça.

Nas artes surge o Cinema Novo de Nelson Pereira dos Santos; a pintura e a escultura dão um salto com o neoconcretismo das obras de Lygia Clark e Hélio Oiticica; o teatro fervilha com as peças de Nelson Rodrigues; Oscar Niemeyer é escolhido para projetar os edifícios da nova capital. O Rio de Janeiro aproveita seus últimos anos como capital federal.

Após o lançamento do LP de João Gilberto, instaura-se na cidade uma onda de shows que têm como protagonistas os inquietos: Festival do Samba Moderno, Samba Session, Operação Bossa Nova. Adotam todos um esquema semelhante: músicos e cantores sentados numa roda levantam-se para cantar no microfone ao centro. Isso quando havia palco. No Festival do Samba Moderno, no grande salão da Faculdade de Arquitetura do Rio, artistas e público se misturavam uns com os outros.

Jovens estudantes cariocas da classe média que entenderam João apoiaram em massa a iniciativa de tais noitadas comandadas por Ronaldo Bôscoli, que divulgou e fez prosperar a nova expressão, afirmando ter de "fazer esse negócio nas faculdades".[22] Formou-se uma geração que se gabava da música brasileira, a bossa nova.

Um neologismo tão chamativo, claro que pegou. No tempo de Noel Rosa, "bossa" era atributo de quem tinha uma aptidão especial, um jeito original — Mário Reis, por exemplo, cantava com bossa, tinha bossa. Trinta anos mais tarde, acrescentou-se o adjetivo *nova* à bossa que surpreendesse pela novidade. Houve um infeliz que cometeu o atrevimento de afirmar que bossa vinha de *boss* (do inglês, "superior"). Tom Jobim, possivelmente o grande responsável pelo emprego do termo, conta: "Eu usei essa expressão no primeiro disco que fiz com o João em 59: 'baiano bossa-nova'. Está lá registrado. Depois me contaram essa história do show da Hebraica, onde a expressão teria sido usada. A bossa nova se estabeleceu e aí tudo virou bossa-nova, presidente bossa-nova, dentista bossa-nova".[23]

Aqui e ali pode-se encontrar a expressão na fala ou em escritos anteriores ao LP de 1959. Fuçando bem, é possível descobri-la em alguma nota de jornal. Em 23 de junho de 1956, Stanislaw Ponte Preta, em sua coluna "Show & Boate", na revista *Manchete*, noticia o "Key Bar — bossa nova de Fafá Lemos e Djalma Ferreira — agradando bastante em seu primeiro mês de existência".

Em 1959, a bossa nova entrava em sua fase de expansão, para além do circuito carioca. Não se sabe exatamente por quê, mas Isaurinha Garcia, uma tremenda cantora paulistana de sotaque italianado do bairro do Brás, foi a primeira a gravar "Meditação", de Jobim e Mendonça, secundada pelo órgão de Hammond de Walter Wanderley, seu marido. Antes mesmo de João Gilberto.

Mas em 1960 era João que os clubes mais chiques da sociedade paulistana requisitavam para shows: em maio, no elegante Club Athletico Paulistano; em setembro, na exclusiva Sociedade Harmonia de Tênis, e em novembro no clube associado aos esportes, o Esporte Clube Pinheiros, sucessor do Germânia. Em junho ele também viajou a São Paulo para atuar no espetáculo coletivo *A bossa nova*, no auditório da Universidade Mackenzie. Afinal, fora em São Paulo que seu *Chega de saudade* havia sido tocado, com insistência incomum, pelo disc jockey mais aberto à modernidade, Walter Silva, o Pica-Pau. É inegável que seu programa na hora do almoço, o campeão de audiência *Pick-up do Pica-Pau*, contribuiu decisivamente para tornar João Gilberto conhecido e admirado em São Paulo.

O programa *Astros do Disco*, da tv Record, termômetro dos discos mais vendidos na semana, premiava todo ano os campeões com o troféu Chico Viola. No show de gala da entrega do prêmio de 1960, ocorreu um lamentável incidente, causado por uma divergência nunca bem explicada entre João e Tito Madi, dois dos vencedores. Nos camarins, eles tiveram uma discussão acalorada, a ponto de chegarem às vias de fato: João arrebentou um violão na cabeça de Tito, causando um corte que o levou ao pronto-socorro. Durante o programa, quando recebi a notícia na cabine de som no fundo da plateia, atrás do balcão superior, imaginei que não haveria João Gilberto. Para minha surpresa, ele entrou e recebeu o prêmio por seu segundo lp *O amor, o sorriso e a flor*, enquanto Tito recebia pontos na cabeça sem cantar "Menina moça".

A capa branca desse disco, com foto em alto-contraste mostrando João ao violão, tinha uma novidade na contracapa: trazia as letras das músicas de cada faixa embaixo de um texto de Antonio Carlos Jobim ("João Gilberto é um baiano, 'bossa-nova' de 27 anos [...]. Joãozinho participou ativamente; seus palpites, suas ideias, estão todas aí"). A partir de então a ideia foi adotada em grande parte dos lps produzidos no Brasil, estimulando que se ouvisse a música lendo a letra.

A primeira faixa do lado B era "Meditação", lançada por Isaurinha.[24] Os versos iniciais da música de Jobim e Mendonça deram o que falar:

*Quem acreditou*
*no amor, no sorriso, na flor*
*Então sonhou, sonhou...*
*E perdeu a paz*
*O amor, o sorriso e a flor*
*se transformam depressa demais*

O quinto verso foi escolhido como título do disco. Três substantivos que resumiam magistral e poeticamente o que a bossa nova oferecia.

A frase foi também usada para batizar o show comemorativo do novo LP, *A noite do amor, do sorriso e da flor*, promovido por Ronaldo Bôscoli, que rivalizava com outro, a ser realizado no ginásio da Universidade Católica, no mesmo dia e hora, a *Noite do sambalanço*. Começava-se a se delinear uma ruptura entre os inquietos. De um lado a turma de Carlos Lyra: Sylvia Telles, Alaíde Costa, Durval Ferreira e o conjunto de Oscar Castro Neves. Do outro, a de Ronaldo: Nara Leão, Os Cariocas, Sérgio Ricardo, Dori Caymmi, Elza Soares, Johnny Alf, Roberto Menescal, Claudette Soares e o grande nome da noite, João Gilberto, que aproveitou a oportunidade para cantar com a moça com quem acabara de se casar, Astrud. Era uma baiana de vinte anos muito bonita, sobrenome Weinert do pai alemão, que acabou sendo a primeira cantora de outras que, em duo com João, assumiam, mesmo sem querer, seu jeito cool. Ele ao violão e ela, num vestido de gola xale, cantaram juntos "Brigas nunca mais". João interpretou mais três músicas do novo LP.

A faixa que abria esse LP, "Samba de uma nota só", é o exemplo da mais perfeita integração texto/melodia que se conhece na música popular brasileira. Repetindo uma mesma nota por oito compassos com quatro acordes diferentes, diz a letra: "Eis aqui este sambinha/ feito numa nota só/ outras notas vão entrar/ mas a base é uma só"; passando a uma segunda nota, prossegue: "Esta outra é consequência/ do que acabo de dizer"; e volta à nota inicial em mais quatro compassos para concluir a primeira parte: "como eu sou a consequência/ inevitável de você". Vem então a segunda parte, em que, contrastando com a primeira, as palavras são entoadas sobre várias notas, alinhadas numa melodia que sobe e desce pela escala, dando a entender que a vida do protagonista é agitada por uma série de aventuras amorosas malsucedidas. Finalmente, retornando à nota inicial, ele volta ao seu amor primeiro e verdadeiro, concluindo com o conselho: "e quem quer todas a notas/ ré mi fá sol lá si dó/ fica sempre sem nenhuma/ fique numa nota só". Uma historinha romântica e ingênua, cujo grande mérito está em sua original e requintada combinação versos/música.[25]

A faixa 2 do lado B era "O pato", que se pensava ser uma música nova, pois ninguém a conhecia, nunca fora gravada. Quem era Jaime Silva? Quem era Neusa Teixeira? A música já existia, vinha do cofre da memória de João Gilberto e acabou sendo a mais aguardada em todos os shows que ele apresentou até o fim da vida.

Quando eu estava escrevendo *A canção no tempo*, uma das maiores alegrias que tive ao buscar informações sobre a origem de canções ocorreu quando ouvi do outro lado da linha uma voz feminina responder "Neusa Teixeira" em resposta à minha pergunta: "Quem está falando?". Ela gentilmente me contou como Jaime havia se proposto a fazer uma música sobre o que via num pequeno lago do Centro do Rio e, quando conseguiu, descreveu a cena do ensaio de um quarteto vocal formado por um pato, um marreco, um ganso e um cisne. No saboroso arranjo de Tom Jobim, o contraponto da flauta após o verso "foram ensaiar para começar o 'Tico-tico no fubá'" ficou incorporado à música, bem como o invulgar som do clarinete baixo nas pausas dos *"quén quén"*.[26] João acertou na mosca, na voz e no violão, fazendo de uma música que provavelmente só ele conhecia, um hit que ninguém mais se atreveu a cantar. Sua versão foi definitiva. Plateias de seus shows repetiriam felizes os *quén, quén, quén*.

Ainda no lado A, João descolou a versão em português de um foxzinho norte-americano de 1927, "I'm Looking over a Four Leaf Clover", grande sucesso 21 anos mais tarde na regravação do *bandleader* Art Mooney, especializado em reviver velhas canções americanas. Na versão de Nilo Sérgio, virou "Trevo de quatro folhas", que, com o instrumental "Um abraço no Bonfá", constituía as novidades do segundo LP de João.[27]

Como o primeiro, esse LP também vinha num envelope plastificado por dentro e por fora, denominado capa estereoplástica Odeon, que assegurava a "proteção total e duradoura aos discos long-play", como se lê no texto explicativo que justificava a inovação. Também era encartado um envelope de papel branco, utilizado para divulgar outros lançamentos da gravadora, como se fazia nos 78 rotações e também nos LPs de outras procedências. Nesse caso, anunciava-se Lúcio Alves, sua voz íntima, sua bossa nova interpretando sambas em 3-D e "Sílvia" cujo texto exaltava virtudes da cantora Sylvia Telles.

Com os cachês de um show aqui e outro ali pipocando no pedaço, João se livrou de viver de favor, afinal era um homem casado e agora tinha seu endereço em Ipanema.

Mas João foi se desapontando ao perceber que a bossa nova já não era mais aquilo, virou outra coisa. O uso da expressão se vulgarizou. Era uma enxurrada de bossa nova a torto e a direito, linha de geladeiras e máquinas de lavar, modelos de enceradeira, padrão de gravata, tudo, como Tom tinha dito, até presidente. A expressão granjeou potência para convencer e vender qualquer tipo de produto a custo zero de royalty. Os sabichões entraram de cabeça.

Cantores de outra freguesia também se aproveitaram para faturar algum, meio que aderindo ao estilo do momento, pensando que fosse moleza. João não falava abertamente, mas ficou incomodado. O repertório do terceiro LP deu a pista.

Quando começou o primeiro período das sessões de estúdio, em março de 1961, as complicações dos anteriores ficaram parecendo café-pequeno. A situação ficou tão complicada que as sessões foram suspensas três dias depois de começar e só foram retomadas em 2 de agosto. Em 28 de setembro já haviam gravado tudo o que faltava. O clima estava tão carregado que vazou no texto da contracapa do álbum, assinado pelo novo diretor artístico da Odeon, Ismael Corrêa: "E ele [João] ficou à vontade: escolheu o repertório (belíssimo!), fez alguns arranjos e colaborou nos demais. Mas não ficou satisfeito com o disco. É que ele sabe aonde quer ir [...]. Mas, sabemos que o Shangri-lá do seu público é mais modesto e acessível. Assim, temos a certeza de que vocês vão gostar". Pela primeira vez vem a público uma atitude que se repetiria outras vezes: a insatisfação de João com o disco.

Para a parte instrumental, ele convidou o organista pernambucano Walter Wanderley, que já conhecia de um programa na TV Excelsior de São Paulo. Walter era inigualável, inventou um timbre próprio no órgão de Hammond, não ficava nada a dever para o maioral no jazz, Jimmy Smith. Acompanhando um cantor, seu balanço leve e poderoso não tinha concorrente. Gravou mais de trinta discos, só ou com seu conjunto, uma máquina de suingar: Papudinho ao trompete, Heraldo do Monte à guitarra, Arrudinha à bateria e o mínimo Azeitona ao contrabaixo, tudo gente da pesada.[28] Após brilhante carreira no Brasil, Walter se estabeleceu na área de San Francisco, tocando em clubs de jazz, e nunca mais voltou, ficou por lá até falecer, com apenas 54 anos.

No estúdio da Odeon a situação ficou "cínica", como diria Adoniran Barbosa. Tom se recusara a fazer os arranjos, o pau quebrou entre João e Walter, houve a interrupção de cinco meses, João resolveu gravar sozinho uma faixa, enfim, tudo indicava que o disco seria desastroso. Nada disso. O LP, cuja capa traz seu nome à esquerda e sua foto à direita, de perfil, com o queixo apoiado na mão, é o mais diversificado dos três, embora sem nenhuma faixa para ser acolhida efusivamente como nos dois anteriores. Na linguagem dos profissionais de gravadora, o disco não tinha um hit. Contudo, demonstrava um perfeito entendimento entre o violão de João e o timbre do órgão de Walter, assim como do trompete do argentino Ratita. De São Paulo vieram Walter e Azeitona, que se revezava com Bebeto Castilho ao contrabaixo. Na bateria, Milton Banana, indicado por Tom Jobim.

A *ouverture* do disco mais sambado da trilogia começava com um sensacional tamborim/vocal de João em seu recado subconsciente sobre a bossa nova: "Isto aqui é samba, tá legal?". Era o "Samba da minha terra" de Caymmi, com trompete e órgão timbrando passagens, e o violão de João dando a direção a seguir dali para a frente na música brasileira:

*Quem não gosta de samba*
*bom sujeito não é*
*É ruim da cabeça*
*Ou doente de pé*
*Eu nasci com o samba*
*No samba me criei*
*E do danado do samba*
*Nunca me separei*

Era definitivo, era um axioma. Para o samba bulir com gente do mundo inteiro: "O samba da minha terra/ Deixa a gente mole/ Quando se canta/ Todo mundo bole".

Depois, mais balanço com João e Walter em "Bolinha de papel", do inovador sambista Geraldo Pereira, e em seguida o lamento arrependido de um cara que deixou a terra do samba, o Caymmi de "Saudade da Bahia". No lado B, Walter e Ratita também estão na marchinha "Trem de ferro", de graciosa modulação para a segunda parte, composta pelo criador do "balanceio", o cearense Lauro Maia, que não teve tempo para compor mais.

O samba também rolou nas faixas gravadas no segundo período, com outra formação instrumental sob o comando de Tom Jobim. Lá estava a dupla da percussão, Juquinha nas vassourinhas e Guarani na caixeta, em "O barquinho", de Roberto Menescal. Ambos foram dispensados, já que bastava piano e violão para "A primeira vez", samba de Bide e Marçal. Lá estavam as cordas em surdina favorecendo um João enternecido em "Coisa mais linda", de Carlos Lyra. Lá estava a trompa e a flauta no arranjo afetuoso de Tom em "O amor em paz". E de novo cordas e flauta, mais trombone, amparando a tristeza de João em "Insensatez". E lá estava a versão de "Este seu olhar", com voz, violão e nada mais, a entidade que seria a tônica de seus recitais. Onze gravações primorosas e um "Presente de Natal" de 1961.[29] Completou-se a trilogia indispensável da obra de João Gilberto:

> João introduziu elementos de elasticidade e flexibilidade através de rubatos ou suspensões, apressando ou encurtando frases, ou ainda colocando versos fora do lugar para depois aguardar com o violão e seguirem juntos novamente. [...] Caso não tivesse gravado nada mais, bastaria essa trilogia para que João tivesse completado sua obra. Os três discos, que estão fora do mercado, se mantêm tão atuais como se gravados hoje.[30]

Em 1962, João foi convidado para participar, com Tom e Luís Bonfá, do filme italiano *Copacabana Palace*, estrelado por um bando de moças espetaculares: Mylène Demongeot, Sylvia Koscina, Doris Monteiro, Karin Rodrigues, Tônia Carrero e mais duas italianas.

Nos créditos iniciais aparecem imagens aéreas do Rio na fotografia de Massimo Dallamano, culminando com um avião da Panair do Brasil "na pista chegando", aterrissando no Aeroporto Internacional do Galeão ao som de "Samba do avião" cantado num português de beira de praia pela "ilustre" Jula de Palma, com um corinho muito do sem-vergonha.

A cena em que os três aparecem foi filmada numa Barra da Tijuca completamente deserta. Eles cantam para três lindas garotas, as aeromoças do enredo, que ouvem embevecidas a marota "Canção do mar".[31] João, de blusa verde-oliva, canta dois versos: "O mar, em silêncio, adormece / e da areia se esquece", emendados por outros dois com Tom: "Deixando as gaivotas cantar a canção / desse amor de nós dois". Nada mais. Só uma ponta, mas pelo menos para o mundo. Tom, que segundo consta a crônica se embeiçou por mademoiselle Demongeot, tem uma mínima participação como ator com a voz dublada num italiano que não combina com sua figura de galã. Para dar uma melhorada na trilha sonora, o "Só danço samba" é ouvido na sequência de vários casais em black tie dançando no interior do Copacabana Palace. Pelo menos intercalaram flashes de João Gilberto e Os Cariocas. "Samba do avião" é novamente ouvida nos créditos finais do filme.

76

★ ★ ★

Com fachada de carioca bem-nascido, pinta de *grand seigneur*, cabelos lustrosos impecavelmente penteados, elegante e bem-vestido, Flávio Ramos decidiu profissionalizar seu gosto pela música. Dono de uma fábrica de móveis, em 1957 ele adquiriu um restaurante decadente chamado Jirau e o converteu numa boate que logo se tornou o ponto de encontro da boemia de fim de noite na zona sul. Flávio era caprichoso nos detalhes e investia sem medir consequências. Era seu prazer.

Em 1961, ele resolveu empresariar artistas e fechou contrato com o agente de Sammy Davis Jr. para uma tournée pela América do Sul, apenas nove meses depois da retumbante temporada do artista na TV Record e no Golden Room no ano anterior. Uma desatenção crassa às regras de show business que se refletiu na procura de ingressos. Pior ainda: sorrateiramente, antes do último show no Copa, Sammy, que ocupava um apartamento no Anexo, se mandou para os Estados Unidos a fim de atender a um compromisso com Sinatra, deixando o empresário a ver navios logo nesse show que contabilizaria o lucro da temporada.

Flávio não perdeu a esportiva; tinha posses e gostava de estar metido na música, o que de fato o movia na vida. Comprou o restaurante Au Bon Gourmet, na avenida Copacabana, próximo ao Lido, e montou outra casa noturna, a ser inaugurada com o pocket show *O encontro*, reunindo Tom Jobim, Vinicius de Moraes e João Gilberto. E, de quebra, Os Cariocas. Ele não imaginava, porém, os problemas que teria pela frente. A começar da preparação, um parto que não só rendeu dores de cabeça como afetaria o borderô previsto, uma vez que o empresário já tinha investido pesado no equipamento para música ao vivo. Mas ele estava determinado a arrebentar a noite carioca com o show. E conseguiu.

Sua ideia inicial era reunir apenas Tom, João e Vinicius, que nunca tinham pisado num palco juntos. Entre os vinte dias decorridos entre a assinatura do contrato e a estreia, Flávio recebeu um telefonema de João: "Flavinho, você não acha que está fazendo falta um contrabaixozinho suave? Porque o meu violão não enche tudo...". Assim o baixista paulista Otávio Bailly, que já vivia no Rio, foi incorporado. Dias depois ligou Tom: "Olha, Flávio, o João me pediu para eu falar com você porque ele está sem coragem, mas ele queria ver se você acertava com o Milton Banana". Mais um, o baterista favorito de João entrou no time. Depois foi a vez do produtor Aloysio de Oliveira: "Decidimos que cada um vai abrir mão de um percentual, mas nós precisamos dos Cariocas".[32] Flávio calculou e percebeu que o show não se pagaria nunca. Não desistiu, mesmo imaginando o que ainda teria de suportar.

Após ter sido adiada, a estreia de *O encontro* ocorreu em 2 de agosto de 1962, com a presença dos cronistas Sérgio Porto e Ibrahim Sued, da cantora Sylvia Telles e o grand monde carioca em peso. O Bon Gourmet permaneceu lotado por toda a temporada, originalmente prevista para quatro semanas e prolongada por mais duas em sábia decisão do empresário.

Por quarenta noites os frequentadores que assistiram ao show tinham a firme convicção de que aquilo nunca mais iria se repetir. Marcado para as onze da noite, nunca começou no horário. Alguns minutos antes, Flávio ligava apreensivo para João, que ainda estava em casa. E o empresário ainda tinha de ouvir: "Já é tão tarde? Nossa, nem tinha percebido. Tem como mandar um carro me buscar?". Flávio mandava o Cadillac, o show começava atrasado, ninguém protestava, todos aplaudiam, e Flávio se sentia totalmente recompensado. No dia seguinte o drama se repetia — o telefonema, o atraso, os aplausos e as exclamações de adjetivos superlativos da plateia.

Os três cantavam canções conhecidas ("Samba de uma nota só", "Corcovado") e inéditas ("Samba do avião", "Só danço samba", "O astronauta", "Samba da bênção") que entrariam para a história. Mas ninguém poderia imaginar que estava vendo e ouvindo pela primeira vez a canção brasileira que disputaria com "Aquarela do Brasil" os primeiros lugares das mais gravadas no mundo, "Garota de Ipanema". Quem esteve no Bon Gourmet teve a glória de ouvir a avant-première mundial de "Garota de Ipanema". É mole?

Foi criado um recitativo que jamais poderia ser repetido, pois a letra era nomeadamente dirigida a cada um dos três ali à frente. Somente eles poderiam cantar ao som do piano de Jobim o que cantaram:

João: Tom, e se você fizesse agora uma canção que possa nos dizer, contar o que é o amor.

Tom: Olha, Joãozinho, eu não saberia, sem Vinicius pra fazer a poesia.

Vinicius: Para essa canção se realizar quem dera o João para cantar

João: Ah, mas quem sou eu? Eu sou mais vocês. Melhor se nós cantássemos os três.

As três vozes se juntavam com bateria, baixo e violão na melodia e versos que o mundo iria conhecer: "Olha que coisa mais linda/ mais cheia de graça/ É ela menina/ que vem e que passa/ Num doce balanço/ caminho do mar/ Moça do corpo dourado/ do sol de Ipanema/ O seu balançado é mais que um poema/ é a coisa mais linda que eu já vi passar". Vem então a segunda parte: "Ah, por que estou tão sozinho?/ Ah, por que tudo é tão triste?/ Ah, a beleza que existe…". Os Cariocas se juntam: "A beleza que não é só minha/ Que também passa sozinha/ Ah se ela soubesse/ que quando ela passa/ O mundo sorrindo se enche de graça/ E fica mais lindo/ por causa do amor/ por causa do amor".[33]

> Sidney Frey[34] — que realizava na ocasião [em setembro] uma de suas habituais visitas ao Brasil — convocou os cronistas para um coquetel, durante o qual iria fazer uma importante comunicação. A moçada foi reunida, então, no Salão Verde, do Copa. Depois de muito papo e muito scotch, o velho Frey largou a bomba: havia alugado o famoso Carnegie Hall de Nova York para um festival de "bossa nova". O show seria na noite de 21 de novembro. Participariam — além dos músicos norte-americanos que já estavam tocando o novo samba brasileiro, como Stan Getz, Gary McFarland e Lalo Schifrin — vários solistas e cantores do Rio e [de] São Paulo. Desde esse coq, que não se falou [de] outra coisa no Rio senão no Festival do Carnegie Hall.[35]

Dias antes do festival, uma caravana de mais de vinte cantores e músicos brasileiros embarcou no Super Constellation da Varig com destino a Nova York.[36] Quase ninguém falava inglês. O que faltava em proficiência da língua sobrava em talento e gosto pela bossa nova. No aeroporto, quando ainda estavam na área de controle dos passaportes, Roberto Menescal avistou através do vidro um grupo de músicos de jazz e supôs que estivessem voltando de alguma excursão. Na verdade, Gerry Mulligan, Cannonball Adderley, Percy Heath e os demais do Modern Jazz Quartet haviam ido ao aeroporto Idlewild de Nova York para receber os músicos brasileiros que já admiravam. Os criadores da bossa nova mereceram boas-vindas de astros do jazz e foram convidados para jantar na mesma noite.

Menescal entendeu: "Estávamos indo tocar em Nova York pela primeira vez, mas a nossa música já havia chegado por lá".[37]

# 7. Bossa Nova USA

"BOSSA NOVA DESAFINOU NOS EUA": era esse o título da matéria de seis páginas escrita pelo fotógrafo norte-americano de Hollywood Orlando Suero para a revista *O Cruzeiro* de 8 de dezembro de 1962.

"REPORTAGEM FORJADA FEZ CRESCER ONDA CONTRA BOSSA NOVA": era esse o título da matéria do jornalista especializado em música popular Franco Paulino, no jornal *Última Hora*, em 6 de dezembro de 1962.

No texto da primeira pode-se ler: "O fracasso do Carnegie Hall seria o bastante para sepultar qualquer pretensão no sentido da sua [da bossa nova] divulgação". No texto da segunda, baseada numa entrevista com Walter Silva, o Pica-Pau, que testemunhou o concerto, pode-se ler: "O boato de que a bossa nova fracassou em Nova York não tem fundo de verdade. Foi espalhado por meia dúzia de jornalistas desonestos e interessados — direta ou indiretamente — em sabotar o êxito internacional do nosso samba".

Após a realização do celebrado Concerto da Bossa Nova no Carnegie Hall em 21 de novembro de 1962, travou-se uma batalha jornalística para saber quem é que tinha razão.

Há fatos: não havia uma floresta de microfones que impediam a visibilidade, como exagerou o crítico do *New York Times* John S. Wilson, com certa maldade. Eram três: o Telefunken de fonte, adequado para a gravação ao vivo, e mais dois, o da sonorização na sala e outro para retransmitir às emissoras de rádio. *O Cruzeiro* publicou fotos que não eram do concerto, com Carlos Lyra e Luís Bonfá. Ao destacar que "dias antes do espetáculo, as entradas (caras) já estavam esgotadas", o fotógrafo Suero, que sequer estaria na sala do concerto, perpetra uma desinformação, ainda que sutilmente entre parênteses. Os bilhetes se esgotaram, mas eram vendidos a preços populares, variando entre 4,80 dólares, 2,80 dólares e 2,50 dólares, quando a média à época era de cinco dólares. Em outros trechos, ele reporta: "Começaram a abandonar a sala quando Antônio Carlos Jobim passou a cantar, em mau inglês [...]. Fiasco de Tom Jobim que os norte-americanos tanto desejavam conhecer, preocupou-se tanto em agradar que cantou em inglês: o público achou que era bobagem e não gostou". O fato: Tom foi dos mais aclamados, voltou ao palco para novos aplausos e em inglês fluente justificou ter cantado em inglês porque precisava esclarecer a versão do samba "Corcovado". Enfim, um mundaréu de comentários a favor ou contra e algumas fake news atiçaram combustível àquela fogueira já em si oportuna para tal exploração.

Aturdidos com o impacto natural da primeira viagem a Nova York — para alguns, ao exterior — e inseguros quanto à comunicação verbal, os integrantes da trupe foram alojados no Diplomat da rua 46, a meia quadra da Broadway, um hotel de segunda linha queridinho de turistas brasileiros. Enfrentando pela primeira vez o frio de Nova York, os músicos se reuniam nos quartos do hotel para tocar e cantar alegremente; já os ensaios foram realizados num estúdio alugado pela produção nos dois dias que antecederam o show. Foi onde o competente e gentil Oscar Castro Neves preparou seu quarteto com arranjos para Agostinho, Ana Lúcia e outros mais.

Há motivos óbvios para deduzir que o espetáculo não foi bem organizado. Qualquer diretor sabe que shows com muitos participantes geram vários tipos de problema, desde a movimentação em cena até o ajuste de microfones, que varia de caso a caso. Eram dez cantores, dois guitarristas e cinco bandas diferentes.[1] Não houve ensaio geral, antes do show os brasileiros receberam instruções do produtor Phil Schapiro. Em inglês. Ficaram boiando. Dá para imaginar o tamanho da encrenca?

Mas o que a plateia assistiu logo foi captado pela elite de músicos de jazz que compareceu em peso, ouvindo atentamente e aplaudindo aquela música já tão admirada. Entre as personalidades do meio artístico, Tennessee Williams, Lauren Bacall, Rosalind Russell, Juliette Gréco e convidados do setor cultural norte-americano. O trabalho do consulado brasileiro, comandado pela incansável Dora Vasconcelos e por Mário Dias Costa, foi fundamental para a concretização do projeto, bem como a relação com a Varig, transportadora da caravana, como consta do programa *Playbill*.

Com todas as implicações positivas e negativas descritas, o resultado do célebre espetáculo denominado *Bossa Nova (New Brazilian Jazz)* como estava no programa foi a visibilidade dada à bossa nova e à música brasileira como jamais tinham tido.[2]

O LP do show[3] apresenta performances e repertório de músicos e cantores quase nada diferentes das amadorísticas noitadas cariocas comandadas por Ronaldo Bôscoli. A performance do Sexteto de Sérgio Mendes seguia o esquema clássico no jazz — tema/ improvisos/ tema —, à qual a formação estava habituada, como observou a crítica americana.[4] O violonista Roberto Menescal, que nunca cantara em público, teve que encarar a plateia do Carnegie Hall e se saiu razoavelmente. A atuação de Carmen Costa com Bola Sete à guitarra, contudo, teria desagradado até mesmo a moçada daqueles primeiros shows no Rio. Eram peixes fora d'água. Luís Bonfá e Agostinho dos Santos, cuja voz era familiar aos norte-americanos graças ao filme *Orfeu negro*, foram dos mais aplaudidos: Agostinho cantou com segurança e sua costumeira delicadeza, enquanto Bonfá executou sua "Manhã de Carnaval" numa levada bem tradicional. Até a cantora Ana Lúcia, da bossa nova paulistana, conseguiu não destoar. Nesse disco, quem destoa mesmo é Caetano Zamma, numa composição insossa, interpretada parcialmente em inglês e inserindo uma súbita exclamação, "Thank you, mister Frey!", numa atitude de baba-ovo a bajular o idealizador do evento. E o destaque é de fato o "Outra vez" bastante aplaudido com João Gilberto, numa execução perfeita de voz e violão, demonstração da melhor bossa nova nas quinze faixas desse disco. O show no Carnegie Hall deu impulso a uma tendência que já se impunha entre instrumentistas norte-americanos. Stan Getz fazia sucesso com seu álbum *Jazz Samba* e Gary McFarland gravara seu disco *Big Band Bossa Nova* três meses antes do festival. O pianista e arranjador argentino Lalo Schifrin, que fazia parte do quinteto de Dizzy Gillespie, também havia gravado um disco naquele ano, *Bossa Nova: New Brazilian Jazz*.

Chama a atenção no programa do Carnegie Hall um trecho do texto de Leonard Feather, respeitado crítico e autor da *Encyclopedia of Jazz*:

A bossa nova veio para ficar, a despeito do que muitos puristas disseram e escreveram a respeito. Não havia acontecido até o primeiro LP de João Gilberto *Chega de saudade*, quando o movimento alcançou status nacional. Lançado no início de 1959, o disco causou uma revolução em todo o meio musical. Mais que isso, as gravadoras brasileiras seguiram por esse caminho — o movimento alcançou o auge no final de 1960. Nessa época vários artistas americanos que tinham excursionado ao Brasil ouviram bossa nova e ficaram enlouquecidos com essa nova tendência musical. Após retornarem eles gravaram alguns singles. Isso, além dos discos de João Gilberto agora na Capitol, abriu os ouvidos de muitos músicos americanos sobre o novo jazz brasileiro. O restante, é claro, é história.[5]

De fato, na minha atividade de contratar artistas internacionais para a TV Record e acompanhar pessoalmente suas temporadas, pude estar próximo o bastante para presenciar o entusiasmo de que músicos e cantores ficaram possuídos quando ouviram a música brasileira que rolava entre 1959 e 1961. Foram a lojas de disco, adquiriram pilhas de LPs e fizeram amizade com os músicos de São Paulo e Rio. Particularmente Morty Stevens, diretor musical de Sammy Davis Jr., que em três tempos aprendeu a cantar "Desafinado" e convocou Hélcio Milito para tocar percussão em seu show; Sarah Vaughan, que frequentou o apartamento de Jorginho Guinle e acabou gravando com músicos brasileiros; Jim Hall, meu amigo da School of Jazz, que ao vir com Ella Fitzgerald se integrou facilmente aos músicos daqui; Burt Bacharach, diretor musical de Marlene Dietrich (a quem aconselhei ouvir Dolores Duran no Michel), frequentador do João Sebastião Bar, sempre anotando o que ouvia para apimentar com traços brasileiros suas composições que fizeram sucesso descomunal; Sacha Distel, cantor e guitarrista que levou canções brasileiras para a França; Morgana King, cantora do conjunto de Buddy Rich que incorporou canções de Jobim a seu repertório e, mais especialmente, o baixista Don Payne, do Trio de Tony Bennett, que se abarrotou de discos e que num almoço na casa de Flávio Ramos, em São Conrado, recebeu uma aula de Luisinho Eça, à qual assisti a seu lado, sobre a divisão rítmica da bossa nova.

A repercussão do Concerto no Carnegie Hall foi de tal monta que mal fechadas as cortinas começaram a surgir convites para shows e temporadas nos Estados Unidos. O consulado brasileiro ofereceu um cocktail no Waldorf Astoria em 1º de dezembro e, em cima do laço, foi organizada uma reprise com os que ainda estavam por lá. Mais de mil pessoas assistiram em 5 de dezembro, em Washington, no Lisner Auditorium da George Washington University, uma edição reduzida do concerto de Nova York: João Gilberto, Tom Jobim, Carlos Lyra, Oscar Castro Neves, entre outros.[6]

Ainda no final do ano, o sexteto de Sérgio Mendes gravou um LP com o saxofonista Cannonball Adderley para a Riverside, enquanto João foi convidado para uma temporada no Village Gate. Tom permaneceu nos Estados Unidos para cuidar das versões de sua obra, com as quais nunca escondeu seu desapontamento. João e Astrud festejaram o Natal de 1962 com Tom e Teresa, na casa do elegante contrabaixista Percy Heath. No início de janeiro, caíram fora daquele hotel e se estabeleceram onde pudessem ficar mais bem acomodados.

Em março iniciou-se a gravação de um projeto de Creed Taylor, produtor dos discos Verve, que acreditava muito na bossa nova. A ideia era reunir João Gilberto, Tom Jobim e Stan Getz. Por que Stan Getz?

A história vinha de longe. Um dos objetivos do Departamento de Estado norte-americano era promover a Good Neighbor Policy,[7] o chamado *good will* (bom relacionamento), com países que o governo norte-americano temesse se aproximassem demais do regime soviético. O departamento organizava e patrocinava tournées pelo mundo de grandes nomes do jazz que, além de levarem boa música, incrementavam as relações culturais. Louis Armstrong e Benny Goodman haviam participado do projeto durante a Guerra Fria, quando se temia a expansão do comunismo. Da mesma forma foi realizada a temporada da orquestra de Dizzy Gillespie pela América do Sul em 1956, que incluía São Paulo no antigo Teatro Santana e Rio de Janeiro, no Municipal. Essa temporada não só deixou rastros pela imediata empatia de Dizzy com o samba,[8] como possibilitou que se pudesse ver em ação o sensacional trompetista que sabia como poucos divertir a plateia. Vimos ainda novos músicos destinados a brilhante carreira, Phil Woods, Benny Golson, Melba Liston e Quincy Jones nos naipes de saxofones, trombones e trompetes.

Dois anos depois da Revolução Cubana, o presidente Jânio Quadros condecorou com a medalha da Ordem Nacional do Cruzeiro do Sul o ministro Che Guevara da Cuba comunista de Fidel Castro. A repercussão foi bem negativa, funcionou como um sinal de alerta para a CIA. Em 1961, o Departamento de Estado foi acionado e convidou Dave Brubeck a fazer uma excursão de doze semanas pela América do Sul; alegando compromissos com gravações e tournées, o pianista não aceitou. Em seu lugar veio o trio do guitarrista Charlie Byrd, cuja reputação no Brasil era incomparavelmente inferior à de Brubeck, um dos maiores ídolos do Jazz West Coast, que tinha, entre seus inúmeros admiradores, o pianista Dick Farney. Byrd, que estudara violão clássico com Andres Segovia, tinha especial interesse na música latina, e ninguém ficou surpreso quando ele se tomou de encantos pela bossa nova. O músico voltou para casa com uma pilha de discos e o plano de gravar aquelas composições. Fez contato com Creed Taylor, recém-contratado como produtor da Verve; ele aprovou a ideia e sugeriu a participação de Stan Getz, que regressara da Escandinávia após três anos de ausência.[9]

Em apenas um dia de fevereiro de 1962 foram gravadas no Pierce Hall da igreja All Souls Unitarium, em Washington, as sete faixas pinçadas dos discos que Byrd levara na bagagem. Lançado em abril, o álbum *Jazz Samba* alcançou sucesso estrondoso e ainda recebeu o Grammy do ano na categoria Melhor Performance em Jazz. Antes de o álbum chegar ao mercado, *Desafinado* foi lançado como single e superou a casa de 1 milhão de cópias, consagrando-se como o primeiro hit da bossa nova nos Estados Unidos. Compreensível, portanto, que Stan Getz tenha sido convidado para o Concerto do Carnegie Hall. Mais compreensível ainda que o consagrado saxofonista de jazz cool tenha mandado às favas a sequência do disco *Focus* e aderido à bossa nova de corpo, de alma e de olho no lucro. Só o single *Desafinado* já garantia uma mansão ao norte de Manhattan.

Basta ouvir o baixista, os dois percussionistas e o próprio Charlie Byrd para comprovar que os quatro fizeram bem a lição de casa na gravação de *Jazz Samba*. O que qualquer músico brasileiro comentaria a respeito é que falta a levada do nosso samba, o mesmo que no jazz chama-se suingue. É verdade. Na mixagem, a percussão ficou na frente, acentuando de propósito a batida, *"the new beat"*, que colaborou para o êxito de *Desafinado*. A repercussão do álbum foi de tal ordem que motivou a participação de Getz e Byrd no prestigioso programa de TV *The Perry Como Show*. Após o quarteto executar sob intensos aplausos o hit "Desafinado" na batida padrão da bossa nova — o baterista esfregando a caixa com a mão esquerda e batendo com a direita no aro —, há um divertido diálogo entre o cantor e apresentador Perry Como, que pergunta a Stan Getz: "Qual vai ser nosso próximo sucesso?". Ao que ele responde: "Uma bossa nova".

"Bossa nova? E ela é boa para qualquer música standard?", indaga Perry, referindo-se ao repertório clássico das canções norte-americanas. Charlie Byrd se antecipa: "Qualquer standard. Você conhece um standard, você toca ou canta e vai ser um sucesso". O entrevistador se mostra surpreso: "E onde estava a bossa nova quando eu precisava dela?". Perry começa a esfregar dois blocos de madeira imitando o som dos bateristas e canta hesitante algo sem importância, até que Stan Getz toca uma nota errada. Aos risos, Byrd interrompe: "É por isso que não se brinca com a bossa nova". O apresentador então propõe cantar para valer: "Vamos tocar essa".

Mais uma vez ele esfrega os blocos de madeira na levada rítmica da bossa nova. Uma música de Jobim? Alguma canção brasileira? Qual o quê, era uma canção norte-americana de 1930, "It Happened in Monterey", de John Boles, que espantosamente se casava com perfeição com o ritmo abrasileirado.[10] Aí estava, à vista de todos, a inesperada forma de se reinterpretar uma autêntica canção norte-americana que mesmo no ritmo brasileiro não se descaracterizava. Fosse de quem fosse, Cole Porter ou Gershwin, podia ser abrasileirada. O ritmo brasileiro foi capaz disso, e centenas de gravações foram regravadas trilhando esse mesmo caminho.

O mundo do jazz se movimentou rapidamente. Ao final de 1962, a bossa nova estava na linha de fogo com discos dos músicos de jazz que de alguma forma tinham tido contato com a música brasileira: o saxofonista Coleman Hawkins estivera no American Jazz Festival do Rio em 1961 e gravou o LP *Desafinado: Bossa Nova & Jazz Samba*; Zoot Sims, idem, gravou o álbum *New Beat Bossa Nova*; o guitarrista brasileiro Laurindo Almeida, que vivia nos Estados Unidos desde os anos 40, gravou *Viva Bossa Nova!,* e dois músicos que vieram ao Brasil por intermédio do Departamento de Estado norte-americano, o clarinetista Paul Winter e o flautista Herbie Mann, gravaram respectivamente *Jazz Meets Bossa Nova* e *Brazil Bossa Nova & Blues*. E mais, o disco *Cal Tjader Plays the Contemporary Music of Mexico and Brazil* traz a primeira aproximação do arranjador Clare Fischer com a música brasileira:

> Na última primavera [1961], eu fui apresentado a um amigo do baixista Ralph Peña de São Paulo que visitava este país e nos falou longamente sobre um novo tipo de música que estava sendo tocada no Brazil chamada "bossa nova", que na gíria pode significar "a nova onda" ou "uma nova atitude". Quando ele voltou para casa, enviou um disco de Elizeth Cardoso [...]. Aí recebemos outro álbum de nosso amigo de São Paulo, José Homem de Mello. Dessa vez um cantor e violonista, João Gilberto. Toquei esses álbuns para Cal.[11]

Se antes do Carnegie Hall a bossa nova já se solidificava no circuito do jazz, a sequência foi inaudita. A imprensa americana registra que em 1963 saíram 49 resenhas de LPs de bossa nova com músicos de jazz que, no decorrer dos cinco anos seguintes, lançando novos discos, contribuiriam para reforçar o termo apelidado de "new Brazilian jazz", expressão que vinculava música brasileira ao jazz norte-americano.[12]

Nessa febre que se apossou dos músicos de jazz pela bossa nova, chama a atenção um LP que pode ser considerado a mais grata forma de reconhecimento a João Gilberto: ¡Salud! João Gilberto, Originator of the Bossa Nova, com doze canções já gravadas por João vertidas para a língua inglesa pelo próprio cantor, Jon Hendricks, habituado a escrever letras para o trio Hendricks, Lambert & Ross. Os arranjos de Jobim foram fielmente reconstituídos por Johnny Mandel, que teve o cuidado de manter até detalhes mínimos da seção de cordas, das flautas, do clarone e até do piano original do próprio Tom. E constatou: na obra de Jobim tudo já vem pronto, nada deve ser mudado, se mudar uma nota ou um acorde vai piorar. Para complementar, John Carisi conduziu a reprodução do timbre de órgão/trompete dos originais gravados com Walter Wanderley/Papudinho. Assim você ouve as mesmas canções, os mesmos arranjos e a voz ligeiramente rouca de Jon Hendricks em inglês.

Embora não conste da relação dos músicos (provavelmente por razões contratuais), sabe-se que o violonista era Laurindo Almeida, que, ao respeitar a "batida" de João Gilberto, completou a atmosfera bem brasileira.[13] Não é contudo um cover, é uma homenagem. Jon Hendricks fez um disco de afeto, declarado em seu texto para a contracapa: "Ouvir João Gilberto foi uma das maiores aulas de canto que já recebi. A maior foi ouvir Louis Armstrong, mas Gilberto me deu a grande aula de canto desde então, e que prazer cantar suavemente, docemente após anos de tanto volume. É um alívio e um prazer".[14]

Na contracapa, o texto de Leonard Feather elucida com grande perspicácia um aspecto essencial da origem da bossa nova, erroneamente contextualizada em algumas publicações americanas. Feather apontou que "as melodias não eram improvisos [como nos discos de jazz], mas os temas de um charme especial criados pelos que não eram músicos de jazz, porém cantores e violonistas, a maioria fundadores do movimento brasileiro bossa nova". Acertou em cheio.

Antes mesmo do concerto do Carnegie Hall, a revista Downbeat, de 8 de novembro de 1962, já trazia resenhas de sete LPs que entravam no mercado e uma matéria, com chamada de capa, intitulada "The Real Story of BOSSA NOVA", de John Tynan. É uma narrativa supostamente verídica que supera qualquer história de pescador.

Um contrabaixista mediano, Harry Babasin, tocava sambas e baiões brasileiros em duo com o guitarrista Laurindo Almeida e não aguentava mais aquelas constantes duas notas por compasso. Intelectualmente monótonas. Resolveu então tocar quatro notas, e o resultado foi nada menos que a base da bossa nova! E tem mais: após ensaiarem com o baterista Roy Harte, que propôs misturar baião com jazz, pois o samba era muito cafona, o plano foi levado adiante. Foi formado um quarteto com Bud Shank no sax alto para gravar o LP *Brazilliance*, que Laurindo Almeida teria trazido ao Brasil em 1953. Aí a história se transforma em puro delírio: João Gilberto teria ouvido e, aderindo ao novo ritmo, adaptou-o ao modo *Latin American* e formalizou um modelo padrão. E assim a bossa nova passou a ter uma pátria a partir das experiências desse quarteto originário em um estúdio de Hollywood. Santo Deus, dá para acreditar que tal desatino pudesse ser levado a sério? Mas está lá, impresso, a verdadeira história da bossa nova, e para quem duvidar o som do baixo de Babasin no *Tu-dúm, tu-dúm, tu-dúm, tu-dúm* em "Atabaque" e "Terra seca" do disco *Brazilliance*.

Vale destacar que Laurindo não caiu nessa, declarando ter sido João Gilberto quem desenvolveu um novo ritmo em seu violão. E também a declaração de Tom Jobim, em entrevista a Gene Lees, dizendo que nunca ouvira o disco de Bud Shank e Laurindo Almeida em sua vida. Ponto.

Isso posto, agora vamos ao tal projeto de Creed Taylor, que finalmente gravou com quem de fato criou a bossa nova, um desejo seu longe de ser secreto. Foram realizadas duas sessões nos dias 18 e 19 de março de 1963 nos estúdios da A & R, em Nova York.

O resultado é um álbum impecavelmente bem gravado, João e violão protagonizando o que há de mais belo nas oito faixas, Jobim em intervenções sumamente adequadas pela discrição e um solo de piano de elevado bom gosto em "Corcovado". Stan Getz, que exibe em seu toque fluido uma excitação contrastante com a interpretação de João, soube dispensar os improvisos jazzísticos e se manter enlaçado às melodias, que executa com seu toque de lirismo e confiança acrescido de ornamentos. Com exceção de "Só danço samba", cuja estrutura instiga o saxofonista a improvisar sobre a sequência harmônica.

É de se notar que o baterista Milton Banana, em performance exemplar, despreza as batidas no aro da caixa, àquela altura ainda emblema rítmico da bossa nova. Manobra as baquetas no *cymbal* em dinâmica engrenada com o violão, ou nos pratos, ao acompanhar solos expansivos de Getz. O centro dominador da plataforma rítmica é o violão de João. Possivelmente devido ao microfone empregado nessa gravação, sua voz aparece sobremaneira cristalina, mais viva até que nos discos da Odeon.

Em nove das dez faixas, o saxofone não aparece no início, e isso porque Getz e João não tocaram juntos no estúdio. João entrava primeiro, com Tom, Tião e Milton, cantava e entregava ao saxofonista a base gravada. De sorte que não houve em *Getz/Gilberto* uma integração natural entre o vocal e o sax-tenor, razão pela qual se disse que o sax não acompanha ou não percebeu suficientemente o sotaque melódico brasileiro, à diferença de Gerry Mulligan, que teria conseguido. Faz sentido. A empatia musical entre Mulligan e Jobim é patente quando tocaram juntos "Samba de uma nota só", Tom ao piano e Mulligan à clarineta, no apartamento do saxofonista. O solo de Mulligan no tema que tinha acabado de ouvir, talvez pela primeira vez, revela sua instantânea compreensão do sentido melódico brasileiro, que diverge dos improvisos de jazz construídos sobre acordes. Ao executarem novamente a parte final, após Tom mostrar um detalhe da divisão, Mulligan faz sua parte, já com a sutileza do balanço do samba.[15]

Cabe ainda construir uma hipótese sobre a disposição dos nomes na capa de *Getz/Gilberto*, separados por uma barra oblíqua e não um &, sinal que tem o sentido de adição, associação. Dá para imaginar o que que poderia ser o disco Mulligan & Jobim & Gilberto?

No single *The Girl from Ipanema* a duração foi reduzida de 5:22 para 2:46, tendo em vista repetir a vitoriosa estratégia utilizada em *Desafinado*; com isso, a voz de João Gilberto foi subtraída, preservando-se a versão em inglês para que os norte-americanos pudessem entender. Astrud estoura logo em sua estreia.

Anos depois, Creed Taylor resgatou suas lembranças da gravação *Getz/Gilberto*: "Quando os caras verdadeiros entraram no estúdio, João e Jobim, aquilo foi mágico [...]. Stan como sempre um take para cada música, Jobim o mesmo, foi fácil excetuando o trabalho que dava para fazer João Gilberto vir. Ele ficava trancado no quarto do hotel".[16]

Esse é o ponto de vista do produtor norte-americano, um competente profissional que um ano antes tinha emplacado 1 milhão de discos com o *Desafinado* de Stan Getz. De sua parte, Tom Jobim expõe como era o clima no estúdio:

não era dos mais amenos entre Getz e João. [...] "Diz a esse gringo filho da puta que..." E o Stan Getz, ouvindo aquilo, arregalava aquele olho azul, perguntava o que ele estava dizendo e eu dizia que ele estava orgulhoso, não sei o quê. E o Stan Getz, me dizia: "Não soa assim". Chegou a um ponto em que o João Gilberto saiu porta afora. Aquela neve e nós dois com aquelas roupinhas de algodão. Stan Getz a dizer que dava 15 mil dólares para gravar com o João. Nós estávamos morrendo de fome lá em Nova York, 15 mil dólares para nós era muita grana. Então, eu disse: "Agora não, João. Nós entramos naquele avião, você achou que o avião ia cair, o avião não caiu. Nós estamos aqui, com essa neve caindo, nós estamos fodidos e você vai gravar com o homem". Segurei o João, ele não queria, mandei ele tomar naquele lugar.[17]

Astrud, que chegara aos Estados Unidos depois do show do Carnegie Hall, foi requisitada para cantar a versão em inglês, de Norman Gimbel, apesar das objeções de João e Tom, diz Creed Taylor, que acrescenta: "Astrud foi incluída em vista da insistência de Getz. Mesmo sabendo que ela desafinava, ele a queria no álbum para uma versão em inglês de 'Corcovado' e 'Garota de Ipanema'. Para ele a pronúncia dela era muito agradável e estava boa para o disco".[18] Escreveu Astrud em carta de próprio punho:

Infelizmente eu só tenho lembranças amargas de minha ligação com Stan Getz porque ele tirou proveito financeiro, artístico, profissional e pessoal. Nunca cantei profissionalmente até gravar "The Girl from Ipanema". Apesar de ser comum para mim cantar duetos com João ou ele me acompanhar ao violão, eu cantava em reuniões privadas com amigos como A. C. Jobim e Vinicius de Moraes. Foi João Gilberto e ninguém mais quem me convidou para participar com ele do disco "The Girl from Ipanema" num ensaio privado com Stan Getz dias antes da gravação...[19]

Em seu site, ela nos dá detalhes:

Algumas horas antes de Stan Getz chegar ao nosso hotel para um ensaio com João, ele me falou com um ar de mistério: "Hoje vai ter uma surpresa para você". Pedi para me contar, mas ele foi inflexível dizendo: "Espere para ver...". Mais tarde, ensaiando com Stan, no meio da canção "The Girl from Ipanema" João me pediu simplesmente para cantar uma vez em inglês assim que ele terminasse de cantar em português. Foi o que eu fiz. Assim que acabamos, João se virou para Stan e, no seu inglês tipo Tarzan, disse mais ou menos isto: "Amanhã a Astrud vai cantar no disco... que é que você acha?". Stan foi mais que receptivo, ficou entusiasmado dizendo que era uma grande ideia. O resto, claro, como se diz, é história. Nunca vou me esquecer que quando estávamos ouvindo na cabine técnica a música que acabara de ser gravada, Stan me disse com expressão dramática: "Essa canção vai fazer você famosa".[20]

Em vista de tantos detalhes, a versão de Taylor, produtor de Stan Getz, não resiste.

Num dos textos no álbum, Stan Getz externa seu ponto de vista sobre o que estava acontecendo no jazz:

> As canções de João Gilberto e Antônio Carlos Jobim chegaram à América como um respiro de ar fresco. Sua música chegou aqui num momento em que a anemia e a confusão na nossa música eram evidentes para qualquer um que, conhecendo o suficiente pudesse perceber [...]. A literatura do jazz estava se tornando consideravelmente pomposa, complexa e chauvinista, teorizando e analisando-se num nó. Os grupos musicais estavam se desintegrando numa egomania de cada-um-por-si [...]. Estavam perdendo a audiência. Pior, frequentemente perdiam o contato musical entre um e outro [...]. Aí chegou a música desses brasileiros que causou um impacto [...] de modo que a definitiva elaboração deste disco era inevitável.

Nesse ponto Getz informa que Tião Neto e Milton Banana participaram das gravações. Tião gravou num contrabaixo emprestado pelo meu querido amigo Don Payne, que em troca do favor assistiu às gravações, conheceu pessoalmente Tom e João, de quem ficou amigo, e de Astrud, que o convidaria como seu contrabaixista.

Quanto a João, pela primeira vez com algum dinheiro no bolso e em dólares, decidiu se fixar em Nova York, onde poderia administrar uma carreira internacional que pintava no pedaço. Tom fez o mesmo, se bem que noutra direção: iria administrar as edições de suas músicas. Como não era cantor, recebeu em 1963 uma proposta de Creed Taylor/ Verve para gravar um disco instrumental.

O longo título do álbum se autojustifica: *Antonio Carlos Jobim the Composer of Desafinado Plays*.[21] Taylor convocou o cuidadoso arranjador alemão Claus Ogerman, de sua total confiança. Para que suas orquestrações envolventes fossem sonorizadas, bastava reunir no estúdio um competente naipe de cordas, alguns músicos de jazz de primeira linha — o trombonista Jimmy Cleveland, o flautista Leo Wright e o baixista George Duvivier —, violão e piano do próprio Tom, e o essencial baterista brasileiro Edson Machado. Nem muitos acordes ao piano seriam necessários, bastavam os cinco dedos da mão direita para que a beleza harmônica viesse naturalmente, tão sutil que sequer se percebia não haver mão esquerda. Jobim não gastou uma só nota a mais para demonstrar a exuberância das doze obras-primas gravadas. A última linha da crítica de Peter Welding do *Downbeat* lamenta não haver mais que cinco estrelas para atribuir ao disco.

Pela primeira vez Jobim, reverenciado no Brasil como compositor e arranjador, ou seja, sempre na retaguarda de alguém, teve a oportunidade de ser o protagonista. De certo modo era um risco tanto para a gravadora quanto para ele próprio, que escolheu um caminho absolutamente simples, quase singelo, de tocar como o que foi apelidado de "piano de um dedo só". Nesse disco há um aspecto inovador. Se àquela altura Jobim era incluído no time dos maiores compositores norte-americanos — Jerome Kern, Irving Berlin, George Gershwin, Cole Porter e Richard Rodgers —, ele conseguiu o que nenhum deles teve oportunidade em vida: gravar a própria obra, dando início a uma nova atividade em sua carreira.

Jobim é extraordinariamente melodioso, o público o entende. É sofisticado, mas sua genialidade reside em dar leveza a sua música, sem intimidar. Os leigos não se dão conta de suas dissonâncias, de seus cromatismos: o que sentem é que tudo cai bem, nada está fora do lugar.


O ano de 1964 foi de conquistas e perdas para João. *Getz/Gilberto* saiu em março, após o single *Desafinado* ter vendido à beça. Para não competir com as vendas de *Jazz Samba*, que continuava na *top list* de LPs da *Billboard*, a gravadora segurou de propósito o LP *Getz/Gilberto*: "Quando a popularidade da pulsação latina começou a diminuir, a Verve pôs o álbum à venda para reacender o interesse pela bossa nova. É a melhor demonstração de bossa nova já gravada" [nos Estados Unidos até então].[22]

Uma arte expressionista abstrata da porto-riquenha Olga Albizu em tons alaranjados sobreposta a um fundo preto estampava a capa[23] do LP que, sem exagero, levava uma tremenda vantagem sobre os discos de bossa nova gravados até então por grandes músicos norte-americanos do jazz. Por quê? É só ouvir. Ali está o balanço que faz a diferença e enlouqueceu tanta gente. Era o samba brasileiro com a cozinha rítmica de Tião Neto, Milton Banana, João Gilberto e Tom Jobim.

*Getz/Gilberto* virou a bola da vez. Arrebatou quatro Grammies em 1964[24] e o single *The Girl from Ipanema* suplantou a marca de 1 milhão de cópias, permanecendo doze semanas entre os campeões de venda. Com os dois álbuns Getz botou a mão numa grana que não acabava mais.

Na esteira do sucesso do LP, João fez shows no Canadá, em Los Angeles; e em Nova York, no Town Hall Theater e no lendário Village Vanguard. Em 4 de setembro, o Quarteto de João Gilberto[25] participou de um grande desfile de astros da linha de frente do jazz no Hollywood Bowl: Nina Simone, o quinteto de Miles Davis (Herbie Hancock, Wayne Shorter, Tony Williams e Ron Carter), o quarteto de Gerry Mulligan (com Carson Smith, Chico Hamilton e Art Farmer substituindo Chet Baker). O *Los Angeles Times* elogiou a atuação de João, considerando sua performance de transparente suavidade em "The Girl from Ipanema", "One Note Samba" e "Desafinado", como a essência do gracioso e do relaxante.[26]

Ainda na Califórnia, João Gilberto foi a atração do clube El Matador de San Francisco de 7 a 19 de setembro. Entre os comentários publicados merece destaque o elogio do crítico Ralph J. Gleason, que, diante da voracidade das gravadoras em lançar um disco atrás do outro, percebe que a bossa nova, cuja essência estava em João, estaria sofrendo um desgaste.[27]

Gary Giddins, respeitada autoridade de jazz, explica por que a bossa nova conquistou com tamanho vigor a cena musical do país:

A partir de 1925, com Gerswhin, Irving Berlin, Jerome Kern, Cole Porter, Richard Rodgers, Duke Ellington e muitos outros, houve um renascimento da canção americana que, no final dos anos 40 ou início dos 50, acabou por sofrer um desgaste ou porque alguns morreram ou porque começaram a compor para si próprios.

Estive com dois desses compositores, Burton Lane e Hoagy Carmichael, que estava profundamente amargurado, até com raiva, achando que o Rock & Roll tinha destruído tudo, incluindo ele próprio. Também conheci o magnífico apartamento de Burton Lane, que, sentado ao lado de seu deslumbrante piano Grand Steinway, me dizia ainda estar escrevendo canções. Mas o fato é que não compunha mais grandes canções como antes, eram canções genéricas como qualquer um poderia ter escrito. Nada como "How about You?", canções geniais de sua época. O que fazia estava fora do seu tempo e suas canções desapareciam.

O que havia na música americana era o *rythm and blues* dos negros que deu origem ao rock and roll, além de um segmento de canções horrorosas e cafonas [...], canções melodramáticas que não provocavam interesse algum entre os jovens [...].

Assim chegamos aos anos 55, 56, 57 com Chuck Berry, Elvis Presley, Little Richard, Bo Diddley, que muita gente odiava por ser uma musiquinha ingênua com três acordes. Mas a garotada gostava, dançava, era excitante, era pulsante e eles entendiam aquelas palavras que exprimiam o que pensavam. Ao lado disso havia os grupos de brancos da *folk song,* o Kingston Trio, os Brothers Four, também uma música simples, de três acordes, porém mais melodiosa.

No jazz havia o cool dos anos 50, com Gerry Mulligan, Stan Getz, o Modern Jazz Quartet, Miles Davis, mas os jovens não queriam esse tipo de música, que de certo modo era muito vanguardista,[28] e eles não queriam ter muito trabalho para entender. No jazz também havia Ornette Coleman e Cecil Taylor,[29] que podiam tanto estimular quanto assustar.

Então Charlie Byrd chega do Brasil com as canções. Mas como ele não era famoso, ninguém iria gravar, e ele sabia disso. Era preciso arranjar um nome, e ele teve a intuição de que Stan Getz era o homem certo. Stan ouviu, providenciou algumas alterações nos acordes e fizeram esse fantástico disco *Jazz Samba,* que tem "Desafinado". Na Verve tinha um cara, acho que o nome dele era Joe Fields, ele ouviu "Desafinado", tinha mais de cinco minutos e meio, e convenceu o pessoal a editar uma versão de dois minutos e meio. Foi um tremendo sucesso em disco de 45 rpm Por isso é que Stan Getz estava no concerto do Carnegie Hall.

Mas Dizzy Gillespie foi um dos primeiros, ele gravou "Chega de saudade" (No More Blues), "Pau de arara", "Manhã de Carnaval" e "Pergunte ao João" em maio de 1962. Dizzy tinha assinado contrato com a gravadora Philips, que não sacou o que tinha nas mãos e preferiu que ele gravasse um disco convencional para seu público. Dizzy perdeu a chance. Poderia ter tido um possível primeiro hit nos Estados Unidos. Quando seu disco foi lançado, todos disseram que ele foi o último músico a mergulhar na bossa nova. Na verdade ele foi o primeiro. É uma história terrível.[30]

Dizzy comentou que "não importa quem foi o primeiro, ele [Stan Getz] fez um bom trabalho, mas o fato é que eu fui o primeiro a tocar na América do Norte esse tipo de música".[31]

Animados com o êxito do *Getz/Gilberto,* Creed Taylor e a Verve decidiram gravar um volume #2, porém ao vivo, no mesmo Carnegie Hall, em 9 de outubro de 1964, com Stan Getz numa face e João Gilberto na outra. Pelo menos dessa vez João ficava livre de Getz e poderia cantar os clássicos de seu repertório sem a interferência que o incomodava. Novamente com uma arte de Olga Albizu na capa para remeter ao álbum anterior, o meio disco de João contém seis faixas que, pelo entusiasmo dos aplausos depois da música iniciada, percebe-se, foram reconhecidas pelo público que superlotou o teatro.

É de chamar a atenção que o baixista Keter Betts toca apenas uma nota no primeiro tempo, e não duas; e que Hélcio Milito usa esplendidamente as baquetas no chimbal sem *pléc pléc* algum.[32] Para João, a emblemática identidade da percussão bossa nova já não valia mais. Na sua cabeça não era bossa nova, era o "Samba da minha terra" que se ouve na abertura. É nessa faixa que João deixa bem clara sua capacidade de alterar a divisão rítmica ao alongar o "quem", cantando "queeeeem não gosta de samba", sutileza imperceptível aos que julgam estar ele cantando sempre igual. João aumenta, encurta, atrasa e retoma frases da melodia, desvinculando-se de seu pulsante violão mantido em andamento metronomicamente ajustado, confundindo quem não o ouça atentamente. A tentativa da Verve de aproveitar do êxito do primeiro volume, no entanto, não emplacou. *Getz/Gilberto #2* não teve sucesso nem comercial nem de crítica. Como disse o crítico Bryan McCann, não se tira a sorte grande duas vezes.[33]

O casamento de João começara a fazer água meses após o nascimento de João Marcelo, e a separação se deu em 1964. Astrud havia se tornado estrela de primeira grandeza como Stan Getz previra. Sua voz meio tímida, fugaz e charmosa encantou os norte-americanos, que adoraram seu jeitinho de garota frágil, carente, à espera de proteção. Queriam assistir aquela girlzinha de Ipanema, desejavam shows, queriam outros discos. Assim Astrud Gilberto adquiriu personalidade própria, fazendo carreira em território norte-americano e pelo resto do mundo. Exceto na sua terra.

Em 1964, João estava na Itália quando começou a sentir espasmos musculares que foram se agravando. Num primeiro momento, ele foi tratado por um acupunturista em Paris. Desanimado, chegou a pensar que nunca mais tocaria violão, quando resolveu retornar aos Estados Unidos. Médicos norte-americanos diagnosticaram uma atrofia no ombro, recomendando-lhe um prolongado e doloroso tratamento que o impediu de tocar e, logicamente, de aceitar compromissos. Meses depois sentiu uma melhora, teve o movimento dos dedos de volta quase por completo. Essa fase de superação perdurou durante o período inicial de seu casamento com Heloísa Buarque de Holanda, a Miúcha.

"Sofri muito quando parei de tocar, mas foi então que vi o que queria fazer e como devo fazê-lo agora quando voltar a estudar e a tocar", declarou em entrevista a Armando Aflalo[34] quase ao final dos quatro meses que passou no Brasil no primeiro semestre de 1966. Praticamente incógnito, foi à Bahia, ao Rio e a São Paulo, onde esteve com os sogros, o historiador Sérgio Buarque de Holanda e sua mulher Maria Amélia Alvim Buarque de Holanda, as irmãs e irmãos de Miúcha, entre eles Chico Buarque.

Em outubro do ano anterior, João já havia estado no Brasil contratado por Marcos Lázaro para uma única apresentação no programa *O Fino da Bossa*, apresentado por Elis Regina e que recebia convidados como Dorival Caymmi, Ataulfo Alves ou Adoniran Barbosa. A ida de João Gilberto gerou grande expectativa (sobretudo em mim, que via uma oportunidade de me aproximar dele), pois ele não fazia show no Brasil havia três anos. Não seria um show, mas uma apresentação breve, eventualmente com alguma conversa, como ocorrera entre Elis e Caymmi.

Anunciado pela cantora com entusiasmo invulgar e recebido sob ovação, João despontou do lado esquerdo do palco, postando-se onde já havia os pedestais para dois microfones. Cumprimentou com um educado boa-noite e antes da primeira música pediu a Milton Banana, o baterista, que se aproximasse. Atacou o samba de Janet de Almeida "Eu sambo mesmo", que certamente a plateia jamais tinha ouvido. Percebia-se que ele não estava à vontade. Sem monitor, que ainda não existia à época, fez sentir seu desconforto ao dizer: "Não escuto nada". Como foi posicionado bem atrás da coluna de alto-falantes, ele ouvia menos ainda. Assim mesmo cantou "Exaltação à Mangueira", outro samba que fazia parte de seu cofre de preciosidades, decerto desconhecido do público. Ao final, quando anunciava "Vou cantar um...", foi interrompido por alguém da plateia pedindo um número. Contrariado, disse: "Está... por favor mais som para eu ter uma ideia. Mas eu preciso me guiar".

Nos programas da tv Record eram frequentes os aplausos empolgados no meio do número. A plateia indócil daquela noite não parecia típica de shows de João Gilberto, que além do mais estava irritado com o problema do som. Cantou uma terceira música, também desconhecida, "Pica-pau", uma velha marchinha carnavalesca de Ary Barroso. Nas três João foi irretocável. Terminada "Pica-pau", deu por encerrada sua participação e saiu.[35] (E, como já contei, não foi dessa vez que conheci João.)

Nas duas viagens ao Brasil em 1965, João submeteu-se a um tratamento das cordas vocais orientado pelo foniatra e escritor Pedro Bloch. Desde abril daquele ano, João e Miúcha já moravam num apartamento da Central Park West, na altura da 72nd Street, pertinho do amigo Don Payne.

Miúcha estava grávida de nove meses quando, na madrugada de 11 para 12 de maio de 1966, o telefone de Don tocou. Era João que, afobado, lhe dizia, em português mesmo: "O bebê vai nascer...você tem um carro?". Don não perdeu tempo: "Esteja na calçada em cinco minutos". Assim que Don chegou, os dois entraram no carro e foram correndo para o hospital. No caminho, João dizia: "Eu não queria que nossa filha nascesse num táxi de Nova York". Ficaram aguardando até Miúcha dar à luz uma meninazinha sadia, que anos mais tarde se tornou cantora. Bebel Gilberto.[36]

Pouco depois João e Miúcha se mudaram para uma casa de dois andares quase vazia, na Columbia Terrace em Weehawken, Nova Jersey, aquela onde estive em dezembro de 1967. Cheguei no fim da tarde. João me mostrou uma câmara cinematográfica que acabara de comprar, fomos lá fora, ele me filmou, eu tirei uma foto. Entramos, pois estava muito frio, e ficamos numa sala com uma mesa de pingue-pongue, duas ou três poltronas, e acho que só. Miúcha era um amor, eu gostava de ouvir sua voz. Até hoje me lembro: fomos à cozinha, João nos preparou um leite gelado com chocolate, fiz mais fotos e conversamos. Uma delícia conversar com João alegre, falando de tudo e mais alguma coisa, de sua saudade do Brasil para onde não podia ir por causa dos shows agendados. Falamos de futebol, da música brasileira, evocamos compositores, tirei o gravador, mas ele brecou: "Falo tudo o que você quiser, Zuza, mas queria que não gravasse nada".

Continuamos conversando, parecia que já nos conhecíamos havia muito tempo, ele falando muito mais que eu, Miúcha também, falando sempre coisa com coisa, Isabelzinha, como ele chamava a filha, ali quietinha. Não ouvimos música, ele não cantou nem tocou violão, não era o caso, mas continuamos falando, tomamos um café, pedi o meu sem açúcar por favor e ele nunca mais esqueceu disso; o papo varava noite adentro sem eu perceber. O dia raiava, me despedi. Precisava pegar o ônibus de volta, passar no túnel sob o rio Hudson, chegar ao terminal da Port Authority, encarar o *subway* em Manhattan, tomar um banho no Sheraton e trabalhar o dia inteiro nas agências contratando artistas para a TV Record. Passei o dia bocejando, louco por uma cama, mas exultante. A amizade com João Gilberto nasceu assim.

Naquele ano de 1967, João participara de um programa de televisão na Alemanha e se apresentara pela segunda vez no Village Vanguard de Nova York; em 1968, cantara no Central Park e no chiquérrimo Rainbow Grill, no 65º andar do Rockefeller Plaza, de onde se tem uma das mais belas vistas noturnas de Nova York. A coluna "Voice of Broadway" registrou que "João Gilberto, o maravilhoso compositor-violonista-cantor brasileiro no Rainbow Grill, é formidável com sua voz suave e estilo delicado, conseguindo manter a sala de espetáculos num silêncio mortal mesmo durante o jantar".[37] John S. Wilson do *New York Times*, por sua vez, assinala que certa noite o silêncio foi interrompido por um senhor que conversava em voz alta, e que naquele instante João levantou o rosto, fixando-o com um olhar atravessado para que se calasse.[38]

Não demorou muito, e em 1969 a família se mudou de novo, dessa vez para o México. Alugaram um casarão com piscina e salão de jogos, e João convidou sua irmã mais moça, Vivinha, que morava em Juazeiro, para passar uma temporada com eles. Vivinha ficou cerca de dois meses, sendo tratada como uma rainha. Miúcha a levou para conhecer as pirâmides, o vulcão Popocatépetl, as múmias de Guanajuato. À noite iam a restaurantes e boates, João entrava, dava uma olhada e logo saía.[39] O galo cantava de madrugada numa chacrinha vizinha com galinha, pato, papagaio, carneiro, peru e cachorro.

João por acaso encontrou o amigo Mariano Rivera Conde, que lhe fez uma proposta: *"Grabar un disco en Mexico"*. Assim a estadia se alongou por quase dois anos, durante os quais João fez uma temporada na boate Forum da capital mexicana e participou de festivais de jazz no interior, Guadalajara, Guanajuato e Puebla.

Em 1971, João Gilberto deu uma entrevista ao jornalista Tárik de Souza para a revista *Veja*, na qual falou de sua necessidade de silêncio quando cantava e da temporada no México. Realizada no apartamento 909 do Hotel Glória, no Rio, essa entrevista acabou se tornando a mais completa já concedida pelo artista.

"Quando eu canto, penso num espaço claro e aberto onde vou colocar meus sons. É como se eu estivesse escrevendo num pedaço de papel em branco: se existem outros sons à minha volta, essas vibrações interferem e prejudicam o desenho limpo da música."

João faz um gesto e silencia por instantes. Espera que o ruído longínquo de um automóvel desapareça. Cuidadosamente, pega o violão e toca em algumas cordas: o som isolado vibra por todo o apartamento. Ele sorri, vitorioso.

Esta depuração, este aperfeiçoamento de som está presente em seu último LP, gravado no México? "Isso é uma coisa que eu ainda não sei dizer. O LP do México foi mais um disco da amizade, um disco que fiz com muito carinho. Ele fala das coisas e das pessoas do México. Foi feito por um produtor meu amigo, e o arranjador foi Oscar Castro Neves, com quem eu gostaria de gravar outra vez. Ele foi sobretudo uma necessidade que tive de provar a mim mesmo, depois dos problemas que tive com a voz e com a mão, de que podia voltar a gravar. Mas fazer um disco mesmo, com continuidade, dentro daqueles que fiz no início da minha carreira, isso só no Brasil. Só tendo recebido todas aquelas informações daqui, da rua, do Carnaval, sentindo o pessoal, sofrendo as influências, perto das minhas raízes."[40]

O LP *Joao Gilberto en México*, gravado em 1970, foi lançado no mesmo ano no México e no Brasil. Se houvesse um concurso, esse disco ganharia, com folga, o troféu de campeão do descaso na discografia brasileira de João. A capa, diferente da original, estampava uma foto inexpressiva do cantor; no título constava apenas seu nome, sem referência ao México. No verso, nenhuma informação técnica e dois erros a sublinhar a negligência: o primeiro, ao atribuir a Irving Berlin a autoria de "Trolley Song", de Hugh Martin e Ralph Blane; o segundo, ao atribuir a autoria de "Eclipse" a Ernesto Lecuona. O texto assinado por João foi substituído por um do jornalista Júlio Hungria. Masterização e prensagem saíram descuidadas, muito aquém do original da Orfeon Videovox. Não à toa a repercussão no Brasil foi inferior à merecida. Restou a impressão de que a gravadora estava a fim de derrubar João Gilberto.

Três músicas, duas de autores mexicanos e outra de uma cubana, colaboraram para que o disco ficasse conhecido como "aquele dos boleros". "Farolito" é uma valsinha do mago da canção mexicana, Agustín Lara; a famosíssima "Besame mucho" é da bela pianista Consuelo Velázquez;[41] "Eclipse" é da cubana Margarita Lecuona, autora de "Babalu". As três ganharam o carimbo joãogilbertiano. A melodia de "Farolito" se alegra como uma pluma rodopiando em carrossel; "Besame mucho" recebeu frases arpejadas no violão, preferência de João em casos de interpretações livres do andamento rítmico; "Eclipse" é cantada como uma delicada canção-seresta.

Com "Acapulco", composição de João cuja melodia está nas notas graves do violão, ele agradece ao México pela acolhida, homenageando o famoso balneário. E mostra sua afeição ao bolero sem se valer do ritmo do gênero. Zero bolero nesse disco.

A melodia cromática do "Samba da pergunta", de Pingarrilho e Marcos Vasconcelos, com o subtítulo "Astronauta", termina com a suspensão da nota final, numa interrogação. É uma daquelas canções que parecem não terminar, como "Estrada do sol". Outra surpresa no disco mexicano foi o fox "Trolley Song", a historinha de um flerte num passeio de bonde entremeado de *blens, blens, blens* (no original de Judy Garland, *clain, clain, clain, ding, ding, ding*). Por que a versão de João é mais leve? No hit de Garland, o acento rítmico cai sempre no tempo forte; na versão de João, o violão acentua o tempo fraco.

Morando em Los Angeles, o baterista Chico Batera estava por coincidência no México quando seria gravado o disco de João, que o chamou. No primeiro dia de gravação, os dois entraram no estúdio, e os músicos mexicanos da orquestra e o maestro já estavam a postos, com os arranjos prontos. O maestro era o organista Ely Arcoverde, brasileiro que vivia no país havia algum tempo e tinha discos na mesma Orfeon. Por isso fora escolhido para escrever os arranjos e reger a orquestra. Detalhe: ele não tinha a menor familiaridade com a obra de João.

Na gravação, João ficou numa salinha, separado da orquestra, com o maestro entre os dois. Quando Ely baixou os braços para atacar "Besame mucho", a primeira música, "ficou horrível!", lembrou Chico Batera. E o que aconteceu depois foi embaraçoso:

João ficou maluco, pensei que ele fosse dizer alguma coisa pro cara, parar a gravação, dizer que não ia dar. João chegou pra mim, o Ely estava pertinho, e o João me disse para ele ouvir: "Chico, olha que arranjo feio, que coisa feia, rapaz". O maestro, que estava do nosso lado, foi ficando irritado e acabou puto. Foi para onde estavam os músicos, recolheu os arranjos das estantes, passou pelo João, bateu no seu ombro e disse: "Olha, estou te esperando lá fora".

Já imaginou a cena? Eu estava no céu, ia gravar com João Gilberto, e de repente podia virar uma tragédia. Ninguém fazia nada, os mexicanos ficaram no estúdio e eu fui atrás do Ely, nem era amigo dele mas fui, o cara estava com raiva do João, eu convenci o Ely, nem sei o que falei, sei que o Ely desistiu. Aí voltei pro estúdio. O João estava que nem cego em tiroteio. Enlouqueceu a cabeça do diretor da gravadora, o Mariano Rivera Conde, casado com a Consuelo Velázquez, autora do "Besame mucho". O cara chorava. Aí eu me lembrei e falei: "Tem um cara que sabe tudo da sua vida musical, tem os seus primeiros discos, mora aqui do lado, em Los Angeles, duas horas de voo, o Oscar Castro Neves. Chama ele. Quer que eu chame?". Chamei o Oscar. Quando o Oscar chegou, ele já estava no ritmo, resolveu rápido, era competente, chegou com lápis e papel, escreveu tudo, o João superfeliz me telefonava, dizia obrigado. Eu deixei o João saber que eu não achava graça nenhuma naquelas histórias dele e acho que ele agradeceu também porque ajudei a resolver.

Era época da Copa do Mundo de 70. O João tinha mania de me ligar para assistir a Copa na casa dele, e aí um dia ele me liga porque gostava de futebol, e mandou uma daquelas que, para quem conhece o João, já sabe que vem pedrada. Ele disse: "Chiquinho, o que você acha de Oscar, hein?". E eu: "O que é que foi, João?". "Sabe, é que eu estive com ele aqui em casa para a gente passar as músicas e ensaiar. Sabe a que horas ele chega? Duas horas da tarde. Todos os dias às duas horas da tarde! É que sou baiano." Ele estava irritadíssimo porque, morando nos Estados Unidos, o Oscar chegava todo dia na hora certa.

Depois de algum tempo fomos pro estúdio e voltamos a gravar. Levei uma minibateria, eu sabia que o João odiava negócio de bateria, os bateristas que tocaram com o João me contaram que ele pedia pra tirar tudo, tambor, prato, ele implicava com baterista. Eu estava familiarizado com uma história dele gostar de baterista tocar numa lista telefônica. Toquei com escovinha num ganzá grandão metálico, em vez de tocar na caixa da bateria, no tarol.[42] Botei em cima de uma cadeira, toquei no ganzá e ficou um som mais penetrante. E pedi um percussionista mexicano. O Mariano levou esse percussionista que era um cara legal, tocava bem, José Luis.

Me lembro que como era no ano da Copa do Mundo, nos intervalos da gravação nós íamos almoçar num restaurante natural, e como o assunto era futebol, o Oscar ficava quieto. Aí o João perguntou: "Você não gosta de esporte, não?". O Oscar disse: "Eu gosto muito de esgrima". Foi uma risada na mesa. Parou o almoço, parou tudo. O Oscar era aquele cara puro, garoto bom de família do Rio que não tinha malícia.

Tem um choro que o João fez para o filho, "João Marcelo", e o andamento vai mudando, vai correndo. Ele estava correndo porque era uma composição dele e ele achava que uma das coisas do choro é que o andamento vai acelerando. Um baterista rígido vê isso, ia reclamar de ter que correr e ia dar confusão. Mas como eu já tinha essa malandragem, de saber que o João Gilberto era o João Gilberto, eu não ia reclamar e tinha que correr junto com ele. Eu aprendi muito com ele.

Aí passou, o disco ficou pronto.

Já gravei muito nesses sessenta anos de carreira, tem o disco da Elis com Tom, tudo que gravei com Chico Buarque, o segundo do Sinatra com Tom e esse no México. Quando penso, por mais que seja dura a vida de músico brasileiro, eu falo, "só por essas quatro gravações me sinto premiado".

Trinta anos depois eu entro no camarim do Canecão e alguém estava no telefone com o João do outro lado da linha e disse: "Sabe quem está aqui? O Chico Batera". O João pediu para falar comigo, peguei o telefone e ele disse: "Chiquinho, você ainda está lutando esgrima?". Ele lembrou daquele almoço de trinta e tantos anos antes. Acho que o último baterista brasileiro a tocar com ele fui eu. Ele gostava de violão puro.[43]

Chico Batera tinha razão. João Gilberto gostava mesmo é de violão puro. Voz e violão. Nada mais.

Também passou a se desapegar da bossa nova.

# 8. Vozes em harmonia

Em 1978, recebi em meu programa de rádio, o *Programa do Zuza*, que mantive por onze anos numa emissora paulista, das cinco às seis horas da tarde, a visita de um ouvinte de seus setenta anos, que me levou de presente um disco de 78 rotações. Era uma gravação, aparentemente uma raridade, de um tal Grupo X, do qual ele participara. Deu para ver que Amílcar de Conte desejava contar algumas histórias. Convidei-o a gravar uma entrevista, e por mais de meia hora ele me relatou, com a voz ofegante e a respiração difícil, pormenores da trajetória desse conjunto paulistano. Após estrear em 1935 na Rádio Educadora Paulista, o grupo gravara cerca de quinze discos.[1] Com sua formação de cinco cantores com violões e percussão, eles haviam seguido o modelo do Bando da Lua.

Menos de duas semanas depois, recebo uma notícia que me encheu de espanto: Amílcar havia falecido. Desse triste episódio ficaram preservadas as informações do único remanescente do grupo pioneiro dos conjuntos vocais na cidade de São Paulo. Muito longe de ter a mesma expressão do Bando da Lua, o Grupo X era um equivalente paulista do carioca, o pioneiro no profissionalismo ao ditar o rumo dos conjuntos vocais.

Liderado por Aloysio de Oliveira, também solista, principal arranjador e crucial no percurso do grupo, o Bando da Lua sentiu o gosto do sucesso em 1930. Ao longo de nove anos de atuação no Brasil, em discos e filmes, instituiu o padrão de vozes, instrumentos e até do visual, pois que seus integrantes apresentavam-se uniformizados.[2] Quatro ou cinco vozes masculinas quase sempre em uníssono, um cantor principal e acompanhamento de violões e percussão leve passaram a ser os dogmas de quartetos ou quintetos vocais que se formaram.

Ao ser convidada para atuar nos Estados Unidos, Carmen Miranda foi inflexível: sem o Bando da Lua, indispensável no apoio rítmico, ela não assinaria contrato. (Não é de se descartar a hipótese de que essa exigência tivesse a ver com Aloysio, seu namorado secreto.)

Em geral os rapazes cantavam em uníssono uma oitava abaixo de Carmen Miranda, mesmo nos contracantos, raramente abrindo vocalizações com intervalos de terças. Também se valiam de onomatopeias imitando pandeiro, *tchitum, tchiquitum, tchitum, tchiquitum*, para manter o ritmo. Desse modo, assim atrelado a Carmen, inicialmente em temporadas na Argentina e em definitivo nos Estados Unidos, o Bando da Lua teve sua carreira independente bastante prejudicada. Retornando ao Brasil com a cantora, após o primeiro ano na América do Norte, Aloysio reconhece que "o Bando já não tinha mais aquela autenticidade de quando começou".[3] De fato, no exterior eles gravaram com sotaque americanizado, por vezes com letras em inglês, e participaram do hit "Mañana", de Peggy Lee, num samba *mezzo* rumba.[4]

Talvez a trajetória sinuosa do grupo, estimulada pelas alterações frequentes em sua formação, tenha repercutido negativamente na apreciação de Mário Reis: "Os conjuntos vocais, porém, nasceram sob a influência direta e pastichizante dos Irmãos Mills. Foi quando brilhou em grande estilo o então famoso Bando da Lua — hoje dificilmente suportável nas gravações que documentam sua inexpressividade interpretativa, sua pobreza estilística, sua deficiência técnica ou sua falta de homogeneidade vocal".[5] O cantor pode ter sido levado pelas gravações americanizadas do grupo, apelidado Miranda's Boys, para externar críticas tão ácidas. Em seguida, justifica: "O primeiro grande conjunto a aparecer no nosso rádio com características de originalidade e vigor ou unidade rítmica foi o dos Anjos do Inferno".

Como anjos, sendo do inferno? Ora, a orquestra de sopros da RCA Victor dirigida por Pixinguinha se chamava Diabos do Céu. Um grande achado. Anjos do Inferno era uma provocação, e o nome pegou. É bem possível que não teriam chegado à consagração sem Léo Vilar. Como Aloysio no Bando da Lua, Léo assumiu os encargos de solista e arranjador e passou a dar as cartas em 1936, quando substituiu Oto Borges, fundador do grupo dois anos antes. De bigodinho fino, sua aparência casava com a dos companheiros, um time de rostos parecidos, praxe dos conjuntos vocais nos retratos da época.

No início de sua carreira de relativa projeção, o carioca Léo Vilar, que, como Luís Barbosa, cantava batucando o ritmo num chapéu palheta, foi passar uma temporada em Salvador. Lá conheceu Dorival Caymmi na Rádio Sociedade da Bahia, onde atuaram no final dos anos 30.[6] Essa amizade frutificou mais tarde no Rio, quando o baiano escolheu o Anjos do Inferno para lançar um samba inédito, "Você já foi à Bahia?", que marca o êxito do grupo em outubro de 1941. Nesse ano, o Anjos emplacou seus dois primeiros sucessos, "Brasil pandeiro", de outro baiano, Assis Valente, e o samba de Caymmi no qual, a cada pergunta de Léo sobre os atrativos da Bahia, os demais respondiam "Então vá". E lá vinham pratos da culinária baiana, o vatapá, o caruru, o munguzá, sempre seguidos do bordão "então vá", até o arremate final: "Tudo, tudo na Bahia faz a gente querer bem". Enfim, um jingle turístico citando ainda as donzelas e os tempos do imperador num convite para se visitar a Bahia.

Daí em diante, o Anjos enfileirou um hit atrás do outro com os sambas que Caymmi lhes entregava de bandeja: "Requebre que eu dou um doce" no lado B de "Você já foi à Bahia?"; "Rosa morena" e "Vatapá" (1942); "Acontece que eu sou baiano" e "Vestido de bolero" (1944); "Doralice" (1945) e "Dora" (1947). Com esse repertório, e mais sambas e marchas carnavalescas de outros compositores, o Anjos do Inferno ganhou prestígio incomum, consagrando-se em cassinos, rádios e discos como o mais bem-sucedido conjunto vocal brasileiro de sua época.[7]

O sucesso do grupo é atribuído ao já mencionado Léo Vilar (nome artístico do carioca Antônio Fuìna), que, além de excelente crooner, abriu novos horizontes, dada sua capacidade de liderança e a eficiência dos arranjos. Harry Vasco de Almeida, o loirinho de cabelos crespos, incutiu originalidade às interpretações, acrescentando um "instrumento" que ele aperfeiçoou, o piston nasal, originado do quarteto norte-americano Mills Brothers. Frequentemente usado em introduções e seções instrumentais, a sonoridade desse piston nasal era obtida pela emissão vocal com a compressão das narinas e as mãos em forma de concha, produzindo efeitos semelhantes a um trompete com surdina. Seu solo em "Você já foi à Bahia?" faz inveja a um trompetista de jazz. No decorrer dos 33 anos de atividade (de 1934 a 1967) dos Anjos, ainda houve pelo menos três participantes que merecem destaque: o pandeirista Miltinho, o violonista Nanái e o cantor

Lúcio Alves, que atuaram quando o grupo acompanhou Carmen Miranda aos Estados Unidos.[8]

Mesmo que grande parte das gravações do grupo tenha sido interpretada em uníssono, há algumas com abertura de vozes em acordes perfeitos, numa demonstração de que tal procedimento era mais avançado que os empregados pelos demais conjuntos dos anos 40, sempre a cantar em uníssono.[9] Na introdução de "Nega do cabelo duro", gravada em 1942, o arranjador Edson José Alves observa a harmonização vocal na mesma região de um naipe de saxofones, com um resultado diferente e original para a época.[10]

No repertório do Anjos é possível encontrar procedimentos à frente de seu tempo, como no caprichado arranjo para "Na Baixa do Sapateiro", cujo final, harmonizado com o uso de sétima menor e da nona, era incomum na época. Outra das invenções de Léo Vilar foi introduzir passagens dos chamados acordes de aproximação cromática, que não existem na música original, meio-tom para cima, como em "Bolinha de papel" no final da segunda parte em "Posso Julieta lhe mostrar a caderneta/ se você duvidar/ se duvidar/ se duvidar", e mais adiante em "se você/ se você" modulando para baixo. São mostras não apenas da superioridade do Anjos do Inferno nos anos 40, mas também da inventividade dos arranjos de Léo.

Em resumo, com tais êxitos o Anjos do Inferno alterou uma crença até então insuspeitada: os discos de conjuntos vocais tinham poder de fogo para alcançar repercussão e vendagem equivalente, e por vezes superior, aos cantores e cantoras individuais que, no modo de pensar das fábricas de discos, dominavam essa parada.

Desde Juazeiro, quando participou dos Enamorados do Ritmo, João Gilberto revelou sua conexão com conjuntos vocais, celeiro de parte fundamental do repertório cultivado por toda a sua vida. Recorrendo à sua privilegiada memória musical, ele gravou surpreendentes versões de "Doralice", "Bolinha de papel", "Na Baixa do Sapateiro", "Rosa morena", "Acontece que eu sou baiano" e "Eu sambo mesmo", originalmente lançadas pelo Anjos do Inferno nos anos 40. Até mesmo em sua breve apresentação no *Fino da Bossa*, no Teatro Record, em 1965, João cantou uma marchinha de Ary Barroso praticamente desconhecida da plateia, "Pica-pau", gravada pelo Anjos em 1942.

O grande historiador musical Jairo Severiano, meu parceiro em vários projetos, não esconde que sua paixão pelos conjuntos vocais veio à tona ao ouvir

"Helena! Helena!" com Anjos do Inferno.[11] Quando menino, em Fortaleza, ele morava numa casa vizinha à Ceará Rádio Clube, cuja diretoria permitia aos garotos permanecer sentadinhos e em silêncio no peitoril da grande janela aberta para o estúdio da emissora. Ouvindo desde muito cedo os primeiros cantores de rádio, Jairo cimentaria sua atividade de pesquisador e posteriormente historiador da música popular. Daí nasceu sua admiração pelos conjuntos vocais. Do janelão da rádio, Jairo ouviu cantores, entre os quais os irmãos Pontes de Medeiros, o violonista Pijuca (Esdras Falcão Guimarães) e André Batista, integrantes do conjunto Quatro Ases e Um Melé,[12] que passaria a ser chamado Quatro Ases e Um Coringa, por sugestão de César Ladeira, diretor da Rádio Mayrink Veiga, quando os rapazes se transferiram para o Rio. Rivalizando com o Anjos, o 4 Ases e 1 Coringa se firmaram no Rio na segunda tentativa de profissionalização, quando pouco a pouco se especializaram num repertório de autores nordestinos.[13]

Começando com "Eu vi um leão", do cearense Lauro Maia, o conjunto obteve tal receptividade em discos e programas de auditório que Humberto Teixeira e Luiz Gonzaga lhes confiaram o lançamento de um grandioso projeto para introduzir um novo ritmo para competir com nada menos que o samba. Era o baião, cuja primeira gravação cumpriu plenamente o destino traçado por seus criadores. Os versos iniciais demonstravam a magnitude da empreitada: "Eu vou mostrar pra vocês/ como se dança o baião/ E quem quiser aprender/ é favor prestar atenção". O baião foi o primeiro gênero nordestino a fazer sucesso, como a nova dança que se tornou coqueluche nos bailes na região Sul, então dominados pelo fox e o samba. De fato, desde outubro de 1946, a gravação de "Baião" pelos Quatro Ases e Um Coringa teve repercussão retumbante, antecipando em três anos a versão de Luiz Gonzaga pelo selo RCA Victor.

Em apenas dois anos os Quatro Ases emplacaram dezenas de sucessos como "Dezessete e setecentos", "É com esse que eu vou", "Onde estão os tamborins", "Mangaratiba" e "Cabelos brancos",[14] tornando-se astro de primeira grandeza na gravadora Odeon, na Rádio Nacional e no cinema.

A primeira parte das melodias era em geral exposta pelos cinco, quase sempre em uníssono, e então vinha a segunda parte, com solo de André Vieira. O instrumental incluía dois violões, violão tenor e pandeiro acompanhando o solista com intervenções apropriadas dos outros quatro, ora nas pausas, ora como fundo. Costumavam abrir as vozes com acordes perfeitos nas introduções, nos finais e ainda em trechos curtos de um repertório que destacava sambas e ritmos nordestinos, como baião, xaxado e coco, gêneros que ele também havia introduzido no Rio de Janeiro. Assim como Anjos do Inferno se ligou ao baiano Dorival Caymmi, Quatro Ases e Um Coringa não só se juntou a Luiz Gonzaga, como trouxe do Ceará a canção nordestina que alcançaria renome nacional. Do repertório original do conjunto, João Gilberto incluiu em discos "Trem de ferro" (Trenzinho) e, no show do Festival de Águas Claras, "Baião", em versão nunca gravada.

O sucesso do grupo incentivou o surgimento de outros conjuntos no Ceará. "No Liceu do Ceará, onde eu estudava", relata Jairo Severiano, "surgiu um conjunto, o Bando Liceal, e eu morria de inveja por não ter capacidade de me candidatar a uma participação". Não é, pois, mera coincidência que o Ceará acabou sendo o estado que mais ofertou conjuntos vocais — outros dois se bandearam para o Rio na busca do sucesso em âmbito nacional: o Trio Nagô e os Vocalistas Tropicais, sob a liderança de Nilo Xavier da Mota, violonista e arranjador.[15]

Os Vocalistas foram para o Rio, onde gravaram discos sem grande repercussão. Não obstante a falta de um fornecedor assíduo de canções para seu repertório, o conjunto triunfou no Carnaval de 1949 cantando em uníssono a marchinha carnavalesca "Jacarepaguá", cuja melodia da primeira parte — "É hoje, que eu vou me acabar/ Com chuva ou sem chuva, eu vou pra lá/ Eu vou, eu vou, pra Jacarepaguá/ Mulher é mato, e eu preciso me arrumar" — segue quase identicamente a melodia da rumba "El Cubanchero" do porto-riquenho Rafael Hernández: "A cumba cumba cumba cumbanchero/ A bongo bongo bongo bongocero/ Riquiti que va sonando el cumbanchero/ bongocero que se vá". No ano seguinte repicaram com outra marcha singela em termos de arranjo, "Daqui não saio", adequada ao Carnaval. "Tomara que chova", no ano seguinte, seguiu o mesmo modelo. As três de autoria de Paquito e Romeu Gentil, a primeira cuja autoria também é de Marino Pinto; nas duas últimas, providenciaram a intervenção de vozes femininas.

Ainda se vivia a época em que vocalizações eram baseadas nos intervalos elementares dos acordes mais simples, chamados de consonância perfeita. Em algumas gravações dos Vocalistas é possível encontrar harmonizações que soam mais avançadas, mas no fundo eram notas em intervalos de terças emitidas acima da melodia, na região mais aguda. É o mesmo procedimento que caracterizou a harmonia típica do Demônios da Garoa, de São Paulo, e da dupla Cascatinha e Inhana.

Apesar de três sucessos carnavalescos em dezoito anos de atividade, com 49 discos gravados, fatores como a trivial denominação de baixo poder atrativo —

Vocalistas Tropicais —, o repertório fundamentalmente carnavalesco e a mudança para o Rio justo às vésperas do fechamento dos cassinos não foram suficientes para o grupo competir em igualdade com seus conterrâneos, os Quatro Ases. A trajetória dos Vocalistas Tropicais ficou marcada pelas marchas de Carnaval e, sem que pudessem supor, pela interpretação de um simplório foxtrote, o "Trevo de quatro folhas", versão de Nilo Sérgio para "I'm Looking Over a Four Leaf Clover",[16] que seria escolhido por João Gilberto para seu terceiro LP.

Dos conjuntos vocais de São Paulo, os mais identificados com o sotaque paulistano foram os Demônios da Garoa, que atuaram por anos e anos na Rádio Record, cujos estúdios ficavam num estiloso edifício bem na esquina da rua Quintino Bocaiuva com a tradicional rua Direita, um dos lados do chamado Triângulo do Centro Velho de São Paulo. A uns poucos passos da praça da Sé, os participantes do cast da Record conviviam, mais próximos que quaisquer outros do cenário radiofônico, com a fala dos transeuntes na região. Brotando quase sempre dos camelôs e engraxates, surgiam gírias novas, expressões imaginosas e com sentido rítmico, procedentes dos bairros da zona norte, sobretudo Brás e Mooca, que ficavam na boca do povo. Foi nesse celeiro que o mais célebre produtor da emissora, Osvaldo Molles, recolheu material para criar os tipos de seus programas de rádio, como *Escola Risonha e Franca* e *Histórias das Malocas*, em que brilhava um comediante inigualável, Adoniran Barbosa. Embora tenha começado como um cantor, foi ao moldar vozes ao microfone que ele deu vida a personagens como Barbosinha e Charutinho, nascidos dos scripts de Molles.

"Adoniran e os Demônios têm muito em comum: paulistanismo, bom humor e grande talento. Daí formarem uma das melhores uniões compositor--intérprete, realmente feitos um para o outro, no melhor estilo corda-e-caçamba", definiu acertadamente Ayrton Mugnaini Jr.[17] Foi o radialista Vicente Leporace que sugeriu o nome para o grupo contratado pela Record em 1945.[18] Os Demônios da Garoa estouraram em 1955, ao gravarem no mesmo disco dois dos mais badalados sambas de Adoniran, "Samba do Arnesto" e "Saudosa maloca", um verdadeiro hino dos maloqueiros,[19] que João Gilberto cantou inúmeras vezes, sempre a seu modo, para encanto das plateias em São Paulo.

Em uníssono na primeira parte e com terças acima da melodia na segunda, os Demônios acrescentaram expressões que passaram a integrar as canções. Na introdução de "Saudosa maloca", atacaram com *cans-cans-cans-cansculan*; na sequência, enxertaram nos versos um sotaque acaipirado e propositadamente incorreto, fixado como a versão oficial do samba com "adifício arto" "casa véia" "nóis nem pode se alembrá": "Veio us omes cas ferramenta/ peguemos tudas nossas coisas e fumos pro meio da rua apreciá a demolição/ cada tauba que caía/ [...] nóis se conformemo/ e hoje nóis pega páia/ [...] nóis cantemos assim/ Saudosa maloca, maloca querida/ din-din-donde nóis passemos dias feliz de nossa vida". No "Samba do Arnesto", temos os *"quais-quais-quais-quais"* na introdução, as mesmas harmonias e o mesmo linguajar que os consagrou: "nóis fumo e não encotremo ninguém/ nóis vortemo cuma baita duma reiva/[...] ter ponhado um recado na porta".

O acento acaipirado foi objeto de inúmeras discussões, tendo até sido censurado em um dos dois discos de Adoniran (de 1973 e 1975) produzidos por J. C. Botezelli "devido à imoralidade dos erros de português", segundo censores da ditadura militar. Para muito além dessa censura, o que vale mesmo é o texto de Antonio Candido, autoridade incontestável no estudo da literatura brasileira, ao reconhecer em Adoniran "um paulista de cerne que exprime a sua terra com a força da imaginação alimentada pelas heranças necessárias de fora".[20] A obra de Adoniran e dos Demônios da Garoa sobreviveu a tudo. Em 1994, o grupo entrou para o *Guinness Book* como o mais antigo conjunto vocal em atividade no mundo.

Com mais de 35 anos de trajetória, quase todos vividos em São Paulo, os seis componentes dos Titulares do Ritmo se conheceram num instituto para cegos que frequentavam em Belo Horizonte, formando um grupo de ginasianos liderados por Francisco Nepomuceno de Oliveira, o Chico.[21] Chico soube conduzir a carreira do sexteto tanto no aspecto musical como no administrativo, tendo sido o responsável pelos arranjos em harmonizações requintadas que se tornaram marca registrada da formação, a ponto de não serem confundidos com nenhum outro conjunto vocal. Costumavam ser chamados para os programas da TV Record — como os shows de premiação do troféu Roquete Pinto ou Chico Viola, o *Show do Dia 7* —, mas por razões práticas permaneciam no poço junto à orquestra.

Os Titulares cultivaram interpretações personalíssimas, tanto que eram reconhecidos logo de cara. Em seus inúmeros LPs, em diferentes selos, optaram por um repertório heterogêneo que não destacou a obra de um só compositor.

Um de seus grandes sucessos aconteceu em 1958, dezessete anos após sua formação, com a marcha "A taça do mundo é nossa", que louvava a primeira conquista brasileira no futebol; posteriormente, emplacaram o "Prelúdio para ninar gente grande", de Luís Vieira. Atuaram ativamente em jingles comerciais, a ponto de montarem uma empresa especializada.

Quem acenou com uma alternativa entre os conjuntos vocais que atuavam no Rio foi o quarteto formado pelo carioca Luís Bonfá e mais três gaúchos, Alberto Ruschel, futuro galã no cinema nacional, Francisco Pacheco e Luís Telles. O grupo solidificou carreira no Hotel Quitandinha de Petrópolis com a denominação Quarteto Quitandinha, sugerida pelo produtor Carlos Machado; projetou-se em 1946 com o jongo "Vou vender meu barco" e, no final de 1947, com novo êxito, a toada "Felicidade", do também gaúcho Lupicínio Rodrigues, em arranjos bastante inovadores.[22] No ano seguinte, o quarteto sobreviveu ao fechamento dos cassinos trocando o nome para Quitandinha Serenaders. Não obstante, nenhum dos discos posteriores alcançou sucesso comparável aos dois primeiros.

Em 1953, quando Luís Bonfá decidiu deixar o conjunto para encetar carreira solo, conquistando renome internacional como violonista e compositor, Luís Telles o convidou para a vaga um amigo seu, o cantor e violonista Joãozinho, que viera de Salvador em 1946 para ser crooner do Garotos da Lua.[23] Do mesmo modo que sua permanência no Garotos durara pouco mais de um ano, João Gilberto não se daria bem nos Quitandinhas.

O nome Garotos da Lua deve ter sido inspirado em outro conjunto vocal que existia desde 1941 sob a liderança de um cantor obcecado por arranjos vocais, Lúcio Alves, franco admirador de conjuntos norte-americanos, em especial os Starlighters. Eram os Namorados da Lua que, além de Lúcio, tinham o excelente violonista, Nanái (Arnaldo de Medeiros) e o pandeirista Miltinho, que faria carreira como cantor. Bastariam esses três para assegurar a qualidade do grupo.[24] A despeito da excelência de seus integrantes, o conjunto durou apenas seis anos, tendo gravado treze discos que nem sempre mostram plenamente os avanços harmônicos que Lúcio introduzia a partir dos *vocal groups* norte-americanos, como os Mel-Tones, os Modernaires, os Pastels, entre muitos.

A primeira gravação para "Eu quero um samba" evidencia que Lúcio ainda não tinha se desatado das harmonizações tradicionais. Anos mais tarde, em 1953, a mesma música foi gravada por um conjunto vocal denominado Os Namorados. Só, sem "da lua". O responsável pelos avançados intervalos da harmonização vocal dissonante era o jovem João Donato, acordeonista e arranjador que buscava reviver os Namorados da Lua, tanto que os rapazes pediram a permissão e o apoio de Lúcio Alves para batizar o conjunto. As duas gravações falam por si: com João Donato foi dado um passo considerável na abertura das vozes, o que lhe confere uma participação fundamental na evolução harmônica dos conjuntos vocais nos primeiros anos da década de 50.[25]

João Gilberto soube tirar partido de tais gravações ao incorporar a seu repertório justamente "Eu quero um samba", com letra de Haroldo Barbosa e música de Janet de Almeida. Cantava e tocava o samba com sua notória batida de violão em shows e decidiu gravá-lo no decantado "Álbum branco" lançado em 1973, do qual Miúcha também participa.

Em termos de vocalização em grupo, há que se destacar três músicos cujos arranjos vocais avançaram muito além das terças em sua busca pelas dissonâncias: Tasso Bangel, do Conjunto Farroupilha, e os irmãos Ismael Neto & Severino Filho, dos Cariocas.

Com uma formação inédita e original, duas moças bonitas e três guapos rapazes — as prendas e os gaudérios, no dialeto gaúcho —, o Farroupilha tinha ainda a seu favor a vestimenta exótica do modelo pilchado típico dos fandangos no Sul: xales e abundantes saias para as prendas; bombachas folgadas, guaiacas na cintura, botas com esporas e lenço no pescoço para os peões. Assim trajados, reavivaram não só um repertório calcado em cantigas gauchescas, convenientemente adequadas para ser apreciadas em todo o território nacional, como ainda se aventuravam com competência em músicas brasileiras contemporâneas e até internacionais.

O líder do conjunto, Tasso Bangel, estudara música e podia preparar os arranjos em um instrumento harmônico como piano ou violão. Abria as vozes valendo-se de acordes que revertiam em sonoridade dissonante e, pois, mais moderna. Contando com duas vozes femininas e três masculinas, a combinação soava muito natural e melodiosa. Tasso simplifica a descrição da distribuição das vozes comparando-a aos dedos da mão: "Iná, a voz solista, era o dedo mindinho; Danilo, irmão dela, era o anular; o pai de todos era o Alfeu; eu, Tasso, era o indicador, e a Estrela D'Alva, o polegar. A Estrela era incrível, tinha a voz mais grave, cantando oitava abaixo da Iná que fazia a primeira voz".[26] Aumentando a distância entre as notas mais graves e as mais agudas, obtinham acordes de tessitura mais ampla.

Tasso conta que a forma de harmonização que o Farroupilha usava "era quase rara na música brasileira; só Os Cariocas trabalhavam assim nessa forma. Eram acordes com terças, quintas, sextas, sétimas, nonas". Nos arranjos do grupo, os acordes caminham em bloco como num naipe de sopro.

Enquanto os demais grupos passavam por frequentes alterações, o Farroupilha teve sua estabilidade assegurada por mais de vinte anos devido à relação familiar que quatro dos integrantes tinham entre si: Tasso Bangel era casado com Iná, irmã de Danilo Vidal de Castro, casado com Estrela D'Alva. A única alteração se deu quando em meados dos anos 50 o gaúcho Alfeu de Azevedo, primo de Estrela, foi substituído pelo paulista Sidney Morais[27] em virtude da mudança do grupo para São Paulo.

Foi a unidade que, aliada aos arranjos de Tasso, cimentou a coesão e o timbre vocal das cinco vozes que marcaram a trajetória do grupo, iniciada na passagem dos discos de 78 rotações, com duas músicas, para os Long Playing Microgroove no Brasil, prensados em vinil. O disco de estreia surgiu no alvorecer da era do LP: *Gaúcho*, em cuja capa nem aparecia o nome do grupo. Foi o quarto vinil prensado no Brasil para a marca Rádio, ainda no período dos de dez polegadas, portanto com oito faixas apenas.[28] Eram canções recolhidas do folclore gaúcho, entre elas dois clássicos, "Negrinho do Pastoreio" e "Balaio".

Em discos posteriores, o repertório foi se abrindo para a música de outras origens, inclusive internacionais, o que se reflete no LP de doze polegadas, *Os farroupilhas em hi-fi*. A capa já procura sinalizar essa mudança gradual, com uma montagem fotográfica dos cinco em duas poses diferentes, olhando uns para os outros: à esquerda, caracterizados em trajes típicos do Sul, pois que cantavam composições de Paixão Cortes e Barbosa Lessa, personagens fundamentais para a existência dos CTGS — Centro de Tradições Gaúchas; à direita, em black tie, numa alusão às músicas de Caymmi, Jobim e Tito Madi incluídas no LP.[29]

A internacionalização do conjunto permitiu uma parceria com a Varig (empresa aérea do Rio Grande do Sul) que facilitou as excursões artísticas pelo exterior, mais numerosas que as efetuadas por qualquer outro grupo. Levaram a música brasileira à União Soviética, à China e à Alemanha, sempre com elogios às performances altamente profissionais.

Durante anos eles se apresentaram na televisão, sobretudo na Record, da qual eram contratados. Como técnico de som do Teatro Record, aprendi a admirar o profissionalismo do grupo, acima da média. Quando cantavam, as vozes já vinham aplainadas e de tal forma harmoniosamente equilibradas que não havia necessidade de minha intervenção na mixagem.

Dava gosto ouvir o conjunto. Em setembro de 1960, pude aplaudi-los no Radio City Music Hall de Nova York, no show *Brazil!*, dirigido por Carlos Machado e produzido por Leon Leonidoff, o mago de históricos espetáculos no mais célebre palco do show business norte-americano. Ao lado das fabulosas Rockettes, o elenco de brasileiros, que incluía Nelson Gonçalves, apresentou nossa autêntica música popular dois anos antes do show de bossa nova do Carnegie Hall. A mesma bossa nova que foi a plataforma central no repertório do mais avançado conjunto vocal brasileiro, Os Cariocas. Seu segundo arranjador, Severino Filho, sempre batia longos papos com o amigo João Gilberto sobre os rumos da música popular. Severino era o irmão mais moço do primeiro líder do grupo, Ismael Neto, que trouxe aos conjuntos um sopro de novidade harmônica. Além de sua capacidade de liderança, Ismael vivia atrás de harmonias novas que pudessem dar às cinco vozes uma personalidade distinta. Como não dispunham de uma voz feminina, ele criou o falsete, revolucionando as combinações de vozes daqueles conjuntos brasileiros que admiravam os Modernaires (da *big band* de Glenn Miller), os Pied Pipers (da *big band* de Tommy Dorsey), além de outros. Os Cariocas chegaram a ser taxados de cópia dos Hi-Lo's, o mais original conjunto vocal norte-americano. Só que Os Cariocas precederam os Hi-Lo's...

Como arranjador, Ismael tirava ao violão cada melodia e a explicava a cada um deles. Na formação original de quinteto, eles estrearam em disco em 1948 com "Adeus, América", uma réplica aos adeptos dos ritmos norte-americanos.[30] João Gilberto pinçou-a, assim como "Tim-tim por tim-tim", ambas de Geraldo Jacques e Haroldo Barbosa.[31]

Ismael deixou uma lacuna na modernidade da música brasileira: morreu com 31 anos, antes de passar o bastão ao irmão, Severino Filho, que estudou com o maestro Koellreutter, educador notável e personagem essencial para o destino de músicos brasileiros como Severino Araújo, Moacir Santos, Antônio Carlos Jobim e Roberto Menescal.

Após poucas alterações no quinteto, Severino optou por um quarteto com Luís Roberto, que assumiu a posição de voz solo. Nessa formação, Os Cariocas atingiram o apogeu, gravando seis LPs com interpretações clássicas — composições de Jobim ("Ela é carioca", "Corcovado", "Insensatez", "Só danço samba"), Baden Powell ("Pra que chorar", "Tem dó"), Carlos Lyra ("Minha namorada", "Sabe você"), Roberto Menescal ("Telefone", "Rio") e Marcos Valle ("Samba de verão") —, várias delas abordando exatamente o universo sonoro carioca. O repertório favorecia vocalizações dissonantes, uma vez que a dissonância já existia na origem de tais composições. (Cada vez que ouço "Samba do avião" com eles me emociono com a sensação tantas vezes repetida da chegada ao Rio. É a trilha sonora daqueles minutos em que nossa alma canta vendo da janelinha o cenário lá embaixo.)

O arranjador de um conjunto vocal tem ouvido particular: ao ouvir uma melodia, ouve várias notas ao mesmo tempo, percebendo a sequência de acordes da composição. Ouve aquilo que a maioria não ouve e às vezes nem sabe que existe. Nesse processo instintivo, um arranjador detecta a estrutura da canção, podendo agir como bem lhe aprouver para efetuar mudanças, acréscimos e supressões, destacando acordes que compõem a sequência harmônica da canção.

Severino Filho costumava justificar sua paixão dizendo que "cantar em conjunto vocal é uma cachaça". Essa paixão explica a dedicação a que seus participantes têm que se submeter por longas horas, a fim de decorar a linha melódica de suas vozes para, depois, se ouvirem cantando juntos. Aí é puro prazer, é a cachaça.

Além de permitir seu ingresso no meio profissional carioca, a atuação um tanto apagada de João em conjuntos vocais (Garotos da Lua e Quitandinha Serenaders) teve efeito construtivo em seu repertório, quando, já reconhecido como o grande expoente da bossa nova, ele recuperou sambas praticamente esquecidos. Cada vez que soltava um desses "achados", incitava um desafio para quem pretendesse desvendar de onde vinha aquele samba que a grande maioria desconhecia. Dessa maneira, ele decantou e preservou joias que teriam se perdido na poeira do tempo. Não bastasse isso, suas interpretações eram quase uma nova composição com as harmonias de seu violão.

João Gilberto construiu uma ponte entre o passado e o presente na canção brasileira, cantando boa parte do repertório dos conjuntos vocais. O maior achado que ele garimpou dos conjuntos jamais fora gravado: um sambinha de seu período no Garotos da Lua criado por um pandeirista cujo nome só se tornou conhecido ao aparecer como um dos autores de "O pato", Jaime Silva.[32] "Ainda vou fazer uma música com esses patinhos", ele dizia a Neusa Teixeira ao ver patos e marrecos nadando no laguinho do Campo de Santana, no centro do Rio. E fez "Aves no samba". João Gilberto sugeriu trocar o título. Desde então, sempre que ele começava a cantar, a plateia sorria, não importava em que país estivesse. "O pato" cantado em português era só alegria. *"Quén, quén, quén, quén/ Quén, quén, quén, quén/ Quén, quén, quén, quén..."* Não devia acabar nunca.

# 9. Livre da Bossa Nova

Entre 1965 e 1975, duas das três emissoras de São Paulo que disputavam audiência apostaram na música popular para atingir a supremacia: a Excelsior e a Record. Com o *Fino da Bossa*, para todo o sempre vinculado a Elis Regina e Jair Rodrigues, em 1965, a Record dava início a uma bem-vinda enxurrada de memoráveis programas musicais (*Bossaudade, Jovem Guarda, Corte Rayol Show, Show em Si...monal*) que culminam com os quatro festivais compreendidos entre "Disparada" e "Sinal fechado". A TV Record permaneceu na liderança por um bom período, divulgou a canção nacional e ainda facultou o sentimento de orgulho da música popular brasileira.

A Excelsior, por sua vez, com o programa *Brasil 60*, de Bibi Ferreira, abriu espaço a notáveis da música como nunca se tinha visto na TV, em que se sobressaiu o histórico encontro entre João Gilberto e Orlando Silva. Além disso, a emissora recheou sua programação com shows de variedades, o *Simonetti Show* e o *Moacyr Franco Show*, com muita música, e inaugurou a era dos festivais em 1965, projetando Elis Regina com "Arrastão". Gravados sem edição ou em transmissão ao vivo, tais programas tinham um ponto em comum: o público.[1] Os aplausos eram intensos, a participação da plateia efetiva, e os artistas reagiam com envolvimento emocional.

A programação da pioneira TV Tupi, terceira concorrente à liderança, se concentrava na dramaturgia, sem o devido proveito do auditório do antigo cine Ritz-Consolação, arrendado para concorrer com o da Record, duas quadras abaixo, na mesma rua. Até mesmo atrações internacionais como Les Paul e Julie London foram vistos na tela da TV Tupi com a frieza de um estúdio, sem plateia. Foi essa emissora, contudo, que apresentou João Gilberto em situação jamais imaginada em algum programa de televisão.

Fernando Faro, inesquecível produtor da televisão brasileira, que além de chamar todas as pessoas de suas relações de "ôô, Baixo", carregava também o apelido de "O Baixo", foi responsável por um momento histórico, o encontro de João Gilberto com outros dois baianos, Caetano Veloso e Gal Costa, poucos anos depois do momento em que ambos se reconheceram como cantores.[2]

Seu plano era gravar um programa especial de fim de ano, que se consolidaria com a participação de João, vindo dos Estados Unidos, em conjunto com Gal Costa e Caetano Veloso, que chegaria de Londres. Fernando convidou pessoas que supunha serem do agrado de João, independentemente de serem ou não seus amigos, para formar uma comitiva de recepção e participar do programa: Rogério Duprat, Júlio Medaglia, Décio Pignatari, Walter Silva (o radialista Pica-Pau) e Augusto de Campos.

Às seis da tarde de um sábado de agosto de 1971, estavam todos reunidos no estúdio das Emissoras Associadas no Sumaré, esperando João para o que seria uma espécie de ensaio para a gravação de domingo, quando Caetano chegaria. Passou-se meia hora, uma hora, uma hora e meia, duas horas, e nada de João. Alguns não aguentaram e desistiram, exceto Augusto de Campos e Pica-Pau, que não queriam perder a oportunidade de rever João. Foram jantar na famosa padaria da TV Tupi e pouco antes das dez voltaram para ver como estavam as coisas.

Por coincidência, chegaram justo quando João e Gal entravam; seguiram para o estúdio, onde se deu início à gravação. Gal e João sentaram no tablado que servia de palco e, antes de começarem a cantar, Faro empurrou Augusto para participar: "Vai, Augusto, vai".

Não havia combinado nada, não teria entrevista, nem tinha o que falar, e ele me dizendo "Vai lá", eu me sentei ao lado do João, discorre Augusto de Campos ao reviver a cena: "Bom, sentei ao lado dele, para mim valeu uma fotografia, mas eu só falei com o João — que eu conheci em 1968 na sua casa de Nova Jersey — quando houve um intervalo e ele começou a cantar uma música de Lupicínio Rodrigues, 'Quem há de dizer'. Mas ele olhou para mim, e eu me lembro que falei tentando iniciar uma conversa: 'Pois é, quem cantava essa música era o Francisco Alves'.

'É, Chico Alves', falou com um sorriso, pegou o violão e começou a cantar; eu fiquei quieto, não houve intervenção nenhuma, já era muito tarde, guardaram aquelas músicas gravadas, o Fernando ficou com uma matriz e me deu um cassete desse encontro de sábado. É extraordinário porque a gravação que ele faz do 'Retrato em branco e preto' é a mais bela que ouvi em todos os tempos. E na gravação de 'Quem há dizer' que eu pus no YouTube, ele canta como um mantra e no fim você ouve a voz respondendo ao Faro: 'Melhorou', referindo-se quem sabe ao som. Nesse cassete tenho 'Odete', a terceira música. Aí acabou o negócio, eu fui embora, foi uma coisa fantástica".[3]

No domingo foi gravado o programa com os três, Caetano, Gal e João, em espetáculo com a presença de alguns convidados, repórteres, fotógrafos, amigos de Caetano, produtores, gente ligada a disco, rádio e tevê. Computados os intervalos, foram sete horas de gravação.

Sentados num estrado com as pernas cruzadas ou estendidas, João com violão, cardigã de três listas na manga sobre uma camisa axadrezada e calça de veludo amarelada; Gal de branco com um gorro de crochê modelo oriental na vasta cabeleira; Caetano com uma camisa estampada em fundo vermelho, calça verde e igualmente vasta cabeleira, o trio compunha uma formação que nunca mais se repetiu na vida de João Gilberto.

João cantou "Você já foi à Bahia?" e depois fez contracanto para Caetano. O samba de Wilson Batista "Foi na Lapa", cantado lindamente no ensaio de sábado por Gal, foi a segunda música de domingo com João. Ao cantar "A primeira vez", ele se sentiu incomodado com tanta gente e pediu para esvaziar o palco, pelo que agradeceu a Álvaro Moya com um rápido "Obrigado, Moya" encaixado numa pausa da melodia.

Natural que Caetano, que chegara de Londres, onde estava exilado, na tarde daquele domingo, ficasse muito emocionado quando cantou "Meu coração vagabundo", com João e Gal, de seu primeiro disco. Aí houve o bloco de Gal, que João chamava de Gracinha, incluindo "Falsa baiana", "O amor, o sorriso e a flor" e "Baby", acompanhada por Lanny Gordin à guitarra. Houve um intervalo em que João e Caetano jogaram uma partida de pingue-pongue, e aí Caetano retomou a sequência: "A tua presença", "Janelas abertas número 2" e "Asa branca", em nova versão, que ele desejava mostrar a Rogério Duprat. Aí Caetano se juntou a Gal e eles cantaram "Saudosismo", sua composição em torno de João Gilberto.

A seguir veio o bloco de João, longo, sem interrupção, de momentos inesquecíveis como o "Retrato em branco e preto" da véspera. Foi a terceira canção após "Desafinado" e "Chega de saudade", que Caetano tanto queria ouvir. A seguir João engatou a sequência de "Rosa morena", "Doralice", "João Marcelo", e repetiu a homenagem a Lupicínio com um magnífico "Quem há de dizer". Nesse ponto ele cantou duas músicas do disco mexicano, "O sapo" e "De conversa em conversa", com "Corcovado" entre as duas. Seguiu-se uma terna interpretação de "Estrada branca", canção que ele jamais gravou cantando e que foi outro ponto alto do programa. Antes da última música, João cantou "Odete", outra das ensaiadas na véspera e que ele também nunca havia gravado. Os três se juntaram para "Saudade da Bahia" por mais de sete minutos, encerrando o programa quando João perguntou a Cyro del Nero se já dava.[4]

O projeto de um LP da Philips produzido por Manuel Berembein com essa gravação ficou no tinteiro para sempre e o videotape completo, do qual alguns números de sábado e domingo podem ser vistos no YouTube, ficou reduzido a cinzas num incêndio da TV Tupi.

Nesse ano de 1971, João, que estava no Brasil desde abril, participou de uma coletiva marcada para as dez da noite na cobertura do empresário Ricardo Amaral, no Leblon, com a presença dos jornalistas Tárik de Souza, José Trajano, João Luiz de Albuquerque, Sérgio Bittencourt, o fotógrafo Rodolfo Machado, e João Carlos Magaldi como representante do patrocinador, a Shell. Tomando whisky, eles aguardaram por um bocado de tempo a chegada de João, hospedado no Hotel Glória já fazia uma semana.

Afinal, à meia-noite e meia ele chegou com Miúcha e Otávio Terceiro, cumprimentou educadamente um por um e desceu para conversar com o anfitrião, deixando os repórteres confabulando entre si para evitar perguntas do tipo "por quê? onde? como?". Seus gravadores estavam escondidos no terraço, e a coletiva, que Ricardo Amaral havia se esforçado para pôr de pé, dizia respeito a uma tournée de seis shows no programa *Som Livre Exportação*. Vivendo pela primeira vez a experiência de uma coletiva, João subiu, sentou num tamborete, e enquanto os flashes piscavam, ele ficou calado, à espera da primeira pergunta, com a cabeça abaixada, sem olhar para ninguém:

"Muita saudade?"

"Puxa, rapaz, como eu posso lhe dizer? São oito anos e meio longe daqui, longe do Brasil. Como posso explicar? É difícil."

Miúcha havia dito que João relutara muito em comparecer à entrevista.

"João, por que você veio?"

João estava sério e nervoso, olhando para o tapete, então baixou a cabeça, deitou o rosto no braço, junto ao joelho: "Era minha hora de voltar. Todos nós vivemos dentro de um ritmo, você entende? Dentro deste ritmo chega uma hora que é de todos nós. Era minha hora. A prova é que vocês me esperavam".[5]

Em dado momento, Bittencourt, que tinha uma coluna sensacionalista na *Última Hora,* perguntou se João tinha ganhado muito dinheiro nos Estados Unidos. Quase rolou um barraco. João ficou bastante irritado e só se acalmou quando lhe informaram que o jornalista era filho de Jacob do Bandolim. Na saída, Tárik, que nada perguntara, embora estivesse sentado bem na sua frente, foi atrás de João e conseguiu combinar a única entrevista longa que o cantor concedeu e que foi publicada pela revista *Veja* em 12 de maio daquele ano.

De um modo geral, a primeira coletiva de João para a imprensa foi mais ou menos assim. Pretender uma entrevista com João era batalha vã. Além de estar sempre protegido por Otávio Terceiro, de uma habilidade comparável à do Garrincha em driblar jornalistas, João agia como pensava: sua música falava por ele. Nunca se viu ou se teve notícia de que ele promovesse um espetáculo ou uma gravação. Há também que se compreender que seu tempo era o oposto da precisão cronométrica de sua batida no violão.

Na minha vida profissional, encontrei alguns músicos quase como João Gilberto. O que mais se assemelhava a ele era um de meus ídolos no jazz, Thelonious Monk, a quem assisti semanalmente por seis meses, como a um culto, no Five Spot Café de Nova York, no segundo semestre de 1957, liderando o quarteto que tinha John Coltrane como saxofonista. Na única vez em que me dirigi a ele, mostrei uma partitura que havia transcrito de um tema seu para saber se estava correto. Nem me olhou. A resposta foi um resmungo. Entendi tudo. Como João Gilberto, Monk falava por sua música e nada mais.

No seu *Dicionário musical brasileiro,* Mário de Andrade utiliza quase três páginas para definir síncopa (ou síncope) e mostrar diferenças entre a da Europa e a da América:

Síncopa — Termo que indica a escrita de um tempo fraco de um compasso prolongado até outro tempo de maior ou igual duração. A nossa síncopa é uma entidade [...] propriamente rítmica quer apareça na melodia quer no acompanhamento. Na europeia em geral, infinita maioria dos casos é melódica. [...] O importante [...] me parece [é] a participação decisiva do africano na rítmica brasileira. [...] Em nossa música americana (jazz, maxixe, em geral toda síncopa brasileira e mesmo no tango platino) o que se dá é um verdadeiro deslocamento do acento forte que passa do lugar teórico para um lugar onde ele não devia cair, verdadeira antecipação rítmica da *thesis* [tese]. [...] Na América o conceito de síncopa surgiu doutra necessidade que por mais fisiológica e popular, se poderá chamar de mais essencial. [...] É uma realização imediata e espontânea das nossas maneiras de dançar, mais sensuais, provinda do clima talvez, e do amolecimento fisiológico das raças que se caldearam pra nos formar e formaram também o remeleixo, o requebro, o dengue.[6]

Tão abrangente tecnicamente, embora de compreensão encrencada para um leigo, é preciso acrescentar o efeito da síncope, seu resultado em termos de pulsação: o realce do tempo fraco.

O leitor decerto já se sentiu impelido a estalar os dedos ou bater palmas em algum show de música. Você deve ter batido suas palmas no tempo forte, o primeiro dos dois tempos de um compasso binário — como o que estrutura a quase totalidade dos gêneros da música popular brasileira: maxixe, samba, baião, coco, maracatu, frevo, marcha, vaneirão. Você bate palmas, aguarda um instante, e depois bate de novo. Esse instante da pausa é o segundo tempo, o tempo fraco ou débil. Se um belo dia você bater palmas justamente no segundo tempo, ao contrário da maioria da plateia, perceberá uma sensação de leveza, um impulso rítmico maior. Em performances de gospel norte-americano, por exemplo, os participantes do culto optam instintivamente por ressaltar esse tempo fraco, como você terá feito nesse dia. É que ele provoca uma impulsão, uma sensação de que é preciso seguir avante, ao passo que o tempo forte cria uma sensação de repouso, como se fosse terminar. O realce no tempo fraco é que cria o impulso rítmico, a leveza, o molho, o suingue. Quanto mais impulsão, mais suingue. Em resumo, acentuando-se o tempo fraco, cria-se mais impulso rítmico, o que consequentemente instiga o embalo do corpo.

João Gilberto acentuou de maneira diferente as notas de um compasso, fossem elas colcheias ou semicolcheias, distribuindo essa acentuação de modo a criar mais impulsão.[7] Foi isso que ele fez na divisão rítmica do violão. Ele tocava aplicando esses procedimentos na marcação do samba, criando o suingue nas acentuações, nos prolongamentos e nas pausas que inseria, procurando fugir da regularidade na acentuação do tempo forte.

De fato, a batida de violão do samba era mais ou menos a mesma, uma nota no tempo forte, chamada de bordão, e três mais curtas (semicolcheia-colcheia-semicolcheia) sincopadas, dividindo o espaço que ainda restava em cada compasso binário. Pode ser grafada de forma onomatopeica: *túm, quich, qui, tum.*

A novidade de João causou um reboliço na cabeça de violonistas. Ronaldo Bôscoli conta que "num dia de Carnaval" ele perguntou a João, "pela primeira e única vez: 'Afinal, João, de onde é que você tirou essa sua batida do violão?'. 'Deve ter sido quando eu era menino em Juazeiro. As lavadeiras levavam roupa no cesto para lavar no rio e desciam até lá com [...] *squintim, squintim...* a cadência sincopada das lavadeiras me inspirou esse ritmo da bossa nova'".[8]

Além do toque no violão, ele interferiu no modo de tocar do baterista nas gravações de seus primeiros discos, aproveitando a divisão das batidas do tamborim do samba, que tocava quatro colcheias por compasso, acentuando algumas delas.

Após o disco de Elizeth Cardoso de que participara, quando João foi gravar o seu "Chega de saudade", ele instruiu o baterista Juquinha, Juca Stockler: em vez de duas vassourinhas ou duas baquetas, como todo baterista tocava, caso fosse samba-canção ou samba-batucada respectivamente, que ele usasse vassourinha numa das mãos e baqueta na outra. Com a vassourinha, bem leve, ele fazia o mesmo que o afoxé, tão comum nos conjuntos: esfregadinhas equivalentes às batidas do tamborim. E isso acabou por influenciar a forma de Juquinha tocar de um modo geral.

A baqueta seguia uma divisão diferente, com três batidas secas e precisas no aro da bateria, sendo duas nas colcheias do primeiro tempo e a outra na segunda colcheia do segundo tempo. O baterista Guarani, seu companheiro de quarto num apartamento de Copacabana, acentuava numa caixeta essas batidas, que se tornaram a marca mais evidente da nova forma de ritmar o samba.

Bateristas norte-americanos faziam questão de acentuar essa marcação, tanto que a mixagem ressalta exageradamente as batidas no LP *Antonio Carlos Jobim, the Composer of Desafinado Plays,* a fim de deixar bem evidente esse emblema da bossa nova.

Na gravação de seu primeiro disco, a partitura que João forneceu aos ritmistas continha apenas a letra da música, que segundo ele os músicos deveriam conhecer. "Quando a letra fala de umas coisas leves, o baterista está batucando como um louco. Não é assim." No estúdio, ele parava de cantar de repente e perguntava: "Onde é que eu estou?". Assim os bateristas acabavam se ligando ao clima sonoro que ele propunha. Era o estado de espírito da bossa nova, expressão que depois ele repeliria à medida que ela fosse cada vez mais usada, abusada a ponto de saturar o mercado de discos e aproveitada para promover uma penca de produtos que nada tinham a ver com música.

Mas é inegável que esse procedimento na levada da bateria seria o passaporte para bateristas do mundo poderem tocar samba com suingue, e não como rumba, como quase sempre acontecia até então. Dessa forma, surgiu um padrão acessível e assimilável, muito diferente das firulas e demonstrações de capacidade rítmica que desnorteavam músicos estrangeiros. Embora pudesse ser considerado um padrão que resolvia o problema dos bateristas, não era uma sistematização imutável, como João deixou claro desde o primeiro disco; aquela batida que figura nos programas rítmicos de teclados eletrônicos sob o título "bossa nova" ou "bossa" é simplesmente uma forma standard para facilitar os aprendizes. "Não era uma batida estandardizada que se respeita sempre, como mais tarde se tornou: não era um clichê. Do momento que vira clichê, não interessa mais a ninguém, porque aí não saímos mais disso. Absolutamente, João não era assim. Cada caso era cada caso. Havia uma combinação rítmica da melodia com a harmonia", me disse Tom Jobim em sua análise sobre o ritmo da bossa nova.[9] Com uma "simplificação requintada do padrão rítmico", conforme Walter Garcia assinala em seu livro *Bim bom*, "João Gilberto havia criado uma nova forma para o violão e para a percussão sincoparem o samba".[10]

João resolvera passar uns tempos no Brasil na sequência da temporada mexicana. Tendo chegado em abril de 1971, ele alugou um apartamento em Ipanema, próximo à celebrada rua Nascimento Silva. E foi para o telefone desse endereço que Luiz Galvão, seis anos mais moço, e seu conhecido desde Juazeiro, ligou. Galvão era poeta e uma espécie de mentor intelectual do grupo Novos Baianos, que coincidentemente se mudara para o Rio após uma estada de vários meses em São Paulo.

João propôs a Galvão que fosse visitá-lo com Moraes Moreira e Paulinho Boca de Cantor. Depois desse primeiro encontro, João Gilberto se convidou para visitar a comunidade em que o grupo vivia. Era um apartamento na rua Conde de Irajá, em Botafogo: Pepeu e Baby, já casados, armaram uma casinha na varanda; Paulinho, sua mulher Marilinha e filha dormiam num tatame em um dos quartos; Galvão ocupava o outro, onde Moraes montara uma barraca. E dentro do guarda-roupa acomodava-se o pintor e escultor Edinho, um amigo agregado ao grupo. Completando as dependências, a cozinha e a sala de jantar permanentemente vazia para partidas de futebol que balançavam o lustre do vizinho de baixo.

Um belo dia João apareceu de madrugada e inventou de tocar violão sentado no interior do guarda-roupa, dizendo: "Que acústica maravilhosa tem isso aqui!". Os baianos fizeram uma rodinha e ele puxou uma música, "Louco, pelas ruas ele andava... Para ele a mulher amada". Aí disse: "Paulinho, faça essa voz: 'era seu mundo'". E gostou do que ouviu. João ensinava vocalizes. "Eu não entendo, com essa brasilidade que vocês têm, com esse Brasil dentro de vocês, tudo bem, música pop, internacional, vocês ouvem, é o momento, não tem problema isso. Mas vocês têm uma coisa bem Brasil dentro de vocês", ele comentou, e seu ufanismo foi contagiando os baianos: "Esse aqui pega um bumbo, esse pega um pandeiro, esse aqui pega o surdo, o outro pega um cavaquinho, vocês têm uma banda brasileira maravilhosa".

João foi várias vezes ao apartamento dos Novos Baianos e começou a participar da vida musical do grupo.[11] Paulinho Boca de Cantor lembra perfeitamente:

O João mostrou o "Brasil pandeiro" dizendo "Isso aí é a cara de vocês, é Brasil, esquentai vossos pandeiros, vocês podem levantar a autoestima do Brasil, o Brasil está precisando muito". Então a gente começou a tocar "Brasil pandeiro" e aí começaram a surgir os instrumentos que deviam compor o regional dos Novos Baianos: cavaquinho, Jorginho Gomes; Pepeu fazia um violão ou bandolim; o Dadi fazia o violão de sete cordas; eu tocava pandeiro; Zé Baixinho tocava bumbo; o Bola Morais fazia uma espécie de um tamborim no bongô e o Charles Negrita tocava uma tumba. Moraes fazia o violão, a gente não tinha bateria nem guitarra. Formamos o regional dos Novos Baianos inspirados nas canções que o João mostrava.

O público dos Novos Baianos era de contestadores, hippies, beatniks, gente que não tinha dinheiro para o ingresso e ficava à espera até que todos os pagantes entrassem e as portas fossem liberadas. Durante a temporada do espetáculo *Final do Juízo*, no Teatro Tereza Rachel, João foi convidado algumas vezes mas nunca ia. Até que um dia os garotos tiveram uma surpresa antes do show. João Gilberto apareceu no camarim e perguntou: "Como é que vai ser?". Ao ver a playlist, sugeriu que Paulinho, que fora crooner de orquestra, abrisse com "Dê um rolê". Do camarim João comandou o show, indicando a cada um quando e o que cantar. Na altura da décima música, ele disse "Para, para, está ótimo, não vai mais nada". O público exigia "Mais um, mais um". Cantaram uma só e encerraram o show. A galera invadiu o camarim, o show tinha sido um tremendo sucesso.

Paulinho manteve a amizade com João depois que o grupo se mudou para um sítio em Vargem Grande, na zona oeste do Rio de Janeiro — visitava o cantor onde ele estivesse, em Nova York ou em São Paulo, no Hotel Eldorado em Higienópolis.

> Eu morei lá, ia visitá-lo, ele pedia chá no quarto, tinha uma coisa que eu adorava, ele fazendo exercícios no violão, aquelas escalas pra aquecer, depois começava a cantar, pedia pra eu cantar um pouquinho junto com ele e eu bem timidamente cantava baixinho, daí a pouco ele parava, o dia amanhecia e ele dizia "vamos escutar o som da vida", a gente escutava uma descarga e ele: "Tá vendo?". Um piado de passarinho, um carro passou na rua, uma pessoa falando, alguém gritando lá na rua, tudo isso e ele dizia: "Olha, tá começando o dia, começando a vida"; ele ficava buscando aquele som que para ele é o som do universo. A música do João é isso, não fere o som do universo, é para uma criança dormir e ao mesmo tempo tem suingue, tem balanço; se você quiser dançar você dança, mas ele consegue essa coisa, capta o som da vida.[12]

Terminada essa estada de poucos meses no Brasil, nos primeiros dias de janeiro de 1972 João e Miúcha voltaram para Nova York, onde João faria uma temporada com Stan Getz no Rainbow Grill até o dia 21. Getz, que voltara a se apresentar num *nightclub* de Nova York após prolongada ausência para conseguir se livrar do alcoolismo, montara uma banda com a qual se apresentava na primeira parte do show: Chick Corea ao piano, Stanley Clark no baixo, Tony Williams na bateria, e Airto Moreira na percussão. A seguir João fazia sua entrada ao violão e cantava várias músicas, quando então Getz e a banda reapareciam para uma única música, frustrando quem esperava ouvir os dois juntos por mais tempo.[13]

Em 1973, ainda morando em Nova York, João Gilberto gravou um LP com uma capa super-clean, que entrou para a história como o "Álbum branco" — o nome do cantor em alto-relevo acima de uma foto esmaecida sobre um fundo totalmente branco.

Sua audição exige absoluta concentração desde o início com "Águas de março", cuja melodia, de tão simplificada, beira o singelo, uma vez que a beleza se assenta nas mudanças harmônicas. João personaliza a canção ao executar o violão aliviado do tempo forte nos acordes emitidos, sistematicamente precisos desde a introdução.

"Undiú" é um autêntico baião, ainda que a incisiva marcação no primeiro tempo tão característica nesse gênero tenha sido abrandada tanto quanto nos sambas do disco. O tema do refrão remete diretamente à sua infância em Juazeiro, à cena de Joãozinho deitado sozinho no quarto, ouvindo de madrugada sons distantes meio incompreensíveis que foram percebidos como uma expressão onomatopeica, *undiú*. Na medida em que se aproximam, tomam forma mais nítida pela repetição de *undiú, undiú, undiú... undiú, undiú, undiú*. A mixagem reproduz essa impressão de seu movimento de vir de longe e se aproximar.

Na exuberante composição "Na Baixa do Sapateiro", João dispensa a descrição poética de uma paixão não resolvida em Salvador, trocando a canção por um tema instrumental. A melodia flui aos poucos nos acordes do violão, três notas simultâneas com os baixos da corda mais grave. Resulta uma reconstrução da composição de Ary Barroso complementada pela percussão, transferida para o que soa como um pequeno ganzá, o *shaker* norte-americano, a cargo do percussionista Sonny Carr, o único músico que participa desse disco.

Caetano está presente com "Avarandado" no formato de canção arrítmica em que João costuma utilizar notas arpejadas em lugar dos acordes. Gil comparece com "Eu vim da Bahia", contando o que há de bom, o que faz a gente voltar para lá. Outro samba que valoriza irresistivelmente a síncope, e também fala da Bahia, é "Falsa baiana", que João introduz imitando o som de um instrumento de sopro *"poró, pó, pó"* e incrementa com o salto de oitava acima no verso *"e deixa a moçada com água na boca"*. "Quero um samba" reforça a ideia que João queria deixar bem clara com esse disco: a bossa nova ficara para trás. Também aí usa da onomatopeia com os *djég, djég, djég*, os *zan, zan, zan*, e ainda *zuiú, zuiú, zuiú*.

Na "Valsa" ele expressa em público pela primeira vez sua ligação com o filósofo indiano Yogananda ao incluir como um dos subtítulos "Como são lindos os youguis".[14] A delicada composição em compasso ternário é dedicada no outro subtítulo a Bebel e gravada em fade in, isto é, sua voz vindo do fundo do estúdio até chegar próximo ao microfone na segunda parte. Depois vai se afastando no fade out final.

Em "É preciso perdoar",[15] precioso samba de dois baianos, o violão de João Gilberto permanece insistentemente por dezesseis compassos no mesmo acorde menor com sétima e nona, mudando apenas na sílaba *nar* de "abandonar" no verso "Você vai me abandonar". Esse tipo de interpretação, acredito, talvez seja a principal razão de sua música ser considerada minimalista. No verso seguinte, "Eu quis a ilusão", usa um acorde com sétima e décima primeira aumentada, incomum em música popular, sob a sílaba *são*. A repetição continuada tem um efeito hipnótico e contém uma síncope que retorna outras vezes durante os mais de cinco minutos dessa faixa. Um verdadeiro *case* de sucesso, definiria um publicitário.

Por fim o samba "Isaura", de 1945, é revivido num dueto com Miúcha, que se encarrega da melodia original enquanto João faz um contracanto mixado quase em primeiro plano. Daí a nítida percepção da segunda voz, ora em movimentos oblíquos quando a melodia se mantém na mesma nota, ora em movimentos contrários, ou seja, se a melodia é ascendente, a segunda voz é descendente e vice-versa.

Pela primeira vez João Gilberto fez um disco como queria, tendo apenas um percussionista e que não era brasileiro. É a prova de que bateristas norte-americanos podiam tocar sem dificuldade a levada do samba. E quem era o norte-americano Sonny Carr que acompanhou João Gilberto? O professor norte-americano Christopher Dunn ficou de tal forma intrigado com a falta de informações a respeito do músico que pensou que fosse o pseudônimo de alguém cujo nome não poderia aparecer por motivos contratuais. Conseguiu localizá-lo e o entrevistou poucas semanas antes de sua morte.

Conheci João Gilberto através de Arnie Wise, o baterista de Bill Evans, que certa noite me pegou para vê-lo e acabamos tocando juntos. João disse: "Por que você não volta uma noite dessas e traz um par de vassourinhas?". Então voltei e comecei a tocar sobre uma revista ou jornal e descobrimos que adorávamos tocar juntos. E nos tornamos realmente bons amigos. Um dia João disse: "Vamos gravar". [...] Há um tipo de som muito agudo e "estalado" que consegui usando vassourinhas numa lixeira de vime. E isso eu descobri no quarto do hotel em que João se hospedava.

Comecei a tamborilar em tudo o que era objeto do quarto e havia essa estranha lixeirinha que produzia esse som maravilhoso. Foi tudo um feliz acaso.[16]

Alguns consideram ser esse o melhor disco de João Gilberto, outros destacam o minimalismo de João. "É meu disco predileto de todos os tempos. Ainda que a trilogia inaugural da bossa nova seja muito mais importante historicamente, o álbum de 1973 é o disco mais 'bonito' do João", disse o jornalista e produtor Marcus Preto.[17] "A simplicidade dele é desconcertante. E se imaginarmos que João é uma espécie de síntese da música brasileira, nesse álbum a síntese aparece em toda sua crueza e aí está o mistério: como algo tão cru, simples e sintético pode soar tão sofisticado? Me parece que esses dois extremos se encontram", acrescenta o compositor Rodrigo Campos.[18]

A produtora Rachel Elkind trabalhou junto com a engenheira de som Wendy Carlos no estúdio que mantinham em sociedade em Nova York, onde o disco foi gravado.[19] "Ele tinha todo o controle. Eu precisava apenas posicionar os microfones com cuidado e definir os níveis uma vez só. Depois deixava por conta dele. João fez todo o resto", afirmou Wendy em seu site. Na página, afirma-se que "Se você acha que João Gilberto está quase falando no seu ouvido quando ouve o 'Álbum branco' dele, tá certíssimo(a): os microfones foram colocados bem pertinho do rosto do cantor". E Wendy prossegue:

[...] sabendo que ele manteria tudo em perfeito equilíbrio e consistência, sem sons falsos. [...] A percussão foi gravada ao vivo junto com João, sem overdubs. Ele era um artista noturno. Eu também, então as horas de trabalho me agradavam. Nos arrumávamos no começo da noite, e ele chegava. Rachel e ele conversavam sobre o trabalho, nós descíamos as escadas para o estúdio e começávamos a fazer as faixas. Não me senti pressionada. Achei João modesto, um pouco nervoso, um pouco cauteloso com outras pessoas, com estranhos. Eu tentei não aborrecê-lo, apenas sorrir e me incluir no trabalho. Ele parecia muito grato e amava o jeito que o álbum estava saindo.[20]

Além do ritmo, os acordes invertidos são outra marca no violão de João Gilberto. Essas inversões podem eventualmente causar uma sensação de dissonância. Sobretudo se o executante, usando da liberalidade que lhe é concedida, nem tocar a tônica, eliminando-a, deixando-a subentendida, o que gera uma impressão de certa instabilidade, como se a base harmônica estivesse pairando no ar, e não repousando. João Gilberto teria desenvolvido seu conhecimento de harmonia em Porto Alegre, nas sistemáticas e proveitosas horas de convívio musical com Armando Albuquerque, amigo de Radamés Gnattali. No Rio, a aproximação com Tom Jobim colaborou para aprimorar o requinte de seus acordes no violão, aplicados aos arranjos dos primeiros discos, de autoria de um Tom totalmente envolvido. A atuação de Tom Jobim foi preponderante nos rumos da harmonia da bossa nova, pois como ele conhecia teoria musical e vinha de uma experiência como arranjador, desenvolvera a técnica de vestir as músicas para o cantor, ou seja, inventar novas harmonias a canções, visando um colorido sonoro diferente. É uma busca natural do arranjador.

Ainda assim é justo reconhecer que o grande mestre de harmonia de João Gilberto foi ele mesmo, com sua disciplina férrea em tocar dezenas, centenas de vezes uma canção até atingir o ponto ideal. Ao esmiuçar obstinadamente a sequência harmônica de cada canção, ele conseguia encontrar outros acordes que substituíam os da sequência original sem ferir a natureza da canção. Daí a sensação de desconforto que na verdade era um novo caminho harmônico idealizado para músicas cuja harmonia já se estabelecera nos anos anteriores.

Ao mesmo tempo, o realce dado ao violão de João Gilberto era incomum para um disco de cantor. Já na gravação de "Chega de saudade", João havia deixado os técnicos atordoados ao exigir um microfone para ele e outro para o violão. Com esse destaque, os acordes de seu violão foram percebidos mais claramente em seus discos, e assim, junto com a nova marcação rítmica, surgia outra novidade, uma nova harmonia com acordes invertidos ou sem a tônica, a fundamental.

A despeito de suas composições "Bim bom" e "Hoba-la-lá" possuírem uma estrutura harmônica simples, a maneira de dispor as notas dos acordes por meio de inversões e o acréscimo de intrincados acordes de passagem acrescentaram uma grande sofisticação.

As notas eram feridas todas ao mesmo tempo, num bloco, e dessa maneira o violão soava como o acompanhamento completo, a orquestra de um violão, com quatro notas de cada vez, emitidas pelo dedo polegar na corda mais grave, e o indicador, o médio e o anular nas demais. Apenas nas interpretações ad libitum[21] João usava os acordes em arpejo, isto é, uma nota após a outra.

O som do violão, com ritmo e harmonia, era metade do som que João buscava. Para ser uma entidade, faltava a outra metade: sua voz.

★ ★ ★

A montanha de dólares que Stan Getz faturou com *Getz/Gilberto* é de tal ordem que vale a pena conhecer um pouco sobre a mansão de nome Shadowbrook, que ele adquiriu em traumática negociação com o proprietário da cadeia de lojas Newberry.[22] Situada em Irvington, a trinta e poucos quilômetros ao norte do centro de Manhattan, sua fama é de tal ordem que ao sair da estação em Tarrytown da linha de metrô North Train, basta dizer ao motorista de táxi: "Please take me to Shadowbrook", que ele saberá o destino.

João Gilberto, Miúcha e Bebel moraram alguns meses na casa de hóspedes dessa propriedade de dez acres. Miúcha assim a descreve:

> A casa era tão grande que nunca andei por todos os 26 aposentos. Mas um dia fui parar numa ala que levava a uma sala de música como nunca vi igual. Redonda, cercada de colunas que sustentavam uma cúpula ornada de vitrais que se alternavam pelas paredes como imensas janelas coloridas. Os vitrais, preciosos, eram da Tiffany. Custam mais de 20 mil dólares cada um, dizia Stan Getz. [...] parecia saída de conto de fadas — um quase castelo rodeado por jardins e bosques que um riachinho atravessava. Daí o nome, riacho da sombra.[23]

Construída havia mais de 150 anos, a suntuosa residência, mistura de estilos renascentista, barroco, clássico francês e gótico vitoriano, tem, na monumental sala de música circular dotada de acústica excepcional, sua peça mais notável, onde as lendas acabam sendo históricas. Em 1926 o compositor Irving Berlin fugiu com a socialite Ellin MacKay para visitar a mãe dela, então proprietária de Shadowbrook. Foi nessa sala que Berlin presenteou a noiva com a partitura de uma composição sua, doando-lhe todos os direitos autorais. Seu título era "Always". Cinquenta anos depois, os royalties em nome de sua esposa superavam 1 milhão de dólares. O casal Berlin visitava Shadowbrook com frequência, acompanhados de George Gershwin, que tocou no *grand piano* Weber em pé de igualdade com os Steinway. Entre outros notáveis que dedilharam as teclas desse piano estão Duke Ellington, Chick Corea e Erroll Garner. "A acústica é inacreditável. Um dos melhores presentes que dei a mim mesmo", sentenciou seu proprietário em 1977.[24] Era Stan Getz, o saxofonista tenor que mergulhou de cabeça na bossa nova, gravou discos com João Gilberto e talvez tenha sido o músico mais rico na história do jazz.

Em 1975, Getz propôs a João Gilberto um novo disco, se possível com a presença de Tom Jobim, que Miúcha se encarregaria de convidar. O maestro demorou a responder, tomaram o silêncio por um não. Foi no suntuoso ambiente de Shadowbrook que o disco foi planejado.

O LP *The Best of Two Worlds* não teve Jobim. Foi gravado em Nova York em 21 de maio de 1975, dessa vez para a Columbia, com produção executiva de Teo Macero, arranjos de Oscar Castro Neves e participação de um time de primeira,[25] acompanhando o sax-tenor Stan Getz, também produtor artístico, a voz e violão de João Gilberto e a voz de Miúcha. Cinco canções eram do "Álbum branco", gravado na Verve: "Águas de março", "Falsa baiana", "Isaura", "Eu vim da Bahia" e "É preciso perdoar".

A revista *Downbeat* fez uma crítica dura. Aponta que ao se passar da metade do disco, chegando ao lado B, João Gilberto toma conta da situação e fica-se a imaginar de quem é esse álbum. Pergunta "Onde está Getz [.]?". E comenta que os três solos em "Ligia" são só para impressionar. O resto do tempo ele usa para trilhar uma sequência de adornos à voz e ao violão de Gilberto. E finaliza dizendo que *Two Worlds* é um álbum bonito, mas não é um álbum bonito de Stan Getz.

Passados mais de quarenta anos, uma nova resenha discordava frontalmente da *Downbeat*. No site AllMusic, Tom Jureck rebatia: "Com as bobagens em torno do clima musical dos anos 70 — fusion, disco, rock ultrapassado e um declínio acentuado do jazz —, esse disco foi criminosamente desprezado naquela época. Enfim, é um bonito álbum de bossa como Getz sempre gravou, estando entre seus melhores trabalhos e sem dúvida no mesmo nível de suas colaborações anteriores com Jobim e Gilberto".

E, afinal, como ficamos? *The Best of Two Worlds* foi planejado para ser, embora com outro nome, mais uma edição de *Getz/Gilberto*, com Tom Jobim ao piano. Pela excelência do repertório, poderia ser maravilhoso, mas deixa a desejar pelo conflito permanente entre duas propostas antagônicas que não se encaixaram: de um lado, a delicadeza da voz de João com seu violão absolutamente coeso com o que é cantado; de outro lado, as intervenções intempestivas do saxofone de Getz que interferem no clima supostamente pretendido, o de uma combinação harmônica entre os dois. Como disse certa vez Augusto de Campos, "João é mais cool do que o cool. Stan Getz, perto dele, é barroco".[26] No disco, o som do saxofone ocupa espaço demais e a percussão incomoda, por obra de uma mixagem estranha. Sabe-se que Stan não pretendia participar de "Retrato em branco e preto", mas mudou de ideia depois de tudo gravado, sobrepondo seu saxofone onde já existia um solo de piano que foi rebaixado. Embora seu nome não conste nem no selo nem na capa, Miúcha participa de quatro faixas, inclusive em "Isaura", cantada em português, nesse caso acrescida de uma versão barata para o inglês intitulada "You Know I Just Shouldn't Stay" (Você sabe que eu não devia ficar), de Monica Christina, mulher de Stan Getz.

Ouçamos Miúcha a respeito dos bastidores:

> O título [do disco] seria *Getz/Gilberto, the Best of Two Worlds, Featuring Miúcha*. Na capa, eles pensavam em nos fazer abraçar o rei Pelé, no centro, com o pé de cima de uma bola em forma de globo terrestre. Foi difícil fugir de tal mico. Sem a presença do Tom, a primeira ideia se perdeu um pouco. João insistia em regravar "Isaura" comigo e também queria que cantássemos juntos algum standard americano. Acabamos escolhendo "Just One of Those Things".[27]

Em uma de nossas conversas, João me revelou um tanto magoado que Getz foi ao estúdio na calada da noite e remixou o disco com o intuito de realçar suas intervenções no saxofone. Deve-se acrescentar que a cena dos três juntos para a capa nunca existiu. Foi uma montagem do retrato de Miúcha apoiando o braço esquerdo no ombro de Getz, com a foto de João e Stan segurando seus instrumentos, quase igual à da contracapa.

Se a tentativa de fusão entre dois mundos, *two worlds*, não foi atingida nesse disco, funcionou como parte do conjunto de espetáculos e gravações unindo João Gilberto a Stan Getz. Impossível relevar as consequências que os prêmios Grammy tiveram na sedimentação das carreiras internacionais de Tom Jobim e do próprio João Gilberto, na movimentação no mercado da música americana que se alastrou para o resto do mundo e, sobretudo, na divulgação da canção brasileira, da bossa nova em diante, que recebeu um justo reconhecimento de superioridade como jamais havia ocorrido. É inegável que a perspectiva de carreira internacional que se abriu na sequência para músicos, compositores, arranjadores e cantores do Brasil foi decorrência do que Stan Getz vislumbrou ao coligar-se a João Gilberto, tendo como base de seu repertório em conjunto a exponencial obra de Jobim.

A expressão Getz/Gilberto continuou valendo. Após quase quarenta anos foi lançado nos Estados Unidos o CD *Getz/Gilberto '76* gravado ao vivo no club de jazz Keystone Korner de San Francisco, em maio de 1976, durante a temporada de uma semana associada à promoção do disco *The Best of Two Worlds*. Registrando aquele encontro gravado em fita que permaneceu na gaveta por tantos anos, o CD foi lançado em 2015 pela marca americana Resonance, sem representante no Brasil. A ilustração *Equilibrium verde*, de Olga Albizu, que ilustra a capa, conecta esse disco aos anteriores *Getz/Gilberto #1* e *#2*, como se fosse o terceiro da série.

Há que destacar o capricho do encarte com bonitas fotos e esmerados textos dos produtores Zev Feldman, Todd Barkan e do perceptivo escritor James Gavin, além de curiosos depoimentos da pianista Joanne Brackeen, do baterista Billy Hart, do compositor Carlos Lyra e de Steve Getz (filho de Stan), cada um dos quatro comentando sua relação com João Gilberto e Stan Getz. Billy Hart conta que João, segundo ele não muito dado a falar, mostrou-lhe aqueles ritmos como se fosse um professor de bateria: "Não é suficiente tocar o ritmo com precisão, você precisa tocar de maneira criativa. Não, Billy, toque como a chuva". Apenas esse encarte já teria justificado a existência do CD, um novo item na discografia de João Gilberto.

O que se ouve é um documento de como eram os shows de João nos clubes de jazz norte-americanos e europeus, onde a descontração é o diferencial das gravações em teatro nos outros discos ao vivo.[28]

Stan Getz faz uma apresentação emocionante na primeira faixa, que traduzo livremente aqui:

> Como eu entendo, João Gilberto é o cantor mais individual de nossos tempos. Um verdadeiro criador, sua intrigante habilidade em cantar com emoção, sem vibrato, seu impecável e inimitável senso rítmico, seu intimismo, tudo agregado a seu maravilhoso violão faz dele alguém único. Como um artista tão talentoso, um dos verdadeiros maiores na música, pode ser tão hesitante em se apresentar em público é mesmo um desses mistérios. Mas ele está aqui nesta semana (*palmas*). Senhoras e senhores, João Gilberto![29]

João parece feliz, canta magistralmente, mostrando novas divisões nos atrasos e avanços, nas pausas prolongadas, para mais adiante alcançar o ponto exato.

"É preciso perdoar" aparece duas vezes, uma no começo e outra no bis. É o astro da noite, cantando ora com bateria e baixo, ora com um pianinho levíssimo, ora só com o violão.

A bem-vinda surpresa é um Stan Getz mais contido, mantendo-se respeitosamente nas melodias com arabescos mínimos, sem exageros, pondo seu lirismo a serviço da melodia, compreendendo que era uma performance a dois. Entra em cinco faixas: "Retrato em branco e preto" (em arrebatadora interpretação de João), "Chega de saudade", "Eu vim da Bahia", "Doralice" e "É preciso perdoar", outro ponto alto, nas duas interpretações. Nenhuma intervenção inoportuna, esse é o Getz admirável músico de jazz. É um novo saxofonista, incomparavelmente acima daquele presente nos demais discos com João. É a consagração dos *Getz/Gilberto* em seu ponto máximo. Demorou, mas valeu a pena.

Assim que cheguei a Nova York, em março de 1977, tratei de ligar para o hotel onde João Gilberto se hospedava à época do lançamento de seu novo disco *Amoroso*. Nem passou por minha cabeça entrevistar o ídolo que conhecia pessoalmente fazia dez anos. Sempre prezei mais sua amizade que um furo de reportagem. Queria mesmo era estar com ele, jogar conversa fora, nada mais. Quem sabe ouvi-lo cantar com violão. Aí já seria um plus.

João tinha terminado de gravar o disco, estava excitadíssimo para me contar tudo. O arranjador tinha sido Claus Ogerman, o mesmo do instrumental de Jobim em *The Composer of Desafinado*. Sete anos depois do disco gravado no México com Oscar Castro Neves e Chico Batera, relativamente pouco divulgado no Brasil, ele voltava a cantar com orquestra. Cheguei ao modesto hotelzinho no East Side onde João ocupava um pequeno quarto.

"Que bom que você chegou", ele disse aliviado, tão logo entrei. "Estava desesperado para pedir uma pizza, mas não sabia como fazer." Entre idas e vindas, João tinha passado uns nove anos nos Estados Unidos, mas nunca se empenhara em aprender a língua e nem se importava com isso. A não ser em momentos como esse.

As tardes daquela semana em Nova York foram privilegiadas e inesquecíveis. João falava com entusiasmo dos músicos de São Paulo, de quem guardava lembranças carinhosas. Por volta de 1953, costumava se encontrar de madrugada, num banco de jardim da praça da República, com três outros músicos para cantar num quarteto vocal formado de brincadeira. Depois de encerrar seus trabalhos nas boates, o pianista João Donato, que tocava no Arpège, e os contrabaixistas Shú Viana e Sabá, que se apresentavam na Baiuca, iam se divertir com aquilo de que tanto gostavam: cantar juntos a *cappella* no meio da calçada. Uma das preferidas era "Minha saudade", melodia de Donato com letra de João Gilberto, que repetiam dezenas de vezes. Quem teria ouvido aquilo?, pensava comigo. Alguém que passasse não teria a mínima ideia de quem eram aqueles quatro caras cantando. Shú, Sabá, Donato e João Gilberto.

"Shú era muito amigo meu", comentei. "Comprei dele meu primeiro contrabaixo." Era uma figura rara, um sósia do saxofonista Paul Desmond que tratava todo mundo de "major". Adorava apostar no jóquei — "jogar nos burrinhos", como dizia — e odiava baião. Uma de suas grandes tiradas aconteceu no bar do hotel Comodoro da avenida Duque de Caxias, onde acompanhava os shows dos cantores. Quando Carmélia Alves deu a saída em "Eu vou mostrar pra vocês/ como se dança o baião", Shú não teve dúvida e disse bem alto, para todos escutarem: "Pra mim a senhora não vai mostrar nada". Encostou o contrabaixo no canto e caiu fora.

João tinha muita saudade do Brasil; morava em Nova York havia tempo mas falava como quem tivesse acabado de chegar, tamanha a riqueza de suas descrições do país.

Certa tarde, ele não resistiu ao desejo de mostrar detalhes do disco novo. Estava visivelmente encantado, elogiando a captação do equilíbrio de voz e violão, a unidade sonora joãogilbertiana por excelência, emoldurada pela placidez da seção de cordas. Noutro dia cantou para seu único ouvinte "Estate", canção italiana pouco conhecida à época, mas que depois dele foi descoberta por muita gente, incluindo músicos de jazz. Não me lembro de "S' Wonderful", mas ele cantou "Besame mucho" — no México ele a gravara em arpejos, mas naquela tarde tocou em acordes, como em *Amoroso*. São dois "Besame mucho".

Naquela semana, o exótico e admirado artista Geoffrey Holder, de quase dois metros de altura capazes de acomodar na mesma pessoa um misto de bailarino, coreógrafo, diretor, escritor e pintor, ofereceu uma recepção muito chique em seu espetacular apartamento de Manhattan para comemorar o lançamento de *Amoroso*, cuja capa trazia uma pintura sua. Mr. Holder não era desses que simplesmente entra num ambiente. Assim que aparecia dominava tudo com sua personalidade avassaladora, voz ressoante, figura ciclópica, fazia a festa. Pois naquela noite todas os presentes cercavam João Gilberto, que, em proporção inversa ao anfitrião, parecia desejar sumir. Providencialmente "esquecera" o violão no hotel. Ouvir João cantar era o que todos desejavam, ávidos, nas conversas de alto coturno em meio aos comes e bebes sensacionais. A noite já avançava quando, afinal, João resolveu atender aos presentes. Alguém o acompanhou até o hotel para ele apanhar o violão. O tempo passava, e nada. Uns e outros foram desanimando. Mais da metade dos convivas desistiu.

Umas duas horas depois João reapareceu. E ofereceu um recital inesquecível para os que botaram fé em sua volta. Em absoluto silêncio, o pequeno grupo de privilegiados o ouviu extasiado e de pertinho. Ao fundo, Manhattan vista do alto.

Nessa época a agenda de João Gilberto estava a cargo de Helen Keane, que por dezoito anos fora agente do pianista de jazz Bill Evans. Aproveitando o disco *Amoroso*, do qual fora produtora com Tommy LiPuma, Helen estava bastante empenhada em montar uma excursão de João Gilberto à Europa. Sabedora de nossa amizade, pediu-me para interceder junto a João: ela não conseguia combinar os voos com a extensa agenda já acertada. João só viajaria para a Europa se fizesse uma parada no México, o que alteraria o roteiro dos shows e ainda aumentaria o custo das passagens. Ela temia que a tournée fosse abortada, e foi isso que acabou acontecendo. Não houve Cristo que o fizesse mudar de ideia. Montar uma tournée de João era uma tarefa que exigia enorme dose de paciência e tremendo jogo de cintura.

Na véspera de meu retorno, tivemos a última tarde de conversas intercaladas com audições exclusivas para um único ouvinte sentado do outro lado da cama. Senti certo vazio. Talvez João também, não sei dizer. Para me animar, ele me ofereceu um pacote muito bem embrulhadinho: "Leve para sua namorada. É muito especial, ela vai gostar", ele recomendou.

Saí do hotel preocupado. À medida que caminhava, crescia a preocupação de viajar com o presente. E se fosse revistado na alfândega? Valeria a pena correr o risco à toa? Custou, mas tomei a decisão. Cuidando para que ninguém visse, arremessei com força numa cesta de lixo o pacotinho muito bem fechado com maconha da melhor qualidade.

Quando alguns grandes músicos de jazz gravaram discos com orquestra de cordas, eles foram alvo de comentários desabonadores de quem julgava tal arrojo uma traição às origens. Talvez esses críticos associassem a seção de cordas a orquestra sinfônica, donde os músicos terem cometido o pecado mortal de cruzar a supostamente intransponível barreira entre música popular e música clássica. E daí certo desdém de quem menosprezou discos do tipo *Charlie Parker with Strings*, *Chet Baker & Strings*, *Clifford Brown with Strings*. O álbum *Amoroso*, que poderia se chamar "João Gilberto and Strings", não teve essa receptividade tão negativa, mas ainda assim houve quem tivesse torcido o nariz.

Habituados a gravar trilhas de cinema, os músicos de estúdio em Los Angeles eram exímios executantes e leitores à primeira vista, sobretudo os dos naipes de cordas.[30] Em *Amoroso* ninguém reclamou da percussão. Àquela altura os norte-americanos sabiam tocar samba.

Houve quem criticasse o sotaque abaianado de João no inglês, no italiano e no espanhol, sem se dar conta de que com sua irrepreensível dicção cada palavra é pronunciada com perfeição. *Amoroso* é um momento único na obra de João Gilberto.

"S' Wonderful" deixou os norte-americanos aturdidos com a nunca imaginada interpretação de um clássico de Gershwin; "Estate" desvendou até para os italianos o lado misterioso da canção de sua própria terra, "Besame mucho" representa uma declaração de amor ao bolero, mas um bolero sambado com as semicolcheias de tamborim do ganzazinho ao fundo.

Quatro clássicos de Antônio Carlos Jobim ocupam os vinte minutos e 45 segundos do lado B como nunca se ouviu antes. Em "Wave", "Caminhos cruzados", "Triste" e sobretudo em "Retrato em branco e preto", João deixa espaços em aberto, toma conta de espaços, transfigura verbos e substantivos em atos e imagens.[31]

O álbum *Amoroso* merece um qualificativo infelizmente banalizado: é lindo. Não foi à toa que o respeitado Jim Hall comentou com outro guitarrista seu vizinho, Steve Berger, ao receber o LP de presente: *"You mean the greatest record ever made?"* [Quer dizer, o disco mais importante feito até hoje?].[32] Tá certo. Jim Hall, talvez o músico mais sensível e suave que conheci em minha vida, tinha mesmo razão.

*Amoroso* é um disco para ser ouvido de olhos fechados ou então olhando pro céu.

# 10. Celebridade

No ano de 1978, João dava os primeiros sinais de querer voltar a viver na sua terra. Ainda morava em Nova York, sentia saudades de Juazeiro e veio ao Brasil no início de março a fim de cumprir contrato com a TV Tupi para um programa especial que incluía filmagens em Nova York e dois shows, um em Salvador e outro em São Paulo. Tão logo desembarcou no Aeroporto de Congonhas, seguiu para Hotel Caesar Park da rua Augusta, onde na tarde seguinte, 10 de março, seria realizada uma coletiva.

Um batalhão de fotógrafos e repórteres aguardava o artista que tão poucas vezes viera ao Brasil em mais de quinze anos e que faria um espetáculo no principal teatro da cidade. Na cobertura do hotel, onde se aglomeravam fotógrafos e repórteres, a atmosfera era de tamanha ansiedade que um deles ficou impressionado com o massacre a que João foi submetido quando apareceu para as poses. "É para tirar os óculos?", estranhou o artista, diante da exigência de um fotógrafo. De cenho tenso, sem ousar olhar para a frente, e com uma expressão de quem gostaria de fugir para o quarto, aproximou-se da mesa central no bar da cobertura, sentou-se e confessou: "Estou muito nervoso". Estava pronto para responder à chuva de perguntas, algumas decididamente tão inconsequentes — "João, você é um excelente compositor. Por que você não está cantando mais as suas músicas?" — que levaram o diretor da TV Tupi, Roberto Corte Real, a solicitar perguntas inteligentes.[1] Não foi um bom começo.

No mês anterior, as negociações foram acordadas após dezenas de telefonemas internacionais. Encarregado da produção executiva da TV Tupi, o baiano José Amâncio Pedreira viajou a Nova York para fechar o contrato. Chegou e foi direto para o hotel indicado por João, que estaria esperando por ele. Ora, Mr. João Gilberto tinha feito check-out naquela manhã, não estava mais hospedado lá, informou a recepcionista. Amargando seu descontentamento, o produtor passou o dia à espera de alguma notícia. Foi dormir e acordou à uma da noite com um telefonema: era João, falando bem baixinho, contando que havia mudado de hotel mas iria encontrá-lo em seguida. E foi mesmo. Acertaram no meio da noite as tratativas da programação, a começar com as filmagens pelas ruas de Nova York.

João voltou no dia seguinte com um presente para Zé Amâncio: dentro do embrulho cuidadosamente bem-feito havia simplesmente um calendário. Foi quando ele se deu conta de que era o dia de seu aniversário. Como João sabia? Ainda ganhou um "Parabéns a você" como nunca imaginou, repetido por dez minutos em seguida. As filmagens de João passeando pelo Central Park foram feitas nesse dia, encerrando a primeira etapa do combinado.[2]

A equipe brasileira foi a Salvador para gravar o show que reabriria o Teatro Castro Alves após reforma. Cercado de ansiedade palpável, João Gilberto realizaria em 20 de março de 1978 o primeiro grande espetáculo em sua própria terra. A passagem de som começou dentro do previsto, ou seja, atrasada. Das sete às oito e quinze da noite João tentou corrigir um ruído que o incomodava, em vão. Dali a quinze minutos as cortinas do teatro deveriam ser abertas. João foi para o hotel Méridien para tomar banho e fazer a barba. "Foi meu erro", reconheceu José Amâncio. No teatro lotado, Miúcha e Bebel tentavam manter a calma quando às dez e meia, duas horas depois do horário, começou o espetáculo para uma plateia que lotou os 1700 lugares, sem contar centenas de pessoas que ficaram de fora.[3]

Vinicius de Moraes surge no palco para uma apresentação e sob vaias tenta aquietar o público: "Garanto que ele vai dar a vocês o que vocês estão esperando [...] porque ele tá cheio de carinho, voltou cheio de amor". João se antecipa, entra nervoso, de blazer azul-marinho, camisa azul-clara e calça cinza. Abraça Vinicius, murmura algo e manda ver, na bucha: "Espera aí, um minutinho. Eu estou chegando de uma viagem muito longa, estou cansado, sem dormir há um mês".

Alguém faz um *úúúúú* e ele replica: "Péra aí, não faz isso que eu vou embora, hein? Escuta, eu ouvi um *zuuum* aí e esse é o poeta Vinicius de Moraes do Brasil, compreendem? Respeito e admiração porque aqui é a Bahia, terra primeira, quer dizer é um exemplo. Sem *úúúúú*, deve ser um imbecil aí, autêntico. Bom, cheguei cansado e tudo mais, difícil pra me organizar para vir, estou cansado, estou fazendo isso porque é pra minha gente, tá entendendo? Minha vida foi... quem é esse besta aí? Veja quem é esse idiota, olhem pra cara dele que ele não deve ter força nenhuma fazendo *úúú*. Bom, uma coisa, minha calça rasgou eu estou com a calça rasgada, não vou mostrar porque fica chato".

Ajusta o microfone e o violão sem pressa e ataca "Eu vim da Bahia". A plateia ouve em silêncio e ao final lhe oferece uma estrondosa salva de palmas. Era o baiano cantando na Bahia após mais de dezoito anos de ausência. Antes de cantar "Triste", diz: "Me esqueci de dizer que também tive gripe, com febre e tudo. Qualquer coisa na voz, perdão". Após "Chega de saudade", volta a falar, mas para lamentar: "Tem um zumbido, um *ôôôôô* que não para". Mesmo assim é aplaudido cantando "Desafinado", "Bahia com H", "Retrato em branco e preto", "S' Wonderful", "Estate", "Wave", intercaladas de novas falas justificativas até chegar à décima segunda canção, quando perde a paciência com o som e sai do palco sob os pedidos de "Volta!, volta!". Atende cantando "Samba da minha terra" e "Garota de Ipanema", último número desse espetáculo conturbado.

Na segunda feira, 27 de março, o Theatro Municipal de São Paulo abria suas portas para uma série de recitais comemorativos de seus 67 anos de concertos, óperas, jazz, balé com artistas de renome do século xx.[4] João retornava à cidade que amava e conhecia desde os tempos da bossa nova. Era uma noite especial para ele e para aqueles que haviam esgotado a lotação na semana anterior. Tinha gente sentada até no chão da mais nobre sala paulistana.

Roberto Corte Real me convidou para introduzir meu ídolo e amigo, e assim estreei como apresentador no Municipal. Antes de abrirem as cortinas, eu tremia feito vara verde, caminhando sem parar, tentando decorar algumas frases. Lembro de ter dito que era um acontecimento histórico. Era mesmo. O show começou na hora, pois tiveram a prudência de trancar João no camarim logo após a passagem de som, evitando que ele retornasse ao hotel.

João foi recebido com aplausos e respeito. Vestia terno cinza, camisa azul-clara com colarinho aberto. Sentou no banquinho, empunhou o violão e deu o *start*. "Eu vim da Bahia." Dessa vez pouquíssimas falas. Calmo, tranquilo, sorridente e bem-humorado, a certa altura explicou que o espetáculo não teria a participação da Orquestra Sinfônica de Campinas, como anunciado, porque os arranjos que o maestro norte-americano enviara estavam incompletos. Interpretando cada canção por cerca de cinco minutos, ele cantou um repertório dividido entre clássicos e as faixas de *Amoroso*: "Desafinado"; quase todas as de *Amoroso*; "Eu sambo mesmo", então desconhecida da plateia; "Bahia com H", quando elogiou o autor campineiro Denis Brean, que compôs a canção sem ter nunca estado na Bahia; "Corcovado" e, para encerrar, "Doralice". Voltou sob aplausos para "Garota de Ipanema".[5]

No dia seguinte, José Amâncio e Manoel Poladian, o empresário envolvido no projeto da tv Tupi, foram ao hotel Eldorado para entregar em *cash money* 40 mil dólares a João Gilberto, que se recusou a receber por ter sido informado que havia uma onda de dólares falsos no país. Tiveram que fazer rapidamente uma operação cambial e retornaram com um vasto pacote de notas em dinheiro brasileiro que despejaram na cama do quarto.

João permaneceu um bom tempo no Brasil. Comemorou seu 48º aniversário na casa dos Buarque de Holanda, seus sogros, e viajou para os Estados Unidos. Em 30 de junho, apresentou-se como a grande atração da "Noite Brasileira" no 25º Newport Jazz Festival, revendo o Carnegie Hall quinze anos depois do *Concerto de Bossa Nova*, quando era ainda um desconhecido. "Hoje o meu coração batia mais forte. Estiveram aqui comigo, no meu pensamento, todos aqueles que em 1962 pisaram este mesmo palco",[6] revelou após o show que contou com o Charlie Byrd Trio, considerado uma pré-bossa nova, e com o Stan Getz Quintet em solos de jazz, num *revival* do concerto que dezesseis anos antes despertara a cena americana para a música brasileira.[7]

Os acontecimentos que envolveram a vinda de João Gilberto ao Brasil no segundo semestre de 1979 beiram o inverossímil. O industrial carioca Estevão Hermann, que viajava a Nova York com assiduidade a fim de satisfazer sua paixão por jazz frequentando clubes e adquirindo discos, conheceu João por meio de um amigo em comum e o convidou para vir ao Brasil por sua conta. No Rio, trataria de promover espetáculos na mais badalada casa de shows da cidade, o Canecão, pois era bastante amigo do proprietário, Mário Priolli.[8]

Ocupando um ponto estratégico no bairro do Botafogo, a fachada do Canecão, originalmente uma cervejaria (daí o nome), se mostrava aos milhares de veículos que todo dia atravessassem o túnel da zona sul em qualquer das direções.

João Gilberto se hospedou no Sofitel, no final do calçadão de Copacabana. Indicou João Donato para cuidar dos arranjos, arregimentar os músicos e dirigir a orquestra para a temporada de seis shows que começaria em 17 de outubro. A estreia foi adiada para 6 de novembro, João Donato foi substituído pelo maestro Gaya, o show foi anunciado, as entradas postas à venda, mas havia um problema. E que não era dos menores. Apesar dos célebres espetáculos realizados em seus doze anos de existência, a precariedade no sistema de sonorização da casa era notória entre especialistas como Carlos Santos, o engenheiro de som dos shows de João. Com dez dias de antecedência, ele tentava convencer a equipe do Canecão da necessidade de um estudo da curva de som. "Eles têm equipamento para isso e eu pedi, mas nada foi feito. Fizeram apenas um levantamento das curvas dos monitores do palco [...]. Foi uma experiência terrivelmente chata para mim", contou, constrangido.[9]

No primeiro ensaio deu chabu. João interrompeu, deitou suavemente o violão no chão; músicos e maestro ficaram perplexos; Tom Jobim, Miúcha, Miele e Ronaldo Bôscoli ficaram preocupados. Houve mais duas tentativas nos dias seguintes. O contrabaixista Nilson Mata, que tocaria com João, confirmou a precariedade do som:

Estava longe e ruim. A música de João é simples, mas rica em detalhes. A batida de seu violão tem de passar completamente para a gente, para que nós a passemos para a frente [...]. E, quando se sentou no banquinho, [ele] disse: "O som tá horrível".

"João é um homem muito sensível.", afirma Carlos Santos. "Ele toca para sentir. Quando não sente, não pode tocar." João Gilberto confirmou: "Disseram que o Canecão oferecia possiblidade de pôr uma orquestra no palco, fazer um show com luzes. E eu topei. Mas tinha de ter um som satisfatório, e não destruidor".[10]

Na tarde anterior à estreia, Estevão Hermann avisou à sócia, Gabi Leib, que o show de João estava cancelado. O cantor não recebeu nada, já que, por contrato, os cachês seriam pagos por apresentação, 6 mil dólares cada. Com muita repercussão na imprensa, o episódio deixou uma lição para seu futuro no Brasil. Após a última tentativa no ensaio do Canecão, desceu do palco e disse baixinho: "Olha lá, desci a escadinha daquele palco pela última vez. Sem som não existe música, e sem música não posso cantar".[11]

Quem costuma dar título às matérias dos jornais é o editor, e pode acontecer de o leitor ficar mais influenciado pela manchete do que pelo texto. O episódio do Canecão ilustra à perfeição o peso de uma manchete. O *Jornal do Brasil* publicou uma matéria com o título "A noite em que João Gilberto deu mais um bolo no público".[12] Ora, dar o bolo quer dizer dar o cano, não comparecer, e não foi isso que aconteceu no Canecão. João tinha uma capacidade auditiva muito acima do normal, que por ter sido desprezada deu margem a suas queixas justas, conquanto interpretadas e disseminadas como improcedentes e veiculadas como mais uma de suas excentricidades. Uma injustiça e um estigma que ele carregou a vida toda.

Em 1980, João decidiu morar no Rio de Janeiro. Dezoito anos depois retornou sem o mais leve acento americanizado, pelo contrário, falando com o mesmo sotaque da sua Juazeiro, como se de lá nunca tivesse saído.

O produtor da TV Globo Daniel Filho havia criado uma série de especiais, *Grandes Nomes*; cada episódio focalizava uma personalidade da música e ia ao ar com o nome completo do homenageado. Os programas contavam com presença de público e eram gravados no Teatro Fênix, da mesma emissora. Numa das reuniões entre Daniel e Guto Graça Mello, diretor musical, a compositora Naïla Skorpio sugeriu chamar João Gilberto. Boni, comandante da programação, não acreditou que fosse possível. De qualquer modo, topou, com a condição de pagar só depois da gravação. Tinham a esperança, porém, de que João desejasse passar a limpo a maldosa fama acarretada com o cancelamento do show do Canecão. Daniel foi em frente e entrou em contato com o agente de João.

O agente era o armênio Krikor Tcherkesian, ex-chefe do serviço de informação da ditadura militar, durante a qual trabalhara infiltrado na Universidade de São Paulo — ele pedira exoneração do cargo porque a ditadura tinha virado "uma bagunça". Essa afinidade inconcebível entre ambos surgiu depois de Tcherkesian ter resolvido alguns pepinos de João. "Paguei todos os meu pecados", afirmou o armênio, e acrescenta: "É um nome fantástico, idolatrado no mundo inteiro. O maior artista do país. Foi uma fase muito boa".[13]

A proposta foi aceita. João ficou feliz e compareceu a uma reunião com Daniel, Guto e Luís Carlos Maciel para a primeira discussão sobre roteiro, seleção das músicas e convidados. No encontro seguinte, João propôs cantar "Menino do Rio", Daniel sugeriu "Aquarela do Brasil". Combinaram quem faria os arranjos das novas músicas, uma vez que as demais já haviam sido arranjadas por

Claus Ogerman, no disco *Amoroso*. A orquestra seria regida por Alceu Bocchino, cuja precisão era apreciada por João, bem como sua calma na condução da orquestra. Como convidados sugeriram remontar o Garotos da Lua da turma pré-João Gilberto. "Os baianos, não", disse João, que já tinha em mente o projeto do disco *Brasil*, que gravaria no ano seguinte com Caetano, Gil e Bethânia, como lembra Daniel Filho.[14] E Miúcha? "A Miúcha, não. Não, eu não vou convidar e ela vai ficar com muito ciúme", João cortou logo de cara.

A escolha ficou adiada para nova reunião. Aí veio o problema do corte do cabelo:

"Daniel, quem vai cortar o meu cabelo?"

"Quem corta seu cabelo?", rebateu Daniel.

"É a Miúcha, mas eu não quero porque ela pode ficar com ciúme e fazer uma porção de buracos."

"Mas olha, tem nosso barbeiro aqui, é o Souza."

"E ele vai no hotel?"

"Vai, vai no hotel, sim."

"Mas ele vai cortar direitinho? A Miúcha não vai falar com ele não, né?"

"Não, ele não conta pra ninguém, ele vai e corta o teu cabelo."

Os pedidos, de uma meticulosidade incomum, continuavam. O cenógrafo Mário Monteiro foi ao hotel Caesar Park medir a altura da cama onde João tocava para que o banco onde se sentaria no show, com os pés apoiados no descanso usado por violonistas, tivesse exatamente a mesma altura.

"Tem alfaiate para cortar o terno? Cortar a manga do terno, ajeitar para mim?"

"Temos, lá na televisão temos alfaiate, vai ficar à sua disposição."

O alfaiate foi ver como ficava seu braço direito dobrado para que, quando João fosse tocar, a manga do paletó não o incomodasse roçando nas cordas do violão.

Na reunião seguinte acertaram quem seriam dois convidados. Ele queria a Bebel, e então faltava o segundo. Vieram à tona alguns nomes, até que João cutucou Daniel: "E a Rita Lee? Ela é tão bonitinha".

Daniel tentou disfarçar a surpresa, mas não deu bandeira: "Sim, claro".

João tinha um plano surreal: "Mas tem o seguinte, eu quero fazer uma surpresa. A gente convida ela para assistir o programa sem ela saber que vai cantar, aí eu começo e puxo ela pra cantar comigo".

"Isso vai ser complicado... Não que ela não tope, mas seria legal ela saber. Você pensou nisso?"

João insistiu: "Pensei. Olha que coisa bonitinha eu cantando com ela. Isso! Aí ela vem andando assim, dançando, aí eu me levanto e danço com ela!".

Dessa vez Daniel não conseguiu disfarçar: "Você dança com ela, João? Você se levanta e dança com ela?".

"É. Você faz uma coreografia, Daniel, e eu danço."

Daniel e Guto se entreolharam.

"Bom, a gente faz a coreografia. Mas como é que a gente faz com a Rita? Olha, vale a pena conversar com ela."

João se rendeu: "Então vocês fazem o seguinte: convidam ela e a gente conversa".

Chamaram Rita e seu marido Roberto para um jantar no Rio, durante o qual foi feito o convite. Ela ficou maravilhada. Cantariam "Joujoux e balangandãs". Foram então para a casa do Guto, onde João e Rita conversaram sozinhos num pequeno estúdio. Meia hora depois, João saiu e disse cheio de entusiasmo: "Ela gostou! Ela quer fazer! Vamos fazer! Daniel vai fazer a coreografia para a Rita!".

Foram perto de quatro meses de preparação, ao longo dos quais Daniel teve a oportunidade de conviver com a música de João:

João tinha seu horário próprio: marcava encontros para as dez da noite e chegava às três da manhã para escutar música. Na minha casa teve roda de samba com todo mundo sentado, ele tocando violão querendo que as pessoas cantassem. Eu, que não sou cantor, desafino, cantei "Folha morta", de Ary Barroso, aquele samba arranca-peito. O violão era tão correto, era um colchão, os acordes eram um apoio, não havia possibilidade de você entrar numa nota errada.

João Gilberto achava importante fazer aquele show no Brasil para compensar a má lembrança que deixou o não show no Canecão. Para minimizar o risco de dar errado num programa ao vivo, os músicos da orquestra foram escolhidos a dedo. "Ele queria uma orquestra brasileira", disse Daniel Filho.

Realizaram quatro ensaios no estúdio do Chico Batera em Botafogo, com a orquestra toda montada e ele escutando feliz. Os músicos estavam muito contentes de tocar com João, com todo aquele refinamento e respeito pelo som produzido. Num dos ensaios João deu uma bronca no segundo cello, que estava puxando a corda com muita força: "Vocês estão olhando para a nota, mas não estão ouvindo o arranjo! O segundo cello está puxando *viiiim, viiiiimm* sem tocar junto com os outros. Não está harmonizando, eu já toquei esse arranjo com orquestra várias vezes na Europa, e eu quero tocar com orquestra brasileira, eu podia estar fazendo sozinho só com violão e eu quero tocar com vocês e você faz para mim esse *vuuuuum vuuuuuum*". Daniel temeu que ele se levantasse e fosse embora. Ninguém piou. Mais uma vez João tinha razão.

Quando houve um ensaio no palco para que ele se familiarizasse com o cenário, João perguntou a Daniel:

"Você me arranja um aparelho de barba?"

"Um aparelho de barba, João?"

"Sim, um aparelho de fazer barba, elétrico."

"Tá certo, você tem alguma preferência?"

"Aquele que passa na televisão."

Havia um comercial com Tony Ramos anunciando um barbeador elétrico.

[*Daniel mandou comprar um e no dia seguinte levou para João.*]

"João, aqui está." Ele olhou a caixa e disse: "Daniel, você comprou um aparelho novo?".

"Claro, você não pediu? Eu comprei um aparelho de barba pra você."

"Mas o Tony Ramos não tem um? Por que vocês não pediram a ele? Eu achei que ele tinha muitos. Olha, Daniel, muito obrigado."

Na véspera do show ele chegou com dois ternos para eu escolher. Eram dois ternos absolutamente idênticos. Ele pendurou os dois no cabide para que se vissem as calças e perguntou: "Esse Daniel? Ou esse?". Um talvez fosse um pouquinho mais escuro que o outro, mas os dois eram cinza. Ele disse sério: "Esse ou outro?". "Talvez esse aqui, não sei, qualquer um." E, voltando à preocupação com a manga do paletó, ele perguntou: "E o alfaiate vai poder fazer minha manga?".

Eu chamei de novo o nosso alfaiate, aquele senhor alfaiate. Aí ele pegou o terno, João explicou, botou o paletó, mostrou a mão onde queria, em que altura devia ficar o punho, pegou o violão para ver a posição, o alfaiate pegou o terno e foi embora. Ele disse: "Ele está indo embora com o terno?".

"Não, ele foi lá na oficina para fazer essa manga."

"Mas ele está indo sozinho."

"Não, vem alguém da produção e vai junto com ele."

Alguém da produção foi junto só para ficar olhando o alfaiate trabalhar.

João era muito severo com a Bebel, foi muito duro esse dia. Ela veio com a Miúcha para o ensaio, mas tremia, tensa, com medo dele. A Miúcha dava uma quebrada de galho nela, suavizava a coisa. O João tinha um medo da Miúcha e ela estava morrendo de ciúmes, queria estar cantando. Nós ensaiamos, eu marquei tudo direito com a Bebel: "Olha, você fica sentadinha aqui, entra aqui, ele canta com você, é isso".

Aí veio a Rita Lee para ensaiar e fomos passar "Joujoux e balangandãs", que começa com ele cantando. Na segunda parte ela entra, fica ao lado dele e cantam juntos, é o trivial, não tem nada, mas na hora em que a gente foi ensaiar, ele disse assim: "Daniel, e a coreografia?".

Chiii, ele se lembrou, pensei. "É o seguinte, João. Você está tocando, aí quando você acaba, põe o violão aqui do lado e, pela ordem, levanta, aí ela entra, ela dá a mão a você e vocês sentam."

"Bom isso!"

"A coreografia é exatamente essa, ela vem, senta com você, canta junto com você, ela balança a cabecinha, vocês se levantam e terminam em pé." Ele vibrou como se eu fosse o Béjart.

No dia do show havia pessoas escolhidas principalmente por ele. Nós queríamos uma plateia muito favorável, não uma plateia qualquer, uma plateia selecionada. Eu tive medo até a última hora, mas ele estava muito entrosado. Antes de começar eu me sentei na plateia e disse: "Gente, o João está aqui". Houve um silêncio. "Todos vocês que estão aqui têm carteirinha de João Gilberto, portanto não preciso dizer nada para vocês com relação a isso. Então vamos ao show!" Aquele silêncio.[15]

Com a orquestra dirigida por Alceu Bocchino, arranjos de Guto Graça Mello, Dori Caymmi, João Donato e Lindolfo Gaya, João senta no cubo branco sobre um praticável em forma de cilindro, um "queijo", na gíria teatral. Parece à vontade ao cruzar os pés, numa posição inusitada para violonistas, mas para ele totalmente confortável.

Canta alguns clássicos como "Desafinado" e "O pato"; "Estate", "Wave", "Tim-tim por tim-tim", do disco *Amoroso*, e as novidades "Menino do Rio", "Curare", "Eu e a brisa" e "Canta, Brasil". Na plateia, vemos closes de Marília Pêra, Ivan Lins,

Renata Sorrah, Sônia Braga, Caetano Veloso, Fábio Jr. e outros convidados para a gravação do histórico programa que foi levado ao ar em 5 de setembro daquele ano.

Bebel entra visivelmente tensa. João nota e, terminada a música, pede desculpas e diz para ela ficar, assim eles cantariam de novo. "Eu resolvi deixar isso no ar, e os dois acharam uma ousadia, chegaram a me aconselhar a não botar. Mas isso era importante, você vê a pequena diferença que pode existir na interpretação. Eu acho que é só para ouvido profissional, mas acho importante você ver as duas interpretações dele e dela quando está tensa. Você nota isso no programa", argumentou Daniel.

Depois de cantar "S' Wonderful", João se dirige à plateia: "O ar refrigerado desafina os instrumentos, quer ver? Quer ver? Quer ver? É ou não é, maestro?". Quando Bocchino confirma, o público aplaude em apoio. Quase ao final, após "Eu e a brisa" num belo arranjo de cordas de Dori Caymmi, vem a segunda surpresa. João ataca "Joujoux e balangandãs" e na repetição surge, toda de branco, sob intensos aplausos, Rita Lee. Ela canta com ele, sentada a seu lado; dá uma chegadinha, joga charme, até que os dois se dão um beijinho ao final. O público aplaude intensamente até o número final, "Canta, Brasil", em belo arranjo do maestro Gaya.

O grande lance do programa foi ter mantido a imagem fixa no rosto de João nos números musicais em geral. Na contramão da técnica em voga, que, na ânsia de promover uma dinâmica inútil, efetua cortes aleatoriamente sem a menor preocupação com o sincronismo do conteúdo poético da canção, Daniel Filho optou por manter a câmara imóvel em closes do rosto de João, com tomadas em sintonia com os versos da canção. Enxergam-se detalhes impossíveis de serem vistos em teatros e até mesmo em pequenos clubes. A perturbadora variedade de expressões faciais de João Gilberto traduz sua imersão na letra de cada canção. A expressão apaixonada em "S' Wonderful", alegre em "O pato", esperançosa em "Eu e a brisa", sofredora em "Retrato em branco e preto", e de amor pelo país em "Canta, Brasil" mostram imagens inéditas de sua superioridade como intérprete.

Observando-se atentamente, podem-se notar os movimentos labiais de João, o modo como ele abre a boca, sua preocupação com a emissão sonora, buscando o máximo de clareza e profundidade. Tem-se a impressão de que ele treinou para fazer da boca uma caixa acústica em diferentes formatos, para que a emissão da voz possa chegar à nitidez no mais alto grau. Só por isso esse programa de televisão já teria valido a pena. Mas tem bem mais, muito mais: é o mais enternecedor dos registros unindo som e imagem do artista.

Encerrado com a plateia de pé pedindo mais, o programa gerou um LP com o mesmo título e nove números musicais extraídos dos cinco blocos editados para a exibição na TV.

Na capa azulada, uma pálida imagem ampliada do rosto de João de olhos fechados serve de fundo para 88 retângulos à guisa de telas de televisão, vários com imagens do cantor sozinho e cinco na companhia de Rita Lee e Bebel Gilberto, que acabaram centralizando os comentários sobre o álbum.

As duas primeiras faixas, "Menino do Rio" e "Curare", são ouvidas em silêncio absoluto e recebidas com intensos aplausos seguidos de uma interferência de João: "Eu quero dizer mais uma vez essa coisa do ar, não sei se vou cantar até o fim, essa de refrescar mesmo, melhor fechar o ar mesmo, ninguém vai morrer, de vez em quando liga e desliga... mesmo assim, tô cantando". E cantou "Retrato em branco e preto".

Bebel, que entra na quarta faixa, lembra: "Foi minha primeira experiência de cantar com ele em público. Eu lia a letra sem parar, com medo de errar. Estava acostumada porque cantava essa música em casa com meu pai. 'Chega de saudade' morava no meu repertório".[16] É um momento emocionante no disco, com a voz afinada de uma menina interpretando com pureza a canção completa na primeira vez, antes de entregar ao pai famoso a segunda, cantada tão baixinho como um possível sinal de confiança em sua Isabelzinha, a adolescente que estreava no palco aos catorze anos. Bebel volta na segunda parte, e ambos, pai e filha, concluem, revezando-se, sob intensos aplausos.

A penúltima faixa do lado B traz outro grande momento, quando Rita Lee entra, ovacionada. Para esse número João Gilberto escolhera ressuscitar a marcha de Lamartine Babo adequada a um casal de cantores, "Joujoux e balangandãs", gravada em 1939 por Mário Reis em dupla com a desconhecida Mariah (Maria Clara de Araújo), acompanhados pela Orquestra do Cassino da Urca. O LP termina com o "Canta, Brasil", número final do espetáculo ao vivo. E assim foi lançado o décimo disco de João Gilberto Prado Pereira de Oliveira, pela WEA (Warner/Elektra/Atlantic), dirigida por André Midani.

$\star\ \star\ \star$

A recusa imediata em não convidar os baianos para o programa na tv Globo se devia a uma ideia que João Gilberto acalentava desde o ano anterior. Hospedado no Hotel Eldorado de São Paulo, recebia no meio da noite visitas de Gil e Caetano, instalados em quartos de outros andares. Conversavam horas seguidas, ouviam músicas que João lhes ensinava, cantavam juntos, conheciam-se cada vez mais. No dia em que Gil cantou "Aquarela do Brasil", deu-se o estalo na cabeça de João: um disco com os baianos! Durante meses foi maturando planos para armar o circo quando chegasse o momento.

Quase dois anos depois formou-se no Rio uma aliança tríplice entre André Midani, Guto Graça Mello e Krikor Tcherkesian para acertar os ponteiros e levar a cabo o projeto. Alugaram um apartamento no Leblon equipado com o indispensável telefone e até a cozinheira da senhoria, uma baiana de nome Edna. E assim se instalou o quartel-general dos três músicos da Bahia para trocar ideias, tocar e cantar, assistir televisão, comentar sobre o Brasil e o mundo, comer sapoti, visitar João Donato de vez em quando, conversar com Bororó no restaurante Fiorentina, ensaiar, armar o repertório e descansar passeando de carro até a Barra de Guaratiba, que ninguém é de ferro.[17]

"Eu estava um pouco afastado até o dia em que a gente foi para o primeiro ensaio, marcado para às nove da noite", escreveu Krikor tempos depois.[18] Em sua narrativa, ele conta um caso curiosíssimo:

Chegamos ao apartamento, tocamos e ninguém abriu a porta. Era como se não tivesse ninguém em casa. A gente esperou bastante tempo, porque achávamos que tinha gente. Resolvemos então descer, para procurar um orelhão. O Gil discou umas quinze vezes e nada. E eu pensei: "Se eu ligar, ele atende". Eu pensei isso pelo seguinte: João vai intuir que sou eu que estou discando e, como ele não sabia que eu estava junto com Gil, vai atender. Na verdade era uma coisa louca, mas mesmo assim falei para o Gil. E o Gil me disse: "Então liga". Eu liguei e ele atendeu.[19]

João Gilberto queria uma voz feminina e convidou Bethânia para compor o time. "Quando ele me convidou, achei o pedido extravagante", admitiu a cantora. "Falei, por que eu? Eu sou uma intérprete que gosta de se expressar, de cantar alto, uma voz de grande alcance, é outro jeito de ser cantora, e não primo muito pela afinação joaogilbertiana, que é perfeita. Perguntei até pro Caetano: 'Por que João me convidou para participar de um disco dele?'. Caetano falou: 'Pois é… mas ele quer você'."[20] Pronto. João tinha o disco inteiro na cabeça, tinha os três cantores e o repertório. Podiam dar o start.

Num fim de semana em setembro entraram no Blue Studios do Rio de Janeiro para gravar. Para a primeira sessão, o técnico Célio Martins, da confiança de João, recebera a orientação de gravar vozes e violão bem naturais, sem efeitos. O produtor Guto sentou no lugar destinado a João, imitou sua voz e violão, baixou a intensidade da luz indireta, desligou o ar-condicionado, dispôs os microfones e cadeiras num triângulo equilátero, deixando tudo no ponto. Nenhum deles usaria fone de ouvido, gravariam direto.[21] Com início marcado para as sete da noite, começaram a gravar à meia-noite e terminaram às seis da manhã. Maria Bethânia conta como gravou numa das sessões:

> João marcou um ensaio na casa dele, eu fui, seria um ensaio, mas ele deixou o Caetano e o Gil na sala e ficou comigo na cozinha tocando violão, cantando e pedindo pra eu cantar "No tabuleiro da baiana". Eu falei: "João, tô fazendo, mas eu não sei… e olha lá". Mas era muito prazeroso estar ao lado dele, muito engraçado, muito divertido, eu fiquei encantada, ele tocando violão ininterruptamente, tocando e cantando, então ele mudava o tom e me mandava cantar. E foi descendo de tom, descendo, descendo, eu disse: "João, daqui a pouco eu vou sussurrar". Estava no limite. Ele: "Tá lindo, eu quero". João sabia absolutamente tudo, não me convidou à toa, não me mandou cantar naquele tom à toa, ele queria meu timbre naquele registro infernal. Ele já tinha pensado muito. E fomos pro estúdio dali. Éramos os quatro sentados no chão, assim, uma rodinha, ele com os tapetes dele, as almofadas. Tocou, mandou a gente cantar, a gente foi cantando, foi cantando, aquilo virou um mantra, uma repetição, a música ficou rodando, Caetano cantava, Gil cantava, ele cantava, eu cantava, umas trinta ou quarenta vezes, eu já tinha perdido completamente a noção de divisão. Era o que ele queria, ele queria sem pé no chão, solta, somente a emissão mesmo. E de repente ele parou.
>
> "É essa."
>
> Eu falei: "Qual a diferença que você sentiu? Porque para mim já está tudo rodando".
>
> "É essa, vamos lá dentro ouvir."
>
> Quando começou e chegou a minha entrada, ele falou: "Aah, você botou o tabuleiro todo na cabeça, tá tudo certo, era isso que eu queria".

Ele me chamava da maneira mais estranha e mais esquisita que alguém me chamou: Mary Béti. Brincou muito e ficou muito feliz com o resultado e eu fiquei felicíssima. Eu adoro aquela gravação, João me botou pelo avesso. Nelsinho Motta escreveu um artigo: "Atenção para a voz de Maria Bethânia: vocês vão ver outra mulher, outra cantora".[22]

Se os preparativos para o disco consumiram três meses, as seis músicas com vozes e violão foram gravadas em três sessões. Com a fita na mão, Guto embarcou para os Estados Unidos a fim de se encontrar com o maestro Johnny Mandel, que havia feito os arranjos da orquestra a serem acrescentados em Los Angeles. Trabalharam de segunda a sexta-feira, gravando primeiro os sopros, depois o baixo (Jim Hughart) e a bateria, depois a flauta, depois as cordas e por fim detalhes de percussão com Paulinho da Costa. No sábado e domingo foi feita a mixagem; em uma semana o disco estava terminado. Terminado em termos, pois ao ouvir a fita no Rio, João resolveu remixar muita coisa. Tirou um clarinete da faixa "Disse alguém", alegando que desviava a atenção. Não gostou de um sininho no final de "Nanã". "Ele tinha razão no que pedia", assinala Guto.[23]

Em meio a um grande frisson da imprensa, o disco foi finalmente lançado. "Nove meses de gestação, e o disco ainda não chegou às lojas. Muito mistério, repertório guardado em segredo até poucos dias atrás, todos os estranhos proibidos de entrar no estúdio de gravação. Primeira apresentação pública através de uma rádio do interior, de Aparecida, escolhida não se sabe exatamente por que motivos", saiu no *Jornal da Tarde*.[24] Mas é claro o porquê: o disco foi ouvido pela primeira vez em rádio no dia 25 de maio através das ondas da Rádio de Aparecida do Norte, no Vale do Paraíba. Fazia todo sentido, pois era ali que estava a imagem de Nossa Senhora Aparecida, a santa negra padroeira do Brasil. E qual o título do disco? *Brasil*.

Os discretos arranjos de Jonnhy Mandel cooperam na medida certa para o que pode até ser abreviado numa única frase: são quatro João Gilberto cantando pelas vozes de Gil, Caetano, Bethânia e do próprio. "O coro chega a quatro gargantas — mas o disco *Brasil*, que também reúne as privilegiadas cordas vocais de Gilberto Gil, Caetano Veloso e Maria Bethânia, parece obra única e exclusiva do ventríloquo João Gilberto", diz Tárik de Souza.[25]

João sabia encontrar cantores dispostos a ir até onde ele ia, que se incorporavam à sua voz e soavam como ele. Louis Armstrong tinha isso, me disse Gary

Giddins, um dos maiores críticos de jazz da atualidade: "Quando em 1928 ele gravou 'Too Busy' com uma cantora chatinha que não suingava, Lillie Delk Christian, enquanto ela canta a música toda, ele fica imóvel. Depois ele inicia um solo, e nos primeiros compassos se percebe que ela não tinha noção do que estava acontecendo. Quando volta a cantar e sola de novo, ela suinga pela primeira vez na vida!".[26]

É uma espécie de mimetização que se apossa de cantores experimentados como Gil e Caetano, a ponto de ser difícil distinguir quem está cantando o quê, logo que se ouve a primeira faixa. A "Aquarela" é exaltada à moda joãogilbertiana: entra direto, dispensando as exclamações "Brasil" e "Pra mim". Também corta o "deixa" do verso "Deixa cantar de novo o trovador". João jogava fora palavras que intrincavam versos. Não é o caso de "Bahia com H", que ele adorava cantar por descrever lindamente a cidade de Salvador.

As três vozes masculinas se confundem noutras faixas. Afinal, quem é quem nesse disco? Em "No tabuleiro da baiana", João e Bethânia contam logo o que a baiana tem em seu tabuleiro: "No tabuleiro da baiana tem/ vatapá, oi/ caruru/ mungunzá, oi/ tem umbu/ pra ioiô". João faz um pedido: "Se eu pedir você me dá/ O seu coração/ seu amor de iaiá?". Bethânia não abre o jogo, mas acena com esperança: "No coração da baiana tem/ sedução/ canjerê/ ilusão/ candomblé/ Pra você". João tenta convencer: "Juro por Deus/ pelo Senhor do Bonfim/ Quero você, baianinha/ inteirinha pra mim". Bethânia previne, cautelosa: "Sim, mas depois/ o que será de nós dois?/ Seu amor é tão fugaz/ enganador". João faz juras e promete: "Tudo já fiz/ fui até num canjerê/ Pra ser feliz/ Meus trapinhos juntar com você". Bethânia arremata com a velha história: "E depois, vai ser mais uma ilusão/ Que no amor quem governa é o coração".

As três vozes em uníssono no fox "All of Me", vertido por Haroldo Barbosa, soam como um trio do mesmo cantor dobrando a própria voz. A impressão que se tem, como destacou Sérgio Vaz no *Jornal da Tarde*, "é de que na verdade trata-se de um disco apenas de João Gilberto".[27]

Em agosto de 1981, São Paulo teve o privilégio, nunca mais repetido, de assistir de um só golpe os dois maiores cantores do planeta: de 13 a 16, Frank Sinatra, na grande sala de eventos do hotel Maksoud Plaza; de 21 a 23, João Gilberto, no Municipal. É mole?

João voltava ao Municipal de São Paulo para três espetáculos que celebravam os setenta anos do teatro. Promovido por seu empresário Krikor Tcherkesian, o show não apresentaria João sozinho, mas com uma pequena orquestra de cordas (oito violinos, quatro violas, dois violoncelos), contrabaixo, duas flautas e um sax tenor, dirigida pelo violonista e arranjador paranaense Waltel Branco. Casa cheia mais uma vez, aplausos intensos à sua entrada às 21h45, terno cinza, a família Buarque de Holanda na plateia e o silêncio respeitoso de três anos atrás. Ele ataca "Canta, Brasil", enveredando pelo repertório dos dois discos mais recentes.

Tudo corria a contento, menos o som: "Amigo do som, abra um pouquinho a voz", pediu na primeira vez. "Não tenho ideia do que estou cantando", disse depois de pedir desculpas ao público. "Morro de vergonha de vocês. A orquestra não pode me escutar. [...] Até porque nós temos uma música muito bonita e ela precisa ser bem ouvida." Assim, com reverberações à beça, confirmando tudo que ele disse, o espetáculo seguiu.

Nesse dia houve uma bela surpresa: João cantou "Minha casa", de Joubert de Carvalho: "Minha casa é tão bonita/ que dá gosto a gente ver/ Tem varanda, tem jardim [...]. Minha casa que tem tudo/ Tanta coisa de valor/ Minha casa não tem nada/ Vivo só, não tenho amor". Ao que se saiba, ele nunca mais cantou a canção lançada por Sílvio Caldas. Da mesma forma que nunca mais cantou "Estate" como naquela noite, acompanhado por um querido saxofonista da cidade, o admirável Bolão, Isidoro Longano. Próximo do final, João comunica: "Vou apresentar a vocês uma menininha muito bonitinha", e anuncia a entrada de Bebel para cantar com o pai "Joujoux e balangandãs", "O que é o que é", "Curare", "Linda flor" e "Lua e estrela", de Vinicius Cantuária. Dessa vez Bebel pôde fazer um mini-show. O espetáculo se encerrou com "Chega de saudade", com pai e filha juntos.[28]

No período com o Garotos da Lua, João Gilberto costumava se encontrar num bar da Cinelândia com Severino Filho, o líder dos Cariocas. João tinha consciência de que nem seu modo de cantar nem seu violão estavam cristalizados. "Severa", dizia a Severino Filho, "eu gostaria de cantar de uma maneira diferente, como se fosse um instrumento."[29]

Músicos cantam de maneira diferente da maioria dos cantores, os chamados canários. Como em geral eles têm noção mais desenvolvida de tempo e divisão, conseguem se desprender do rigor rítmico, avançando ou retardando certas notas ou frases da melodia, parecendo não se importar com esses atrasos ou avanços, pois sabem que chegarão juntos quando necessário, valendo-se de uma pausa, ou acelerando frases melódicas. Era o que Orlando Silva fazia, embora não fosse músico.

Ao despir-se dos artifícios de cantores de sua época, João não foi entendido por aqueles que sentiam falta daquilo a que estavam acostumados, os arroubos herdados do bel canto. Ele não alongava as notas desnecessariamente, emitia a nota seca como o trompetista Chet Baker, que cantava com a concepção de um músico, um músico-cantor.

João aboliu os vibratos, trunfo trivial entre cantores da época. Até mesmo os vibratos de Orlando Silva ficaram de fora. Em sua concepção, não havia lugar para o drama: João sempre foi antidramático, eliminava o superficial, só se atendo ao essencial. Nesse ponto ele parece o pianista Thelonious Monk, que "tocava só o necessário, o essencial. Não tinha conversa jogada fora. Não tinha um floreio. Quando tinha, era, a meu ver, uma coisa altamente pensada", como certa vez ponderou o violoncelista Jacques Morelenbaum.[30]

Houve quem reagisse aos primeiros discos de João Gilberto comparando seu estilo ao do extraordinário cantor dos anos 30, Mário Reis. Quando Mário gravou em dupla com o maior cantor brasileiro de então, Francisco Alves — que ainda estava sob os eflúvios do gênero lírico e era alcunhado, não sem razão, de "O Rei da Voz" —, aconteceu o que poucos esperavam: foi Chico quem teve a argúcia de se adaptar ao estilo de Mário, e não o contrário. O segredo de Mário, captado rapidamente por Chico Alves, estava em seu modo coloquial de cantar, associado a uma divisão rítmica mais leve. "Silábica", como ele próprio definia.

Para muitos, João Gilberto parecia uma edição modernizada de Mário Reis, ressaltando mais a clareza de voz do que o volume, cantando "bem baixinho", como era dito desdenhosamente, em descrições inconsistentes. Nesse aspecto ambos tinham a ótica de interpretação de um cantor-músico que prefere a delicadeza. A comparação com Mário Reis dá para entender, mas dizer que João era uma nova edição dele não procedia.

Sua grande admiração era mesmo por Orlando Silva: "Ele foi o maior cantor do mundo em sua época. Sabia falar as frases com naturalidade e não exagerava em nenhum ponto da música", declarou João a Tárik de Souza.[31] Ao empregar o verbo "falar" e não "cantar", João Gilberto dá uma dica do que mais valoriza num cantor: saber falar. A outra: não exagerar em nenhum ponto da música. João Gilberto canta como quem fala, não reforça uma sílaba ou uma palavra. "Qualquer saliência do conteúdo, no sentido de apresentar mensagens paralelas com peso extramusical, é motivo suficiente para João rejeitar a canção ou, no mínimo, praticar sua 'censura estética', eliminando um trecho ou outro", comentou com muita propriedade o compositor e músico Luiz Tatit.[32]

João tem uma declarada preocupação em projetar a voz de maneira clara e delicada, com uma dicção impecável e sem qualquer sotaque baiano. Seus "esses" não têm som de "xis", são sibilantes, fazendo jus à condição de fricativas surdas (como em "sussurro") ou zunindo quando fricativas sonoras (como em "Brasil"). Em seu perfeccionismo, emite cada palavra com o peso inteiro de seu significado e de sua sonoridade.

Ao se julgar as virtudes de um cantor, afora a dicção, o ponto nevrálgico a ser considerado costuma ser a afinação. Da mesma maneira que o público e até parte da imprensa deduziu que Juca Chaves era um cantor de bossa nova quando gravou "Presidente bossa-nova", houve quem dissesse que João Gilberto desafinava por ocasião de seu segundo disco, *Desafinado*. Foram induzidos a essa conclusão porque nas notas da palavra "desafino" no primeiro verso da canção havia um intervalo musical estranho para a época, dando aos menos familiarizados a falsa sugestão de que havia qualquer coisa errada, possivelmente uma desafinada do cantor. Esse engano enraizado de desafinação e uma marcação cerrada contra a "vozinha fina" redundaram numa birra sistemática que marcou João Gilberto como um cantor "nhém-nhém-nhém". Sua precisão era de tal ordem que não havia mesmo como discutir sua afinação. Podia-se até temer que, ao iniciar uma interpretação numa tonalidade muito grave, ele não conseguisse alcançar a nota, mas sua afinação, beirando o sussurro, seguia impecável.

João Gilberto prefere tons os mais grave possível, basta lembrar a gravação de "No tabuleiro da baiana" com Bethânia. Pouco a pouco ele foi baixando o tom até ela reclamar que não dava mais. Foi então que ela chegou aonde ele queria que chegasse. E procedia assim consigo mesmo. Donde a necessidade de ouvir João atentamente antes de proclamar que ele não alcança determinada nota muito grave. Engano. Alcança, sim, e busca o limite dos graves, em proveito da interpretação.

Outro traço do canto de João está na expectativa, sempre contemplada, de como ele vai desenvolver as frases de uma música antiga, esquecida. Como um Orlando Silva mais ousado, João introduz elementos de elasticidade e flexibilidade vocais por meio de rubatos (*ritardandos* e *accelerandos*), ou de suspensões. Retardando sílabas ou frases, ele deixa o violão seguir adiante para alcançá-lo mais pra frente; outras vezes antecipa-se, emendando versos um no outro, fora do lugar em que deveriam estar, e a voz fica à espera da chegada do violão para seguirem juntos.

Em nenhum dos casos o canto fica deslocado em relação à harmonia do violão. Em sua versão da canção de Cole Porter, "You Do Something to Me", do disco *João*, João provoca uma compressão da frase inicial correndo nos versos *"You do something to me/ something that simply mystifies me"* para deixar que o violão e orquestra aproveitem preenchendo o que ficou faltando. E o faz de um modo tão bem-proporcionado que não se dá pela falta de qualquer espaço quando chega o verso seguinte *"Tell me, why should it be..."*. A sensação é que João muda a estrutura da música, levando-a em compasso 2 por 4, e não 4 por 4 como o original.

A elucidação de Lorenzo Mammì, no sentido de que "a variação das inflexões da voz cria a ilusão de um registro melódico completo", é complementada por seu enfoque sobre esse aspecto:

> A intuição fundamental de João Gilberto, ao contrário, é que este rubato pode ser empregado de forma não dramática, estrutural. Distribuindo os dois caracteres básicos e complementares da prosódia brasileira, acentuação marcada e articulação frouxa, em dois planos distintos, o da batida sincopada do violão e o da emissão vocal ininterrupta, João Gilberto cria uma dialética suficiente para transformar a melodia num organismo que se autossustenta, que não precisa de apoios externos para se desenvolver. Não podemos dizer, de fato, que o canto de João Gilberto se apoie sobre os acordes do acompanhamento. Muitas vezes, o que se ouve é o contrário, acordes pendurados no canto como roupas no fio de um varal.[33]

Caso o ouvinte não esteja inteiramente concentrado em cada uma das três ou quatro vezes que João costuma interpretar uma canção, suas preciosas e sutis criações não serão percebidas e podem dar a falsa impressão de que ele se repete, cantando sempre da mesma maneira. As pinceladas do gênio, justamente, passam então ao largo. Sou levado a crer que a mais detalhada declaração que João tenha feito sobre seu modo de cantar esteja na entrevista concedida ao jornalista Tárik de Souza à revista *Veja* de 12 de maio de 1971:

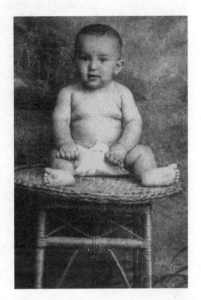

João Gilberto Prado Pereira de Oliveira nasceu em 1931 e cresceu em Juazeiro durante o auge da era do rádio, cujos sucessos ouvia nos alto-falantes espalhados pela cidade.

Os Oliveira reunidos em torno do avô paterno de João, com quem está abraçado, em seu batismo em Juazeiro.

Joãozinho (à direita) posa com os irmãos Vavá (Ederval) e Dedé (José Eurico). Ainda bem menino, o futuro astro da MPB já cantava na rua, sentado sob o tamarindeiro da praça.

Franzino e avoado, Joãozinho foi criado no rigor do catolicismo sertanejo, aqui em sua primeira comunhão. Já adulto ele se definiria como "católico apostólico romano", devoto de santa Clara, bem como próximo do misticismo hindu.

Os seis irmãos reunidos. Da esquerda para a direita: Vavá, Dedé, Dadainha (Maria da Conceição), João e Jovino. Sentada, a caçula Vivinha (Maria Olivia).

Em março de 1959, João Gilberto havia acabado de gravar seu primeiro LP pela Odeon, *Chega de saudade*, mesmo título da canção-síntese da bossa nova com que revolucionou o som e o sentido da música brasileira.

Jorge Amado foi padrinho de casamento de João e Astrud Gilberto, em 1959. Baiana como o músico e o escritor, Astrud não era cantora profissional até estourar ao lado do marido nos Estados Unidos.

Com Nara Leão (ao centro) no Arpoador, em novembro de 1959. A revista *Manchete*, que organizou este ensaio fotográfico com o cantor rodeado de beldades, assim descreveu a cena: "João Gilberto canta e as meninas suspiram".

O histórico show com Vinicius de Moraes, Tom Jobim e Os Cariocas na casa de espetáculos Au Bon Gourmet, em 1962. Apesar dos contratempos da produção, o encontro foi um sucesso e lotou a casa por seis semanas. Na noite de estreia, os músicos e o produtor Aloysio de Oliveira (abraçado a Tom Jobim) celebram a presença de Dorival Caymmi.

À testa de uma trupe de músicos brasileiros, João e Tom se apresentaram no prestigioso Carnegie Hall de Nova York, em novembro de 1962. Na foto, ensaiam com o saxofonista Stan Getz, com quem gravariam o maior sucesso internacional da bossa nova.

No Carnegie Hall, em 1962. Com um violão emprestado por Billy Blanco, interpretou "Samba da minha terra" (com Milton Banana), "Corcovado" e "Desafinado" (com Tom Jobim).

Embora tenham se separado em 1964, Astrud e João continuaram amigos até o fim.

Em 1965, João Gilberto veio ao Brasil com a esposa Miúcha, como convidado especial do programa *O Fino da Bossa*, de Elis Regina, gravado em São Paulo.

Recém-chegado do exílio em Londres, em agosto de 1971, Caetano Veloso estrelou um especial da TV Tupi ao lado de Gal Costa e João Gilberto. No intervalo das gravações, João e Caetano jogaram uma partida de pingue-pongue, esporte predileto do compositor de "Bim bom".

Com Vinicius de Moraes em Salvador, 1974. *Chega de saudade*, seu primeiro disco solo, tem composições de Tom Jobim e o poeta. Segundo Tom, o título da canção-tema vem de Vinicius: "Ele fazia umas coisas assim".

Em junho de 1980, com Bebel em um especial na TV Globo. O show, que levava seu nome completo, misturou clássicos, faixas do disco *Amoroso* (1977) e novidades, como "Menino do Rio" e "Curare". Com a filha, estreante nos palcos, cantou "Chega de saudade". Com Rita Lee, cantou e dançou uma velha marchinha de Lamartine Babo.

Nos últimos anos da ditadura, o Festival de Águas Claras foi um ponto de encontro de diversas tribos musicais na fazenda Santa Virgínia, no interior de São Paulo. João Gilberto topou se hospedar num hotel modesto e entrou no palco às cinco e meia da manhã para encantar uma plateia de dezenas de milhares de pessoas. O público, acostumado a barulhos mais proeminentes, aos poucos foi silenciando para a voz e os acordes suaves de João.

Dono de ouvido absoluto e exímio músico de estúdio, João Gilberto sempre exigiu de seus produtores os melhores técnicos e equipamentos de som, nem sempre com sucesso. Quase trinta anos depois da estreia na Odeon, ele se preparava para gravar *João* pela Polygram.

"Oi, Tonzinho": Depois de décadas sem se apresentar ou gravar juntos, João e Tom dividiram o palco do Theatro Municipal do Rio de Janeiro, no final de 1992.

Em setembro de 1999, na apresentação inaugural de uma casa de shows em São Paulo, que o reuniu com Caetano Veloso, mestre e discípulo, para um duo de voz e violão. Ao reclamar veementemente de problemas técnicos de som, João irritou a plateia estrepitosa e desatenta, que o vaiou. "Vaia de bêbado não vale", ele rebate, e o show vai para as cucuias.

Em 2008, a bossa nova completou cinquenta anos, contados a partir do lançamento de *Chega de saudade*. João Gilberto voltou aos palcos de São Paulo, Rio e Salvador, cujo resultado artístico foi impecável. No Rio (foto), conversou e cantou com a plateia. Depois de Salvador, não subiu mais aos palcos.

Com a irmã caçula, Vivinha. João Gilberto visitou Juazeiro diversas vezes depois de se tornar uma estrela: "Ele sempre vinha, ficava dentro de casa e quando chegava umas dez, onze horas da noite, ele saía para ir comer sarapatel, buchada".

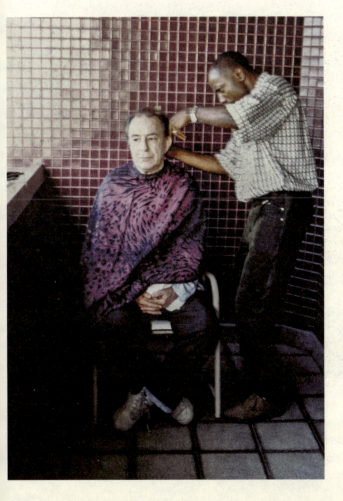

De volta ao Brasil desde os anos 1980, João Gilberto morou no Rio até sua morte, em 2019. Na cidade, viveu como um recluso, e o folclore de suas excentricidades era extenso. Sempre encomendava as refeições no mesmo restaurante e não saía de casa nem para cortar o cabelo.

João Gilberto sempre se sentiu em casa em Nova York, onde despontou como celebridade mundial e gravou discos antológicos. Aqui, de pijama, posa com seu inseparável violão Di Giorgio, modelo Tárrega, depois da exitosa aparição no JVC Jazz Festival, no Carnegie Hall, em junho de 2000.

Uma das músicas que me despertaram, que me mostraram que [eu] podia tentar uma coisa diferente foi "Rosa morena", do [Dorival] Caymmi. Sentia que aquele prolongamento de som que os cantores davam prejudicava o balanço natural da música. Encurtando o som das frases, a letra cabia dentro dos compassos e ficava flutuando. Eu podia mexer com toda a estrutura da música, sem precisar alterar nada.

Outra coisa com que eu não concordava eram as mudanças que os cantores faziam em algumas palavras, fazendo o acento do ritmo cair em cima delas para criar um balanço maior. Eu acho que as palavras devem ser pronunciadas da forma mais natural possível, como se estivesse conversando. Qualquer mudança acaba alterando o que o letrista quis dizer com seus versos.

Outra vantagem dessa preocupação é que às vezes você pode adiantar um pouco a frase e fazer [...] com que caibam duas ou mais num compasso fixo. Com isso pode-se criar uma rima de ritmo. Uma frase musical rima com a outra sem que a música seja artificialmente alterada. Geralmente o cantor se preocupa com a voz emitida da garganta e sobe muito, deixando o violão — ou qualquer outro instrumento de acompanhamento — falando sozinho lá embaixo. É preciso que o som da voz encaixe bem no do violão, com a precisão de um golpe de caratê, e a letra não perca sua coerência poética [...]. Ele [dr. Pedro Bloch] me ensinou a usar a respiração de uma forma que ela não interferisse na pronúncia das palavras. Cada letra, inclusive, conforme pronunciada, usando mais a garganta ou o nariz, pode dar um efeito diferente dentro da música.

Foi a articulação vocal de João Gilberto o que mais chamou a atenção do crítico do *New York Times* John S. Wilson ao vê-lo no Rainbow Grill em 1968, quando ele comentou que "o único aspecto mais expressivo de Mr. Gilberto é seu rosto, que de repente desmorona como se prestes a chorar e, no instante seguinte, irrompe num sorriso ensolarado, as sobrancelhas subindo e descendo de modo cadenciado".[34] Outra importante virtude de João Gilberto era nunca enfeitar as notas com *acciacatura* — uma escorregada ascendente até atingir a nota desejada. Cada nota vinha seca, sem nenhum tipo de ornamento que pudesse sujar sua pureza cristalina. João aboliu por completo esse procedimento tão comum e deselegante.

Nat King Cole, um dos maiores cantores norte-americanos da história, nunca se servia do volume para imprimir sentimento à interpretação. João seguia a mesma cartilha: sem arroubos, sua interpretação é direta, dispensa qualquer recurso vocal que se sobreponha à canção em si. E é uma preocupação que vem de longe, como revela Ronaldo Bôscoli:

> Meu edifício tinha um pátio interno em U, de forma que você abria a porta e estava diante das portas de todos os outros apartamentos. [...] João Gilberto ensaiava no corredor, tentando emitir a voz para o mais longe possível sem aumentar o volume.
>
> "Eu tenho que rasgar o ar com minha voz, sem essa bobagem de vibrato. Vibrato são sempre duas notas... Agora vou lá pra fora e você vê até onde dá para ouvir." [...]
>
> Se passasse o general, nosso síndico, João simplesmente o cumprimentava, com toda gentileza: "Bom dia, general. Vai bem? Com licença, estou ensaiando".
>
> Lembro que João conseguiu se afastar cerca de dez metros no corredor, emitindo "O pato" de forma perfeitamente audível, sem aumentar o volume da voz.[35]

João despiu-se dos artifícios dos cantores e por isso não foi entendido por quem sentia falta daquilo a que estava acostumado, os arroubos dos cantores de vozeirão. Ele não soltava a voz, não alongava notas desnecessariamente — criou um modo de interpretar que deixou boquiabertos músicos e cantores norte-americanos. Quando perguntaram a Tony Bennett qual era seu cantor favorito, ele respondeu na lata: João Gilberto.[36]

O admirável músico Edson José Alves, com a habitual calma que conservou por toda a vida, disse: "João canta de um jeito que você não acha o chão do que está cantando. Ele brinca com a divisão, com síncopes, atrasa ou adianta a melodia, fica dançando com a melodia e a harmonia. Voz e violão. As duas em envolvimentos separados. A dança da melodia com a harmonia".[37]

# 11. A dança da melodia com a harmonia

Quando um cantor se serve do violão para se acompanhar — um seresteiro como Sílvio Caldas, por exemplo —, ele tem no instrumento um complemento para a voz, um guia para não se perder na linha melódica e ajudar na afinação. Para ele, o instrumento é mais importante do que para a maioria das pessoas. Para a plateia, o violão fica em segundo plano.

Em João Gilberto, o violão era a metade de um conjunto sonoro completado pela voz, formando um bloco, uma entidade unívoca de voz *e* violão, e não de voz *com* violão. Era um outro conceito, representado por dois timbres diferentes, a voz humana e as cordas do violão, formando um terceiro timbre que exige muita concentração para ser percebido.

Essa entidade sonora volátil e magistralmente bem-proporcionada era o universo de João, era como ele via uma canção, como concebia uma interpretação, como a música existia em sua obra. Sua capacidade de sublimar canções lhe permitia transformar até o "Atirei um pau no gato" em algo novo, nunca ouvido antes, sem ferir o espírito do original.

Ao vivo, seu repertório se distribuía em dois grupos. Os clássicos, canções que ele lançou e que valiam pela riqueza renovada de informações musicais a cada interpretação, numa recriação da recriação. Era o caso de "Desafinado", a música que ele mais gravou, e sempre uma novidade aguardada na expectativa de ouvir aquela interpretação. O outro grupo eram as gemas que João retirava de sua arca, deixando as pessoas maravilhadas. Em geral eram velhos sambas ou marchas dos conjuntos vocais, inteiramente recompostos na sonoridade voz-e--violão de João, as assim chamadas interpretações joãogilbertianas.

Ouvir as gravações originais e em seguida as versões de João é uma experiência inopinada, pois fica patente a carga de informação que ele acrescenta. Ele decompõe a canção frase por frase, acorde por acorde, e a reconstrói como um artesão, num objeto sonoro uno.

Longe das exigências de algumas estrelas do show business, João tinha uma só e dela não abria mão: a qualidade da sonorização. Irrepreensível, no mínimo. Voz e violão perfeitamente equilibrados, audíveis de qualquer ponto, com um retorno perfeito. Ele não aceitava o quase perfeito. Seu apuro auditivo era de tal ordem que ele conseguia detectar em instantes o que os técnicos só percebiam depois de terem sido alertados por ele.

Sua notória preocupação com a sonorização em espetáculos não era com o volume do violão e voz. Era com a clareza, a pureza, a definição e o equilíbrio entre sons agudos, médios e graves, com as frequências harmônicas, como se os sons da voz e do violão pudessem ficar próximos da plateia. Ele teria gostado de chegar ao ouvido de cada um como se estivesse a centímetros de distância. Aliás, existem ambientes onde um ator ou cantor, mesmo falando relativamente baixo, consegue ser ouvido nitidamente a grande distância, como se estivesse ao lado do espectador. É uma das surpresas de que se gabam os guias turísticos nas visitas a certas arenas e teatros gregos do passado.

Quando a sonorização está perfeitamente ajustada, o cantor consegue manter a ilusão de que numa sala com mais de mil pessoas, ele parece estar à frente de cada espectador. Nessas condições, um espetáculo de João Gilberto era uma inesquecível experiência de integração entre o artista e a plateia, hipnotizada pela magia de seu som.

Nada disso passou pela cabeça de alguns dos convidados da tv Bandeirantes para a gravação do especial de Natal *João: A Arte e o Ofício de Cantar*. Em 13 de dezembro de 1982, uma segunda-feira, o Teatro Cultura Artística estava com sua lotação de 1156 poltronas ocupada por um público supostamente sequioso por assistir a arte de João Gilberto. Pelo andar da carruagem, porém, tudo indicava que havia dois tipos de convidados.

Marcado para as nove da noite, parte do público foi se irritando e manifes-

162

tou esse descontentamento como de praxe: palmas ritmadas e assobios, aviõezinhos e bolinhas de papel arremessados no palco. A moça da emissora que pediu "paciência, gente, só mais um minutinho" levou a vaia que entornou o caldo. As reclamações foram ficando francamente hostis, as pessoas berravam palavrões e diziam "isso só acontece no Brasil", conclamando a uma debandada generalizada. Outra parte do público pedia respeito para o maior artista brasileiro e garantia que "esperaria a noite inteira se preciso fosse".

Foi nesse ambiente dividido entre os que queriam ouvir João e os exaltados e raivosos que urravam de pé nas poltronas, numa perfeita reedição das vaias dos festivais da TV Record, que, às dez e meia, João apareceu no palco imaginando que o público se acalmaria. Nada disso. A gritaria continuava. João sentou no banquinho, ficou imóvel, o olhar perdido, fixo no vazio, sem a menor ideia do que se passava. Aguardou alguns instantes e perguntou: "Pera aí, é vaia ou aplauso?". Assim que ouviu alguém responder, levantou e saiu. Krikor Tcherkesian entrou em cena, foi ao microfone e passou uma descompostura:

> Estão de parabéns! Conseguiram desrespeitar o maior patrimônio da cultura brasileira. Vocês estão de parabéns. Vocês conseguem destruir todos os grandes valores que estão neste país. Vocês estão de parabéns. Vocês têm que ser alienados. Vocês têm que aplaudir tudo de segunda categoria. O senhores foram convidados para ver um grande espetáculo da música popular brasileira. Os senhores não foram convidados para assistir um show qualquer. Os senhores precisam se preparar [...] os senhores vão passar e ele vai ficar.

Mesmo com esse sermão a gritaria não cessou. Alguém da Bandeirantes tentou acalmar as pessoas, em vão. Um dos motivos do atraso teria sido o pedido de última hora de João por uma camisa azul tamanho 3, um barbeador elétrico, um par de sapatos e uma gravata rosa, o que só foi possível encontrar na loja de departamento Mappin, felizmente aberta àquela hora.[1]

Depois que os bronqueados saíram, João entrou de novo, acomodou-se e, decerto pensando nos que resistiram, mandou ver a primeira:

*Chegou a hora dessa gente bronzeada mostrar seu valor*
*Eu fui à Penha, fui pedir a padroeira para me ajudar*
*Salve o morro do Vintém, pendura a saia, eu quero ver*

*Eu quero ver o Tio Sam tocar pandeiro para o mundo sambar*
*[...]*
*Há quem sambe diferente noutras terras, noutra gente*
*Num batuque de matar.*

Nesse verso cantou "Num barulho de matar". Ainda sobravam murmúrios e ruídos dos aparatos da televisão que atrapalhavam a concentração de João Gilberto, que falou: "Não acho vocês culpados, não. Agora, eu também não sou". Sentindo o ambiente mais tranquilo, ainda de cabeça baixa ele disse: "Sabem, eu estou esperando mais que vocês... cantar para mim é uma coisa sagrada, não pode ser assim".

Acompanhado da orquestra dirigida pelo maestro e arranjador Waltel Branco, João adicionou pérolas que não constavam de seus shows pregressos: "Feitiço da Vila", "Louco", "No rancho fundo", "Saudosa maloca", "Boa noite amor", "Valsa da despedida" e a mais bela canção brasileira de Natal, "Boas festas", de Assis Valente, um número de encerramento perfeito para aquele dezembro. "Fez um espetáculo lindo, único, que emocionou os que tiveram sensibilidade para entender o imprevisto e se mantiveram firmes à espera do show."[2]

Um dos produtores do especial levado ao ar no sábado, 18 de dezembro de 1982, justificou o cenário despojado: "A Bandeirantes não pode mesmo competir com a Globo". Fernando Faro e Antônio Abujamra, diretores do programa, planejaram tomadas para compor com as gravações do Cultura Artística. Cenas no apartamento do colecionador Miécio Caffé, uma interpretação de Ney Matogrosso cantando "Curare" com João ao violão, ele próprio cantando "Bastidores" na casa dos Buarque de Holanda ao lado de Miúcha e do cunhado Chico Buarque, e "Ave-Maria no morro", cantada na catedral da Sé.[3]

As reações de parte da plateia do Cultura Artística revelam que a arte de João ainda estava longe de ser desfrutada devidamente, a despeito da consagração ao redor do mundo.

Quem vai a Roma pela primeira vez, ao pisar o chão de um povo que marcou a história do Ocidente tem a impressão de viajar no tempo — o Coliseu dos combates entre gladiadores, o Fórum, centro dos debates políticos, culturais e econômicos. E as corridas de bigas e os espetáculos para 300 mil romanos acomodados na arquibancada do Circo Massimo, reduzido a ruínas. Nessa pista de seiscentos metros foi armado o palco para os shows *Bahia de Todos os Sambas*, bancados pela prefeitura da cidade em cooperação com o Consorzio Samba.

Em pleno verão europeu de 1983, aterrissou no Aeroporto de Fiumicino a caravana formada pela nata dos artistas baianos para esse monumental evento de oito dias, de 23 a 30 de agosto: Dorival Caymmi, Batatinha, Gilberto Gil, Caetano Veloso, Gal Costa, Maria Bethânia, João Gilberto, Moraes Moreira e o Trio Elétrico Dodô e Osmar. O jornal *Il Messaggero* previu *"sucesso assicurato"*, considerando o tremendo scratch de craques, já que a imprensa italiana recorreu aos jogadores de futebol Falcão, Zico e Toninho Cerezo que jogavam na Itália para *"il felicissimo connubio tra Roma e il Brasile"*.[4]

Na noite quente de 30 de agosto, o evento chegaria ao ponto culminante, o show de João Gilberto, visto por 15 mil pessoas, possivelmente a maior plateia que ele teve até então. Sentado num banco de piano, calça e paletó cinza, sem gravata, João dá início ao concerto de encerramento a ser transmitido pela RAI. Sem muitos sorrisos, canta de enfiada "Doralice", "Desafinado" e, começando pela segunda parte "porque estou tão sozinho…", "Garota de Ipanema", que a plateia só reconhece quando chega ao início, "Olha que coisa mais linda…". Parece se soltar um pouco no "Tim-tim por tim-tim", quando pela primeira vez as câmaras mostram a plateia. Até então a direção de tevê tinha alternado cenas das ruínas romanas com as de João cantando, perdendo nesses cortes escolhidos a esmo suas expressões fisionômicas, seu dedilhado, o essencial da figura central.

Após uma excepcional "A primeira vez", ante a divisão inteiramente diferente da gravação original, João se dirige ao público pela primeira e única vez: "Eu vou lhes apresentar *adesso* mia filha Isabel", ao que Bebel, vestida de branco, caminha até o centro do palco e volta para buscar a cadeira onde senta para o "Chega de saudade" interpretado em afinação impecável e visivelmente mais à vontade que em shows anteriores. Ao final, cantando juntos, recebem calorosa salva de palmas. No número seguinte, "Wave", ele é acompanhado pela Nuova Orchestra da Camera di Roma — cordas, harpa, flauta e saxofone —, dirigida por Waltel Branco. Novamente a mesma desconexão aleatória dos cortes na TV, agora variando entre flashes dos músicos e o protagonista. Sempre em desconexão com o conteúdo musical. Enquanto se ouve o solo do sax em "Wave", as câmaras mostram desatentamente violinos e violoncelos. Uma canção italiana, "Estate", tinha de ser *per forza* a escolhida para finalizar o espetáculo de uma hora e 45 minutos. "João [...] caminhou apressado na direção da porta de saída, entrou num automóvel que o esperava e desapareceu." Ao único jornalista que conseguiu trocar duas palavras com ele, só fez uma declaração: "Estou feliz. O público foi lindo, muito lindo", destacou o correspondente do *Jornal do Brasil*, Araújo Neto, na matéria cujo título definiu com exatidão: "A austera (mas aplaudida) noite de João Gilberto em Roma".

Em flagrante disparidade, o mais improvável show na carreira de João Gilberto também aconteceu em 1983. As condições adversas eram tantas que pareciam apropriadas para um João Gilberto pelo avesso.

O show de Águas Claras tinha plateia de roqueiros barulhentos e hippies da contracultura se protegendo da chuva e do frio intenso num descampado enlameado, sem o menor conforto, assistindo de pé a exaustiva sequência de shows que precedia a última atração da noite, pouco antes do amanhecer. João Gilberto topou enfrentar isso tudo, fechou contrato e compareceu feliz da vida sem se importar em não viajar em carro de luxo.

O Festival de Águas Claras ocorreu pela primeira vez em 1975, em plena ditadura militar, na fazenda Santa Virgínia, no município de Iacanga, bem no centro do estado de São Paulo, a 52 quilômetros de Bauru. Seu criador, Antonio Checchin Junior, conhecido como Leivinha, era filho do dono da fazenda e inventou de fazer um festival monstro inspirado em Woodstock, realizado em 1969.[5] Leivinha também pretendia reunir milhares de jovens que julgava sedentos por um evento descolado, liberal, participativo, que acima de tudo cumprisse o que sua geração mais desejava: paz e amor. Deu certo. Águas Claras cresceu, emplacou e virou um barato.[6]

A galera mergulhou de cabeça. Entorpecentes, bebidas alcoólicas, banhos coletivos no rio com todo mundo pelado, circulação de ideias subversivas faziam parte das manifestações dos 70 mil jovens do underground brasileiro que podiam se esbaldar sem muita repressão das autoridades, por estarem, segundo se disse, no interior do estado. Thiago Mattar, diretor do documentário *O barato de Iacanga*, comentou: "Teve galera infiltrada à paisana e alguns policiais. Nas primeiras edições, eles ficavam ali olhando para todos os lados, tinha gente pelada, gente fumando, mas não faziam nada". A jornalista de Bauru Inês Ferreira, à época estudante, lembra: "Muita gente não pagava, eu não paguei uma vez". Thiago

Mattar continua: "O que unia a gente era o estilo de vida, muito mais que bebidas ou drogas, era estar ali pela música. Você imagina uma multidão de pessoas malucas quietinhas para ouvir o João Gilberto no palco? Era tudo mais filosófico, foi um momento único".[7]

Quando João entrou no palco às cinco e meia da manhã de domingo, 5 de junho, fazia um frio de rachar. De jaqueta roxa e cachecol bordô, não se importou com a zoeira do público, sorriu, sentou num banco de piano e antes de cantar deu um recado: "Vou cantar a primeira música numa homenagem direta a vocês que resistiram bravamente". Mesmo com zoeira fingiu que não ouvia e começou a tocar dois acordes um após o outro, outro após o um, fez um discreto "*psssiu*", persistiu nos acordes, tocando cada vez mais baixinho, e a barulheira foi sumindo junto.

Marcou um gol de placa na primeira jogada: "Isto aqui ô ô, é um pouquinho de Brasil, iáiá/ Esse Brasil que canta e é feliz/ Feliz, feliz/ É também um pouco de uma raça/ Que não tem medo de fumaça/ Que não se entrega, não/ Olha o jeito nas cadeiras que ela sabe dar..." e foi em frente. Nem um pio na plateia. Aplaudido, engatou a segunda, "porque estou tão sozinho/ porque tudo é tão triste...". Quando chegou no "Olha que coisa mais linda/ mais cheia de graça", começaram as palmas no ritmo, depois todos cantaram em coro, e ele sorria feliz. Também cantaram o refrão "Saudosa maloca/ maloca querida". E assim foi, mandou "Eu vou mostrar pra vocês/ como se dança o baião" e mostrou mesmo o baião como nunca se ouviu, os casais abraçadinhos cantavam, aplaudiam entusiasmados, era uma imensidão de gente; "Vou te contar/ Os olhos já não podem ver/ Coisas que só o coração pode entender", e a moçada cantou junto até o fim ganhando aplausos do próprio João Gilberto; "Abre a cortina do passado/ Tira a mãe preta do cerrado", e todo mundo cantando junto mesmo sem a voz-guia, até que chegou "Desafinado". O dia clareava, João omite "isto é bossa nova", e a plateia feliz canta com ou sem ele, mas com o violão de João saía tudo certinho, afinadinho, era uma felicidade sem conta. João se levanta, sai e, atendendo aos aplausos da galera, volta e canta "O pato".

"O sol quase nascendo, um frio de rachar, e o nosso ídolo mandando ver", deixou bem claro o grande produtor de rock Ezequiel "Zeca" Neves. Uma Caravan branca já esperava João, que embarcou e saiu chacoalhando pelo pasto. Setenta mil hippies e roqueiros souberam ouvir e cantar com João Gilberto no Festival de Águas Claras. Melhor que muita gente.

★ ★ ★

No final de 1983, João comemorava 25 anos de carreira com três espetáculos na nova casa de shows de São Paulo, o Palace, erguida onde outrora fora um rinque de patinação, modismo que, junto com a proliferação de boliches, deixava de ser atraente como negócio, enquanto a demanda por casas de show, um tipo de cabaré tamanho GG, crescia. O Palace determinou uma nova forma de entretenimento, e por vários anos predominou na cidade por falta de concorrência. Foi a sala predileta dos shows de grandes cartazes, como Roberto Carlos e Maria Bethânia, e de festivais de jazz.[8] João se apresentou de 3 a 5 de novembro com uma orquestra de cordas e flautas dirigida por Messias Santos Jr., um dos arranjadores.[9]

O método de trabalho era o seguinte: João tocava no violão os acordes que desejava e Messias escrevia as partes de cada instrumento. Com um detalhe: tudo isso era feito por telefone. João estava hospedado no hotel Maksoud e de lá não saía. Messias cortou um doze por dias seguidos, recebendo as instruções no meio da noite.

"Messias, tem um acorde que eu mudei numa música. Você vai ter que mudar."

"Mas o arranjo está pronto, João."

"É, mas esse que eu fiz ficou melhor."

"Tá bom, pode deixar que eu vou mudar."

Messias anotava, colava um pedacinho de papel na parte de cada instrumento, fazendo a alteração. Dois dias depois João ligava: "Messias você já mexeu naquela música?".

"Já, João."

"Então, eu estava pensando bem. Eu não vou mudar não. Vamos deixar como estava."

Só que aí o Messias já não lembrava mais como era a versão anterior...

Como jornalista musical do *O Estado de S. Paulo*, abri a crítica do primeiro dos três shows com este parágrafo:

> Exatamente às 10h15, confirmando a informação dada minutos antes de a cortina ser aberta, João Gilberto entrou no palco do Palace, dirigindo-se rapidamente à banqueta para a primeira música. Atrás, a orquestra espalhada pelo vasto palco, no fundo o cenário de uma calma e bonita paisagem marítima com gaivotas e estrelas.[10]

João cantou "Saudosa maloca" em novo arranjo do lendário Zé Bicão,[11] homenageou os paulistas com o "Dobrado de amor a São Paulo", de Antônio Maria e Vinicius de Moraes, e Mário Reis na marchinha "Voltei a cantar", de Lamartine Babo. Não chegou a gravar nenhuma dessas duas.

[Em] "Chega de saudade" [...] foi acompanhado por um coro baixinho e muito afinado de quase toda a plateia, especialmente por vozes femininas. João abriu-se num sorriso de satisfação com aquela participação descontraída e espontânea, pois a verdade é que o público estava mais afinado que a própria orquestra [...] precisão rítmica, a dicção impecável, a economia e justeza, o uso da voz e do violão como se fossem uma coisa só, que é o som de João Gilberto [...] uma das mais perfeitas obras da arte musical popular que o ouvido humano pode ter o privilégio de ouvir.[12]

É como penso até hoje.

Mas nem tudo são flores. Dando continuidade à comemoração dos 25 anos de carreira, João viajou com quatro dias de atraso para Lisboa em junho de 1984. Ao desembarcar no Aeroporto da Portela, onde já se postavam alguns jornalistas e a equipe da RTP (Rádio e Televisão Portuguesa), ele se limitou a algumas declarações formais. Dessa vez alguém exagerou na dose: a comitiva de João tinha nada menos que dezessete pessoas, alguns sem participação direta no espetáculo, uma caravana da alegria que só foi possível em virtude de a TAP estar envolvida com a ShowBras, promotora do evento.

Seriam três dias de shows no palco do tradicional Coliseu dos Recreios de Lisboa, uma sala circular dominada pela espetacular cúpula no teto, com capacidade para 2800 pessoas distribuídas pela plateia e pelos três níveis das frisas nos anéis superiores. De categoria multifuncional, o popular Coliseu era adequado para espetáculos circenses, óperas, concertos e, a partir de 1980, o preferido por artistas brasileiros.

Uma vez instalado no hotel Penta, João trancou-se em copas, decepcionando parte da imprensa que havia preparado sua primeira vinda ao país com uma ampla cobertura. O atraso da chegada prejudicou o ensaio, o que se fez sentir no espetáculo com a participação de um pequeno coro ao lado da orquestra formada por músicos da Sinfônica de Lisboa e da RDP, Rádio Difusão Portuguesa, dirigida pelo maestro Waltel Branco.[13] No repertório, canções brasileiras e alguma bossa nova. Como se sabe, para João fazia um bocado de tempo que a bossa nova já era, tanto que excluía o verso "que isto é bossa nova" em "Desafinado".

O cubo de madeira branco em que ele, de terno e camisa branca, sentou estava sobre um estrado em forma de estrela de cinco pontas. Os vídeos mostram que João abriu um sorriso de lado a lado na primeira canção. Pudera! Atacou de surpresa "Numa casa portuguesa fica bem [a plateia prorrompe em aplausos calorosos]/ Pão e vinho sobre a mesa/ E se à porta humildemente bate alguém/ Senta-se à mesa com a gente [...] A alegria da pobreza/ Está nesta grande riqueza/ De dar e ficar contente/ Quatro paredes caiadas...". O público, sentindo-se homenageado, bateu palmas no ritmo até terminar. Talvez tivesse sido a primeira vez em muito tempo que "Uma casa portuguesa", sucesso de Amália Rodrigues, voltava a ser cantada ao vivo por alguém diante de uma plateia lotada.[14] João levantou e agradeceu, sorridente. Foi um bom começo. Para ambas as partes.

Os aplausos também foram fartos no início de "Desafinado", com orquestra. Percebe-se mais adiante que João estava tenso em "Isto aqui o que é?" ("Isto aqui ôô..."), mas deu conta do recado e pronto. Sorriso nenhum. Em "Estate", ele continuou sem se entregar, não estava à vontade até o final em fade out, balançando a cabeça de um lado para o outro em sinal de desaprovação. Seria a orquestra? A fumaça dos cigarros? O som?

João não parecia ter tido uma noite feliz. Deixou o palco alegando que o som estava sem retorno. As luzes do teatro foram mantidas apagadas, de acordo com o costume europeu, dando aos portugueses a impressão de que ele não voltaria. Mas ele voltou para cantar "Rosa morena" e "O pato", um bis em dose dupla. No final, trancou-se no camarim, abriu a porta para poucos e após duas horas foi direto para o hotel.

E depois? A imprensa portuguesa teria sido por demais cruel? O *Diário de Lisboa* estampou no título "Tudo mal" e, a seguir, "João Gilberto provou que ainda merece o nome de 'papa da bossa' [...] apesar dos preços exorbitantes [e das queixas do] artista". Com a manchete "Pateada em vez de aplausos para o pai da bossa nova" (lembrando que pateada são assobios), a matéria do *Diário Popular* garantia que o show de estreia podia ser definido como um dos mais infelizes concertos da vida do artista. *O Jornal* afirmou que "o público merecia muito mais [...] a comemoração dos 25 anos de carreira do cantor brasileiro transformou-se num triste acontecimento". A *Capital* lembrou que o cantor abandonou o palco sem dizer boa-noite, debaixo do título "Crônica de um espetáculo inacabado". Terão sido injustos? João cantou mal? Se foram unânimes nos remoques, isso não terá sido à toa. Faltaram sorrisos, faltou descontração, João não esteve à vontade da primeira música em diante. O jornalista brasileiro Antônio Cunha concordou com os colegas lusitanos: "53 anos, 25 de carreira. E uma triste estreia em Portugal" foi a manchete no *Jornal da Tarde*.

Antes de tais matérias virem a público, João já havia caído em si e chegara a chorar diante do jornalista português João Gobern, dizendo: "Isso não podia acontecer comigo aqui, logo aqui". Semanas antes, o jornalista atravessara o Atlântico a fim de realizar uma entrevista prometida que não aconteceu. Ficou de prontidão por três dias inteiros na recepção do prédio onde João morava, no Rio, e acabou desistindo. João Gilberto passeava desconsolado após o concerto pelas ruas de Lisboa no Citroën do jornalista, que interpretou o gesto como uma tentativa de remediar a afrontosa descortesia. Gobern o lembrou que ele ainda tinha mais duas noites para ir à forra. Na segunda, João se vingou de si mesmo com um show apoteótico que só terminou após dois delirantes pedidos de *encores*.

Em 10 de junho João Gilberto recebeu João Gobern para um encontro de cinco horas no hotel onde estava hospedado. Pouco conversaram, pois ele cantava e tocava quase sem parar. Quando saiu, o jornalista estava nas nuvens — fora o único a ouvir, justo na data do aniversário de João, cantigas por quem "soube dar a cada uma das que abordou uma versão definitiva [...] [do] homem que, para cantar, usava um sorriso na voz".[15]


O êxito do Palace provou que investir em show business em São Paulo podia ser lucrativo. Apostar em casas de show com capacidade acima de mil ou mesmo 5 mil lugares não era loucura. Esse foi o conselho que d. Vera Maluf recebeu de economistas que consultou antes da botar suas fichas no Via Funchal, que seria instalado no terreno que ela possuía na Vila Olímpia. Na Lapa, a gigantesca sala do Cine Nacional, que pouco a pouco perdia frequentadores, foi inteiramente reformada para dar lugar ao Olympia, com capacidade para cerca de 5 mil pessoas. Bastava retirar as mesas e surgia uma pista de dança. O mesmo ocorria no Aeroanta, misto de bar com pista de dança e palco para shows.

Um restaurante também entrou na dança. Talvez a mais exótica obra arquitetônica de que se tem notícia na cidade de São Paulo, o restaurante Caravela imitava uma embarcação quinhentista com mastro, vela e tudo o mais, atraindo a atenção de milhares de motoristas que trafegavam numa das mais movimentadas artérias da capital, a 23 de Maio. As opiniões se dividiam: havia quem não se incomodasse com a construção, achando uma ideia divertida e original, e havia quem não se conformasse com o monstrengo que julgavam ser uma aberração incompatível com a cidade. Em setembro de 1984, no lugar do Caravela despontava o Latitude 3001, dublê de danceteria e casa de shows. Com pizzaria, palco para shows de rock, porão com jogos eletrônicos, lago artificial, bosque, modelos vivos numa vitrine, duelo de piratas, uma sereia e um iogue. Cabe na cabeça de alguém que João Gilberto pudesse fazer show num ambiente de tamanha bizarria?

Pois o contrataram para cantar em meio a essa parafernália. E ele foi, no dia e na hora aprazados. Naquela noite, mais da metade das pessoas, convidados em sua maioria, não acreditava que o show fosse acontecer. Informações de cocheira, seguindo a gíria turfística, diziam que o homem tinha chegado do Rio às sete da noite e que já estava lá. Enquanto os microfones eram ajustados à frente de um cortinado vermelho, os convidados continuavam se perguntando se ele iria ou não.

Foi uma surpresa quando João surgiu tranquilo na plataforma do Latitude 3001, autointitulado, sem nenhum pudor, "melhor casa de espetáculos da América Latina". Em completo silêncio, ele sentou e abriu o show com "Voltei a cantar":

*Voltei a cantar*
*Porque senti saudade*
*Do tempo em que eu andava pela cidade*
*Com sustenidos e bemóis*
*Desenhados na minha voz*

O violão com precisão micrométrica, a dicção claríssima, a voz brilhando de polimento, a rigorosa fidelidade ao repertório de sambas e nenhuma reclamação quanto ao som. Um sucesso.

O samba foi o mote dos cinquenta minutos daquele show em que João desencavou preciosidades de uma infância longínqua. Com sua memória musical, recriou, impecável, "Emília", "Abre a janela", "Pra que discutir com madame", "Preconceito", sucessos na interpretação de, pela ordem, Vassourinha, em 1942;

Orlando Silva, em 1937; Trigêmeos Vocalistas, em 1945; Orlando Silva, em 1941. E outras menos desconhecidas do público, como "Louco", "Aos pés da cruz" e "Sem compromisso". Até uma moda de viola ufanista e totalmente esquecida, "Bandeira do Brasil", que Alvarenga e Ranchinho gravaram em 1941, foi cantada em ritmo de marcha. João nos brindou com um "Adeus, América", lançado pelos Cariocas, em 1948, simbolizando sua mensagem para o Brasil da Nova República. O samba brasileiro nos chamava. Era hora de dizer adeus ao boogie-woogie, "chega de rocks, foxtrotes e pinotes/ que isso não me convém". Hora de voltar pra cuíca, bater na barrica e tocar tamborim. "Chega de laites e ólrraites, ziki paikes e gudinaites/ que isso não está mais pra mim." O samba mandou nos chamar. Foi João Gilberto quem mandou o recado e nós entendemos.[16]

No mês seguinte, João Gilberto estava na Suíça para participar do mais afamado festival de jazz da Europa, o Montreux Jazz Festival, que naquele ano apresentava sua 19ª edição. Desde 1978 o diretor Claude Nobs dedicava uma noite à música brasileira, inaugurada por Gilberto Gil com o título "Viva Brasil". Nos anos seguintes, a noite de *"les brésiliens"* passou a ser uma das mais concorridas.

Em seu sétimo ano a noite brasileira trazia Tom Jobim, com sua Banda Nova de onze figuras, e João Gilberto, sozinho. Tom havia chegado cansado no dia do show, a tempo de tomar um banho no hotel e seguir direto para a passagem de som, que terminou às 21h15, pouco antes de as portas serem abertas. João, que chegara na véspera, teve tempo para uma notável passagem de som vedada à imprensa. Um suíço integrante da produção explicou a Roberto Mugiatti, que cobriu o evento para a revista *Manchete*, os macetes:

As exigências de João nada tinham de charme ou frescura, eram de uma precisão de relojoeiro suíço. Ele testou doze microfones até escolher um modelo que cortava a interferência dos refletores no sistema de som. Foi o único artista a conseguir esse milagre em Montreux, que tinha o palco montado mais para shows de jazz e rock do que para uma apresentação intimista.[17]

Se a programação naquele ano não era de se jogar fora, com Miles Davis, Astor Piazzolla, Shorty Rogers, The Modern Jazz Quartet e outros mais, a noite brasileira de 18 de julho foi das mais brilhantes. E, até começar, das mais conturbadas. João não admitia abrir o espetáculo para Jobim. A queda de braço foi brava, mas às onze da noite, sem que se saiba como, a questão foi resolvida. Tom Jobim e sua Banda Nova pisavam o palco.

João entrou à meia-noite e meia e cantou até duas e quarenta. Muggiati resumiu: "O repertório foi uma viagem sentimental a uma mitologia do samba que só existe na cabeça do João: da Era do Rádio [...] aos clássicos jobinianos [...], a uma leitura pessoal e intransferível de 'Menino do Rio' [...] e a um 'Estate' escandido no mais autêntico ítalo-baianês".

Quase um ano mais tarde foi possível ouvir esse concerto no LP duplo *João Gilberto Live at the 19th Montreux Jazz Festival*, com quinze faixas, quase todas gravadas em álbuns passados. As novas, ouvidas apenas em show, eram "Preconceito", "Sem compromisso", "Pra que discutir com madame", "Adeus, América" e "Isto aqui o que é".[18]

"João leu praticamente tudo que se vem publicando sobre ele desde o lançamento, há uma semana, de seu disco gravado no festival de Montreux [...] gostou das críticas unanimemente elogiosas mas detestou o folclore que parte da imprensa insiste em manter a seu respeito", comentou a jornalista Isa Cambará em 27 de junho de 1986 no *Jornal da Tarde*. Com efeito, gastou-se mais tinta a respeito da excentricidade de seus hábitos do que sobre sua música nas duas páginas da revista *Veja*, que cometeu algumas impropriedades: "[...] o compositor volta com novidades. A primeira que se pode notar é que João evoluiu como cantor. As notas graves das canções que antes constituíam seu calcanhar de aquiles e lhe condenavam a frequentes desafinações, são agora vencidas sem problemas".[19] Positivamente, o redator da matéria, aliás não assinada, não prestou a devida atenção ao que ouvia. Em compensação, houve quem registrasse palavras com peso, como Telmo Martino: "Um disco de João Gilberto é sempre novo [...] os discos de João Gilberto poderiam ter uma única faixa que usasse sempre a mesma canção. A novidade estaria garantida. Ao contrário de outros reis da MPB ou não, João Gilberto nunca está nu".[20] Maria Amélia Rocha Lopes deu seu recado:

> Dirão os insensíveis que é porque ele canta sempre as mesmas músicas. É e não é verdade. Essa é a visão superficial da música de João Gilberto. As canções são quase sempre as mesmas, mas só quanto aos autores e títulos. João Gilberto se reserva — não como tipo para consumo, mas por força de uma obsessiva busca da perfeição — um papel único dentro da música brasileira: o de descobrir os insondáveis mistérios da arte de cantar.[21]

O fato de João já ter lançado em disco dez das quinze faixas poderia reforçar que "ele repete sempre as mesmas músicas". Acontece que essas dez estão repletas de novas texturas, sutis mudanças de notas nos acordes, nova divisão das frases, pausas de outro valor, enfim, alterações que podem passar despercebidas de vez que o som é sempre o mesmo, voz e violão. Os mais atentos não perdem nada e adoram cada jogada que João inventa a cada gravação

"O pato", gravada originalmente no segundo disco da Odeon, era cantada duas vezes e a faixa durava um minuto e 54 segundos. Em Montreux, ele repete a canção cinco vezes, num total de cinco minutos e dez segundos.[22] Na quinta vez, o violão no trecho "gostou da dupla e fez também" é diferente das anteriores, como também é a acentuação em "muito bom, muito bem". O final, dos *quén-quén-quén-quén*, era repetido rigorosamente igual nas oito vezes da primeira gravação, intercaladas pelo clarone. Em Montreux, João repete dezesseis vezes, uma diferente da outra, ora variando as quatro notas que deveriam ser as mesmas, ora mudando os acordes do violão, ora modificando a divisão das frases, ora fazendo um contracanto, ora imitando o clarone como se fosse um contrabaixo, deixando enfim a sensação de que poderia prosseguir por muito mais naquela toada. A explicação é simples: sendo essa nota dos *quén-quén* a dominante da escala, ela provoca uma suspensão, a sensação de que a música está incompleta, faltando terminar, por assim dizer. Esse final poderia até ser uma música inteira, em repetição constante, como um blues. Em suma, cada "Pato" é diferente do outro.

Até então esse álbum duplo era o que mais se aproximava de um recital de João. Um disco muitíssimo elogiado, alegre, emotivo, em teoria muito simples, uma gravação esmerada com nitidez das cordas do violão equilibradas com a voz, ouvindo-se à perfeição a percussão executada nas pausas. Como se João estivesse num palco montado em casa.

João voltou a Nova York em maio de 1988 para o último dos três espetáculos do Brazil Projects, um evento multimídia em torno da cultura brasileira contemporânea que contemplava suas diferentes manifestações artísticas. A música popular tinha curadoria de Nelson Motta. O show de João, marcado para o dia 14, teve lotação completa no Town Hall, o tradicional teatro da rua 43, oposto ao da zona dos musicais da Broadway, onde ele se apresentara 24 anos antes. Naquela tarde João efetuou a passagem de som, acompanhado de seu técnico de som preferido, Célio Martins, que mais uma vez zelava pela sonorização da voz e do violão, preocupação essencial do artista com fama de encrenqueiro.

Por mais de quarenta minutos, sem se importar com o vozerio de outros envolvidos no espetáculo, João se concentrou em dois microfones e cantou trechos e mais trechos de umas vinte canções, intercaladas de constantes observações, diálogos com Célio sobre o mesmo tema: o cuidado com a captação sonora, o que ele ouvia nos alto-falantes. O grau de sua exigência se revela nas cenas informais gravadas por Gil Lopes, sócio de Carmela Forsin na ShowBras, a empresa que cuidava de sua agenda. É um vídeo de quarenta minutos que mostra o que não se vê nos shows.

João começa com interjeições exclamativas, forçando as consoantes e prolongando as vogais ó, para depois cantar: "Madame diz que a raça não melhora/ que a vida piora por causa do samba/ Madame diz o que samba tem pecado/ que o samba, coitado, devia acabar...". Era sempre o primeiro trecho, deste e de tantos outros sambas com que João Gilberto testava o som da sala, do monitor e sobretudo dos microfones. Vários deles foram experimentados e substituídos um a um, recebendo todo tipo de comentário: "Celinho, muito boa qualidade", foi um deles. Teve outros.

"Sabe por que não gosto desse microfone? Ele é seco, acabou de cantar morre logo, ele não conserva o ambiente do som. Acabou de falar, a nota morre. Tem outro?"

"É esse microfone? Ele é bem normal. Ele é bom mesmo, mas é... Quem escolheu esse microfone?"

"Bom, esse, Celinho, tem médios e graves e aquele negócio, aquela presença. Celinho, tá bom, mas tem uma coisa, abrir um pouco. Agora sim."

Foi então que João saiu do Town Hall, entrou no banco do passageiro do automóvel e foi para o hotel. Poucas horas depois voltava para o show em que a grande surpresa foi sua versão de "You Do Something to Me", de Cole Porter.

Em meados de 1988, João Gilberto enfrentou um problemaço: havia se comprometido a participar de três shows no Municipal do Rio em 1, 2 e 3 de julho. O contrato fora assinado com antecedência de três meses, houve um grande movimento em torno desses shows, que teriam uma orquestra de dezessete figuras, direção-geral de Neville d'Almeida e verba de cerca de 130 mil dólares do patrocinador, o Chase Manhattan Bank, numa coprodução das empresas Ipanema 2000, especializada em ópera, e Hummingbird Produções.

Acontece que, a despeito da expectativa de se apresentar no Municipal do Rio, João não pôde se blindar do tempo úmido e chuvoso, relembra Tárik de Souza no *Jornal do Brasil*,[23] registrando o clima do Rio no final de junho e uma declaração de João que parecia antever a pandemia no primeiro semestre de 2020: "Evito respirar quando alguma pessoa por perto espirra para não contrair o vírus", disse em 1988. De fato, "sensível a gripes [e] protegido por pijama e suéter e cochilando a cada solicitação do corpo, ele está resfriado, teve até uma ponta de febre ontem", conclui Tárik.

Dias antes do primeiro espetáculo, João Gilberto não se sentia em condições físicas de se apresentar, tinha um problema com a garganta, uma rouquidão. Concluiu que, além de um médico, precisava de um advogado, e contratou Roberto Algranti. João tinha uma rouquidão crônica, mas aquela se acentuou de tal modo que o advogado o aconselhou a comunicar que não estava em condições de se apresentar e que portanto o show deveria ser cancelado e remarcado.

João entrou com uma medida judicial de natureza cautelar, e a juíza, convencida de que era urgente, deferiu uma liminar nomeando um perito para fazer o exame que comprovou que o artista estava de fato incapacitado para cantar. Lucia Sweet, sócia da Hummingbird, ficou inconformada, pois a empresa fizera um investimento considerável. Apesar de ter sido notificada de que ele não teria condições de se apresentar, ela insistiu que o show seria realizado, acreditando que João iria melhorar naqueles dois ou três dias, o que não ocorreu — e a apresentação foi cancelada na última hora.[24]

Em janeiro de 1989, Lucia entrou na Justiça, alegando, por intermédio de seu advogado Manuel Cavalcanti, que não estava acusando João Gilberto, mas procurava tirar a empresa do prejuízo.[25] Houve o processo com uma ação indenizatória polpuda contra João. Roberto Algranti o defendeu, perdeu em primeira instância e acabou ganhando no tribunal.

A medida cautelar serviu para instruir a defesa de João na milionária ação indenizatória que os organizadores ajuizaram contra ele. O resultado do processo foi uma decisão unânime do TJ/RT reconhecendo que o cancelamento dos shows resultou de circunstância de comprovada força maior, isentando João de qualquer responsabilidade indenizatória. João não inventou a dor de garganta. E foi malhado por isso. Estava muito agradecido e ligou para Roberto: "Quero lhe convidar para jantar".

"Ótimo João." No dia do jantar, uma terça-feira, eu imaginava que ia ligar pro João e combinar: "Olha João, vou buscar você em casa ou vamos nos encontrar no restaurante?".

Pouco depois toca a campainha em minha casa e um garçom do Antiquarius, um restaurante muito bom no Leblon, chega trazendo uma travessa com bacalhau à moda da casa, arroz, docinho do céu e uma garrafa de champagne. Eu liguei pro João e ele me disse: "Olha o jantar que eu estou lhe oferecendo".[26]

Perto do final de 1988, a EMI-Odeon lançou, pelo valor de 13 mil cruzados, o álbum triplo *João Gilberto — O mito*, coletânea com as gravações dos três primeiros LPS de João Gilberto, acrescida de um encarte com letras, informações e cifras para os músicos. Na capa, uma das fotos da série tomada em 1959 por Chico Pereira em sua Rolleiflex, com João sentado num banco da praia de Ipanema. Um lançamento pomposo, "projeto bem cuidado, estética e tecnicamente (todos os originais foram remasterizados para uma audição mais homogênea dos discos)".[27] Repararam no que está entre parêntesis? Notem a palavra-chave: remasterizados. Aí é que está o busílis, o xis da questão. É claro que ao "atualizar" uma gravação analógica em mono de 1959 para uma gravação digital em estéreo, o que na época era frequente, foi feito um reprocessamento que modificou a sonoridade característica original em que a voz seca, *senza vibrato* do cantor, sofreu considerável e fundamental alteração. A sonoridade gorda e quente do disco original foi trocada por uma remasterização lamentável. Não dá para imaginar a fúria de João Gilberto quando ouviu os LPS pela primeira vez. Mais que um pecado mortal, era um sacrilégio sem perdão.

Em 1992, João Gilberto entrou com uma ação por danos morais e materiais contra a multinacional britânica. Em nova ação posterior, o perito Paulo Jobim, filho de Tom Jobim, afirmou ter a EMI mutilado e deformado a voz de João Gilberto, amesquinhando sua obra. Houve ainda, segundo o laudo pericial, a adição de reverberação para realçar as frequências agudas da bateria e da orquestra em todas as faixas.[28] E mais ainda: não se respeitou a ordem original das faixas, ferindo frontalmente o conceito original dos três discos. Esse álbum beira um atentado ao legado mais puro da obra de João Gilberto.

O processo não só se arrastou por anos, como obrigou a retirada do mercado dos três discos básicos de João Gilberto. Mais de uma geração ficou prejudicada, sem conhecer o som genuíno concebido por João Gilberto. Ficou um vácuo, um vazio.

João completava oitenta anos em 2011 e era como seus discos gravados aos vinte e tantos não existissem. O STJ decidiu, por maioria de votos, que a EMI deveria pagar ao artista uma indenização por danos morais.[29] Em 2019, a sentença, unânime, obrigou a empresa a devolver a João os royalties que não foram pagos desde 1964, além de danos morais.[30] Os discos continuam fora do mercado em 2021.

Corta para a entrada do Palace em 1988, coalhada de gente que aguarda — ele vem ou não vem? — ou espera conseguir um bilhete. Esperam, esperam mais um pouco, e na hora do show se conformam em arrancar do bolso uma grana extra para os cambistas de plantão na avenida Jamaris.

No caso dos afortunados que já possuíam ingresso, bastava entregá-lo ao senhor alto, grisalho e parrudo, sempre com expressão indiferente, que raras vezes esboçava um sorriso. Então era só pedir licença, abrir caminho entre quem conversa alegremente no foyer e os fotógrafos de colunas sociais em busca de celebridades verdadeiras, como Héctor Babenco, ou de araque. Era atravessar o aglomerado e ingressar na sala semi-iluminada, entregar os bilhetes à recepcionista solícita e ser conduzido ao devido lugar. Uma vez sentado, era pedir uma bebida à garçonete que se inclinava para anotar a comanda, dar uma olhada geral para ver quem já havia chegado e finalmente aguardar o início do show.

São Paulo, quinta-feira, 8 de dezembro de 1988, Palace. Iríamos assistir mais uma vez a João Gilberto num espetáculo que muitos dariam a alma para ter privilégio igual.

João entra com cinco minutos de atraso, às 22h05. Como sempre, de terno cinza, camisa azul-clara, gravata marinho. Cumprimenta os presentes com um educado boa-noite e não perde tempo: ataca de "Chega de saudade", modulando na segunda vez. O público mal respira para desfrutar cada momento. Que noite! João está iluminado, exala alegria, só pede uma vez "mais grave na voz e no violão", faz piada com um mosquitinho voando sobre sua cabeça depois de "Saudade da Bahia": "Ele está andando aqui e já está perto da Bahia. Socorro!". Canta "Samba da minha terra", arrepia a plateia no "Retrato em branco e preto", faz mexer o corpo da gente com "Doralice", revive seu baião "Bim bom", remexe de novo no "Pra que discutir com madame", homenageia Noel Rosa com "Palpite infeliz" e os paulistas com o "Saudosa maloca". Sai e volta para o bis de três músicas. Volta para outro bis que se multiplica em cinco canções, finalizando com "Adeus, América". Despede-se com um mote: "O samba mandou me chamar". A cortina desce, mas o público não para de aplaudir. João atende, volta e finaliza de vez com "A felicidade".[31]

João estava feliz, o público estava feliz, a felicidade pairava no ar. O ano de 1988 estava acabando.

# 12. Arredio e magistral

"Johnny, será que você não consegue aí nessas escolas de música umas cordas La Bella já usadas por esses estudantes de violão clássico? Eles costumam trocar as cordas muito rapidamente e eu gosto de usar cordas de náilon um pouquinho usadas, mas seminovas. Será que você não consegue umas cordas com esses violonistas?"

"João, eu nunca entrei numa faculdade aqui em Paris. Não conheço ninguém, mas posso perguntar ao Rémy e ver se ele conhece alguém."[1]

Foi essa a primeira vez que João Bosco ouviu João Gilberto pelo telefone. Ele sabia que cordas novas são um pouco ásperas e podem produzir um ruído que incomoda, e por isso João Gilberto necessitava de cordas com uso de uma semana, para que a precisão de seu toque ficasse perfeita. Daí que entendeu o pedido logo de cara.

Ambos tinham acabado de dar entrada no hotel. Fariam uma tournée que começaria pela Bélgica, mas João insistiu em passar antes por Paris. Rémy deu um jeito: fazia tudo que ele queria, atendia suas vontades, o gosto de João prevalecia. João seria a grande atração da turnê, que por sua vez seria uma espécie de homenagem ao grande artista. Portanto, compreensível que João dissesse: "Eu queria ser o último a tocar". Ninguém discutiu. Caetano Veloso acolheu a ideia e disse: "Então eu preferia ser o primeiro". João Bosco, o mais novo, acatou na hora: "E eu ficarei no meio de vocês dois e estou muito feliz com isso".

No verão de 1989, os três iriam se apresentar na Bélgica e em cidades da França e da Espanha, numa temporada de dez shows concebida pelo empresário Luc Gaurichon, cujo produtor executivo era o jornalista do *Libération*, Rémy Kolpa Kopoul, conhecido como RKK em seu programa *Contrôle Discal*, de grande audiência, na Rádio Nova. Rémy adorava a música brasileira e falava português fluentemente.

. O tour se iniciou em um teatro de Bruxelas, com o show dividido em dois dias seguidos: na primeira noite, Caetano e seu filho Moreno Veloso, com a percussão de Carlinhos Brown, e João Bosco (Johnny, para João) solo; no dia seguinte, João Gilberto. Daí em diante, os três se apresentaram no mesmo dia, a pedido de João. Assim foi feito.

No início da viagem, Caetano e João Bosco seguiam com a equipe num micro-ônibus, enquanto João Gilberto, acompanhado de seu irmão mais velho Vavá (Ederval Pereira de Oliveira), num automóvel com motorista. João Bosco lembra:

> Começamos a turnê assim, todos nós discretos, sóbrios, como quem espera para ver. Depois de cinco ou seis dias juntos fomos nos aproximando, quebrando o gelo, e João viu que estava entre pessoas que o admiravam profundamente, que o respeitavam [...]. A conversa começou a ficar amistosa, divertida. Ele foi se descontraindo, deixou até de viajar separado e veio para o micro-ônibus, a gente falava de futebol, ele tinha umas tiradas como "Você não acha que o técnico devia ser o Pelé? É o cara que mais entende de futebol, devia ser ele o técnico". No terceiro show ele começou a dar opiniões sobre o som, tanto do Caetano como do meu, dava dicas para o técnico que viajava com a gente, dizendo: "Olha, esse som não é assim, você tem que fazer esse som de violão, esse som da voz".[2]

Os shows — realizados em arenas, ginásios, ao ar livre, espaços para 10 mil e até mais pessoas — faziam parte dos principais festivais de verão da Europa como San Sebastián e Juan-les-Pins, com equipamento e equipe local, inclusive um segundo técnico de som.

Para tocar violão, João Bosco e Caetano apoiavam o pé num banquinho e davam o recado. O banco de João Gilberto era diferente, de outro formato. Como ele tinha pavor de ficar gripado, precisava proteger a cabeça nos shows ao ar livre. Cantava sob uma espécie de tendazinha de pano que o resguardava de algum vento ou de eventuais gotas de orvalho. O microfone do violão, um AKG 414, e o da voz ficavam na tendinha.

Um tema constante na vida de João Gilberto era a afinação do violão. Almir Chediak e Edson José Alves testemunharam episódios de sua aversão a afinadores digitais. Certa vez, no Palace, João queria conhecer o afinador de Edson; pediu para ver e depois de examinar bem comentou: "Que interessante. Mas, sabe, eu gosto mais do meu jeito mesmo".[3]

Nessa excursão, foi a vez de João Bosco: "Johnny, eu já reparei na afinação do seu violão, gosto muito da afinação que você faz, você não quer experimentar para afinar o meu e ver como ele fica?".

O violão de João Bosco, um Sugiyama, era afinado com um afinador digital. Colocava-se no bojo do instrumento uma ventosa que, plugada ao afinador, resultava numa afinação exata que garantia os harmônicos mais precisos. Mas João Gilberto pensava que Johnny afinasse de ouvido. João Bosco levou o violão do xará para o camarim, afinou-o com o aparelho e o devolveu.

"Johnny você afinou o meu violão igual ao meu professor de Juazeiro."

"E aí, você gostou?"

"Foi a melhor afinação que eu já vi, você está afinando igual a ele."

Com seu ouvido extraordinário, João percebeu a exatidão, e com sua memória prodigiosa lembrou-se do som daquele violão tocado havia mais de cinquenta anos.

Eu não falei nada sobre a questão do aparelho, porque se falasse ele ia contestar, estava imaginando uma afinação de ouvido. A vida do João Gilberto sempre foram os ouvidos, toda a sua percepção do mundo foi através do ouvido, que era tudo para ele. Então ele achou que eu estava afinando somente com meu ouvido. E dali pra frente comecei a afinar o violão dele, eu saía do palco e ele já me entregava o dele, aí eu entrava no camarim, afinava e dali a pouco ele entrava no palco. Era um violão bem antigo da Di Giorgio, modelo Tárrega, que tem aquela boca meio elíptica, não é redonda. Nenhum desses violões feitos à mão é igual ao outro. Acho que o do João era um violão muito especial, atendia precisamente a sua necessidade musical. Depois de ter passado por vários violões, esse dava a resposta que ele queria, era muito especial mesmo.[4]

No Festival de Juan-les-Pins houve um momento em que João Gilberto parou de repente e chamou Caetano e Johnny para cantarem juntos. Sem saber que canção seria escolhida e não conhecendo direito as letras, João Bosco ficou desnorteado, mas entendeu o convite como um sentimento de amizade e intimidade que pouco a pouco foi se desenvolvendo na turnê.

Em Carcassonne, João Gilberto interrompeu o show de João Bosco, mandou desligar o sistema e chamou-o para a beira do palco: "Johnny, o som está muito ruim, mandei o técnico parar e vamos repassar o som".

"Mas como? Com o público aí esperando?"

"Volta lá e vamos repassar."

E foi mesmo assim: diante de uma plateia enorme eles repassaram o som, enquanto João Bosco, apavorado, não via a hora de recomeçar da metade em diante. Ninguém reclamou. "Estava ruim, tinha que refazer", João Gilberto comentou depois.

O aniversário de Johnny foi comemorado nessa turnê. Rémy, Caetano e João entraram no palco levando um bolo com velinhas. O aniversariante ganhou um inesquecível "Parabéns a você" de João Gilberto.

Depois que o show terminava, algumas pessoas iam aos camarins, chegavam extasiadas, as moças beijavam Caetano, beijavam João Bosco. Com João Gilberto não havia essa intimidade do público feminino, e ele começou a reclamar: "Você e o Caetano ficam recebendo os beijos e eu fico aqui e não recebo nada, não ganho beijo de ninguém".

"João, você não ganha beijo porque você não quer. Se você quiser, é só se aproximar das pessoas que elas vão te abraçar, vão te beijar." Aí João Gilberto também começou a receber beijos e abraços das moças depois do show. Ao que se saiba, acontecimento inédito em sua carreira, de vez que ele era um azougue em dar no pé assim que saía do palco.

A relação de amizade tornou-se cada vez mais intensa. João conviveu por semanas com pessoas que o amavam, que sabiam o que ele representava. Cantou para um público que o reverenciava e foi ficando numa felicidade, num estado de alegria tal que não queria que aquilo terminasse. Antes do último show, João não queria parar. Propôs a Rémy continuar. Queria ir para a Rússia. Acreditava que dali a três dias poderiam se apresentar na Rússia.

Foi a primeira vez que João fez uma turnê na companhia de outros cantores. Foi a primeira e única vez. Johnny se recorda desses trinta ou quarenta dias viajando pela Europa:

O público adorava o show porque era bonito, eram três pessoas tocando violão, a começar pelo João Gilberto. Era o violão brasileiro, eram as sonoridades, eram as palavras, as melodias, as harmonias todas se desenvolvendo num grande mosaico da música do Brasil, cada um de nós com seu estilo, com seu repertório, uma amostragem da música em solos, era bonito mesmo. Considerando que o violão, por ser um instrumento fácil de transportar e de fácil aquisição, diferente de um piano, se transformou numa espécie de alma da música brasileira, esses shows eram a alma da música brasileira.[5]

Possivelmente na tentativa de se redimir do fiasco dos três LPs no álbum *O mito*, cuja remasterização desastrada é um exemplo de incompetência, a EMI--Odeon lançou em julho de 1990 uma tiragem de 5 mil cópias de um fac-símile dos três primeiros LPs de João Gilberto. A ideia era comemorar seu aniversário em 10 de junho do ano seguinte. "Estão comemorando o aniversário, só que João não participa da festa", declarou seu empresário Gil Lopes, acrescentando que João tinha direito a 0,5% e não recebia um tostão.[6] A fúria de João com a Odeon dobrou quando ele soube que os três discos em formato CD foram lançados nos Estados Unidos e na Europa. Aí entornou o caldo. Roberto Algranti foi acionado mais uma vez.

Ainda bem que essa indignação ocorreu em julho. Tivesse sido em maio, poderia atrapalhar a surpresa que João armava: precisamente no dia 16, ele entrava num dos estúdios de sua nova gravadora, a Polygram. Quase ninguém sabia o que se passava lá dentro, exceto o técnico Célio Martins que comandava a mesa de som. Tratava-se da produção do 13º LP de João, dirigida pelo recém-empossado diretor artístico da gravadora, Mayrton Bahia, em parceria com Carmela Forsin, mulher e sócia de Gil Lopes na ShowBras. Em três noites, nada mais, nada menos, de 16 a 18 de maio, diferentes versões das doze faixas estavam gravadas. Em teoria, o disco estava pronto. Gravar com João sozinho era assim: ele vinha com tudo em riba depois de meses dedicados a apurar cada música em casa.

Chegara o momento de decidir qual era a melhor versão de cada música. Desse ponto em diante, o processo avançou seguindo o horário do relógio sem ponteiros de João. Ao longo de um mês inteiro ele ouviu cada uma delas dezenas, centenas de vezes, e não contente pedia a opinião de amigos, botando a fita no bocal do telefone. Finalmente chegou à conclusão definitiva para cada: "É esta! É esta, esta e esta". Só que ainda poderia acontecer de ele mudar de ideia. O pessoal da produção ficou conhecendo com quantos paus se fazia a canoa de João Gilberto, o que arranjadores e produtores estavam carecas de saber.

O contrato previa dez faixas: sete com voz e violão, três com orquestra. Entusiasmado com a rapidez das gravações, uma considerável economia no orçamento, Mayrton resolveu acrescentar orquestra nas dez faixas. Não tinha ideia da embrulhada em que se metia.

Repetiu-se o caríssimo processo de *Amoroso* e de *Brasil*, qual seja, enviar as gravações de violão e voz para um arranjador sobrepor orquestrações e completar o disco. Não dera certo com Claus Ogerman, que estava magoado com João, nem com Johnny Mandel, que não tinha brecha na agenda. O arranjador escolhido foi Clare Fischer, que adorava João Gilberto fazia um bocado de tempo.

Em 1961 conheci Clare Fischer na calçada do Club El Amigo, em Los Angeles, literalmente um piano-bar: o balcão que contornava a caixa do piano de cauda era pintado de preto e branco, imitando as teclas. Quase caí de costas quando meu amigo querido, o contrabaixista Ralph Peña (que ali atuava em duo com o pianista Pete Jolly), nos apresentou. Assim que apertamos as mãos, ele me disse para falar em português, pois era capaz de entender perfeitamente. E era mesmo, entendia tudo sem nunca ter estudado a língua. Pianista, arranjador e compositor, era gentil e competente, um doce de pessoa, e perfeccionista. Nossa amizade foi instantânea e por vários anos trocamos cartas e discos: eu enviava os de música brasileira, ele os de jazz. Um deles foi o LP *O amor, o sorriso e a flor*.

Como ocorrera na WEA, Mayrton Bahia tratou de cercar de mistério a produção do novo disco. Se o segredo é mesmo a alma do negócio, a estratégia deveria funcionar: ouriçava-se a imprensa, criando uma disputa para ver quem cortaria a fita de chegada. Por decisão de seu editor Mario Sergio Conti, a revista *Veja* publicou uma reportagem de sete páginas com fotos dos envolvidos na gravação e texto de Ruy Castro deslindando os meandros do processo ainda incipiente da produção do disco.[7] E então a foto de João na capa da revista semanal se espalhou pelas bancas de jornais do Brasil inteiro.

Depois dos incontáveis telefonemas trocados com João, Clare fez as partes de violinos, violas, violoncelos, naipe de sopros (sua especialidade), contrabaixo, bateria, percussão e teclado eletrônico para si próprio.[8] As gravações foram realizadas no estúdio Mad Hatter em Los Angeles e as fitas foram enviadas no final de novembro para Mayrton, que programou lançar o LP em dezembro, para as vendas de Natal.[9]

Pois sim! Não havia meio de as mixagens e da remasterização satisfazerem o cantor. As fitas voltaram para os Estados Unidos, retornaram ao Brasil, foram de novo, até que por fim, em fevereiro de 1991, chegou-se ao resultado definitivo com a aprovação de João Gilberto. Seu primeiro nome foi escolhido como título para figurar em destaque no marcante logotipo criado por Felipe Taborda, o designer do projeto gráfico: JOÃO.

Antes de o disco chegar ao mercado em abril, os ouvintes da Rádio Jornal do Brasil já haviam escutado uma das faixas. E isso por obra de uma artimanha do próprio João. Em 11 de dezembro de 1990 seriam comemorados os oitenta anos de Noel Rosa, e como "Palpite infeliz" constava do disco, ele resolveu prestar uma homenagem ao compositor. Munido de uma fita não definitiva, foi à emissora na companhia de Roberto Algranti e Gil Lopes para mostrar em primeira mão, no dia do aniversário de Noel, uma faixa do disco.

Por volta das onze da noite, as únicas pessoas nas dependências da emissora eram o locutor e Marina Linhares, da área comercial. Tendo encerrado o trabalho, Marina foi pegar o elevador, e quando a porta se abriu ela deu de cara com João Gilberto, que lhe perguntou se estava no andar do estúdio da JB FM. Muito tensa, ela ligou para seu diretor, Geraldo Leite: "Não deixa ele sair de jeito nenhum, estou indo praí", ele disse. Marina fez as honras da casa, levando os visitantes à lanchonete. "Quem vai me entrevistar?", João queria saber.[10] Mais calma, ela disse que o diretor estava chegando e conduziu João ao estúdio. Estava no ar o programa *Noturno*, apresentado por Maurício Figueiredo. O radialista, ao ver o artista, falou ao microfone: "É incrível! João Gilberto está aqui. Que presente especial! Estou emocionado! Eu mesmo não estou acreditando". A gravação de "Palpite infeliz" foi ao ar. Maurício tentou entrevistar João, que respondia invariavelmente com um "pois é" para qualquer pergunta. Aquela faixa, executada maciçamente nas três emissoras do JB, funcionou como uma forma indireta do lançamento do LP.[11] Quando Geraldo chegou, João já estava no estacionamento e perguntou sobre a cobertura nacional das ondas da emissora, pois achava importante que todo o Brasil soubesse de sua homenagem a Noel. Roberto, Gil e João acabaram indo à Pizzaria Guanabara do Leblon.[12] Uma noitada com João Gilberto não era para qualquer mortal.

O que primeiro se ouve no LP *João* é um samba que ele havia cantado no Teatro Record em 1965 e que poucos conheciam. "Eu sambo mesmo" foi a terceira música do compositor Janet de Almeida,[13] cuja obra passaria em brancas nuvens não fossem as gravações de João.

(Quem era, afinal, Janet de Almeida, de quem João gravou três músicas? Era homem ou mulher? Era um cantor, compositor de treze músicas, magrinho, de voz miúda no estilo Ciro Monteiro, que morreu aos 26 anos em 1945, vítima da boemia,[14] antes mesmo do lançamento de seu segundo disco. Gravou três. Era irmão do famoso cantor carnavalesco Joel de Almeida, o Magrinho Elétrico, que viveu 79 anos, fez brilhante carreira solo e atuou em dezesseis filmes na época das chanchadas. Notabilizado pela palheta à la Maurice Chevalier, ele integrava a dupla Joel e Gaúcho, e compôs, em parceria com Carvalhinho, a marchinha "Quem sabe, sabe". Janet não teve a mesma sorte do irmão e, como Noel Rosa, se foi cedo. Boêmio total, sempre elegante, de colete, com o indefectível bigodinho de sua geração, compunha e cantava num estilo que se poderia considerar pré-bossa nova.)

A segunda faixa do álbum é "Siga", uma canção que soa estranha à exigência de João Gilberto. O LP tem mais duas nas mesmas condições: "Rosinha" e "Eu e meu coração". Três músicas de autores praticamente desconhecidos, que João não incluiu em seus shows. Entre as belas canções estrangeiras, "Malaga", "Una mujer" e "You Do Something to Me".

As canções brasileiras são completadas com dois clássicos, "Palpite infeliz" e "Ave-Maria no morro", e uma terceira (que virou clássico), "Sampa", somando sete inéditas. Em quase todo o disco ele escolhe tonalidades tão graves que provoca a sensação de não ser capaz de alcançar determinadas notas. Em razão de sua obsessiva preocupação com a nitidez da emissão vocal, seu canto nesses trechos chega a parecer uma fala.

As orquestrações de Clare Fischer são um primor de delicadeza. Posso dizer que a finesse no tête-à-tête com Clare transparece em seus arranjos que convidam à introspecção. Seu estilo é de um refinamento tal que a orquestra segue por uma via própria, uma entidade separada de outra, a voz e o violão que, traçando caminhos diferentes, se encontram de vez em quando nas harmonias. A versão CD traz duas faixas a mais: "Sorriu pra mim" e "Que reste-t-il de nos amours", obra-prima de Charles Trenet: "Eu ouvi essa música e ela tomou conta de mim, desde meu interior. E além disso, é a França, essa França delicada, poética, doce, refinada. Todo um espírito francês que já nos seduziu tanto, nós brasileiros. Ouvindo essa música a gente imagina as paisagens, a memória do passado, todo esse patrimônio cultural".[15]

\* \* \*

No início da década de 90 o mundo da imagem na música começou a bombar por meio de um novo canal de televisão, a MTV.[16] João tinha que entrar nessa, pensou seu empresário Gil Lopes, propondo mais que depressa à Polygram um vídeo com "Sampa", voz e violão, sem orquestra. Conseguiu 5 mil dólares da companhia e entregou a missão a Ricardo van Steen, premiado diretor de filmes comerciais. O custo estourou, chegando em progressão geométrica à casa dos 100 mil dólares, completados com dinheiro do próprio Van Steen, tal sua paixão pelo músico. Uma produção com a voz e o violão de João e flashes do povo nas ruas de São Paulo, transeuntes e ciclistas, favelas e Mercado Municipal, vistas aéreas, o metrô e o Estádio do Pacaembu, uma sucessão de imagens daquela que, desde o ano de seu quarto centenário, 1954, se orgulhava de ser "a cidade que mais cresce no mundo". O clip de 6'20'' rodou na MTV e atingiu um novo público, os jovens dos anos 90.

O lançamento de *João* foi marcado para o dia 3 de abril no Palace, num show de caráter beneficente com renda para a Legião Brasileira de Assistência, então presidida por Rosane Collor. O espetáculo teve convidados da empresa patrocinadora, a Brahma. Como? Cerveja Brahma?

Gil Lopes vira em Nova York um comercial com Miles Davis anunciando a motoneta italiana Lambretta. Ele deve ter ganhado uma fortuna, pensou. Sacou uma ideia na hora: fazer publicidade com João Gilberto! Assim que voltou ao Brasil, Gil foi atrás.

A campanha da cerveja Brahma que estava no ar era um comercial da agência Fischer & Justus inspirado no gesto trivial de chamar o garçom: levantar o braço com o indicador da mão apontando para o alto e gritar "Ôô, garçom!". A campanha, de grande repercussão, foi denominada de Brahma Número 1. Gil Lopes marcou uma reunião com Eduardo Fischer e propôs uma campanha com o cantor número 1, João Gilberto. "João?", duvidou seriamente o *golden boy* da publicidade na época, talvez manifestando o preconceito de misturar arte com publicidade. Não acreditava muito.

Gil lhe mostrou o clip de "Sampa", consultou João e no dia seguinte comunicou a Eduardo: "O João faz". Em seguida enviou a João o cassete com a polca do conhecido jingle da Brahma que ele deveria cantar. Três dias depois ouve João pelo telefone cantando aquilo que era polca convertida num samba joãogilbertiano: "Pensou cerveja, pediu Brahma Chopp". O jingle estava pronto. Era a segunda vez que a Brahma patrocinava um jingle com um cantor. A primeira fora nos anos 30, com um artista ainda iniciante, Orlando Silva, que gravou o disco não comercializado *Chopp da Brahma.*

Marcou-se uma reunião com Eduardo Fischer, Magim Rodrigues, do grupo Garantia, que havia adquirido a Brahma, e Gil Lopes, que descreveu o encontro:

> Eu faço uma pedida inédita, tanto que o Magim disse: "Mas por esse valor eu trago o Frank Sinatra". Eu digo: "Traz o Frank Sinatra, só que ele já fez o Natu Nobilis. Eu estou vendendo uma coisa absolutamente inédita, esse preço é o preço de uma coisa inédita". E eles bancaram um valor que foi um marco na publicidade, porque os artistas entraram na propaganda depois do João Gilberto. É um marco também porque no Brasil João Gilberto só era perseguido pela elite, pelos mais informados, a bossa nova não chegou a ser a música do *mainstream*, nunca teve uma exposição de massa. Só teve exposição de massa nesse comercial. O Brasil inteiro provou João Gilberto através do comercial da Brahma, um produto de consumo popular exibido antes do *Jornal Nacional* da tv Globo.[17]

Waltinho Moreira Salles foi o diretor do comercial de um minuto e um segundo gravado no Theatro Municipal de São Paulo: João caminha pelo saguão, sobe a escadaria e está no palco, à frente de uma orquestra. Canta: "Pensou cerveja pediu Brahma Chopp, Brahma Chopp, Brahma Chopp/ Pensou cerveja pediu Brahma Chopp/ Cerveja é Brahma Chopp". Depois da primeira vez, modula para uma quarta acima, deixando a orquestra de flautas e cordas (em arranjo de Eduardo Souto) tomar a frente, e retorna à tonalidade anterior para o final: com um sorriso sedutor, levanta o indicador, gesto do número 1. João Gilberto transformou um simples jingle numa pequena obra de arte musical.

João nunca tinha estado em tanta evidência como às vésperas de seu sexagésimo aniversário, 10 de junho de 1991. O clip de "Sampa" rodava na mtv, o comercial da Brahma entrava no horário nobre da tv Globo, o cd *João* chegara a 60 mil cópias vendidas, e a canção "Una mujer" fazia parte da trilha da novela *O dono do mundo.*[18]

Ele morava no 29º andar do Rio Flat Service, no Leblon. Ocupava um dos 257 apartamentos e tinha à sua disposição os serviços regulares dos flats — arrumadeira, lavanderia e café da manhã —, dos quais praticamente não se servia.

Por volta das dez da noite chegava sua refeição diária, encomendada no restaurante Buffalo Grill ao maître Garrincha, seu conhecido desde quando trabalhava no Plataforma. Em geral pedia um filé alto grelhado na brasa, que era entregue pelo vão da porta semiaberta. As comunicações entre o inquilino do apartamento 2901 e o supervisor do flat, Antunes Gonçalves, se davam durante a noite em diálogos educados, o que, segundo ele, desmentia "ao contrário do que dizem, ele não tem nada de louco". Vez por outra João saía à tardinha em seu Monza para um passeio até a Barra de Guaratiba.[19] Observando religiosamente o principal mandamento de sua existência, tocava horas seguidas durante a parte do dia em que vivia intensamente: quando a noite descia.

A tentativa de repetir o êxito do jingle da Brahma com outro para a Vale, em 2008, não tinha muita chance de dar certo. Música e letras chochas e um João sem gás demonstram pela enésima vez que o repeteco de um sucesso tem invariavelmente o destino de não emplacar. Após um texto corporativo de trinta segundos com fundo de violão exaltando a Vale, o jingle faz uma homenagem ao povo brasileiro e apresenta João Gilberto cantando: "Já pensou se eu nascesse no frio / Já pensou se eu nascesse [...] sem sol, sem bola, sem Copacabana, sem Rio, sem a Bahia..." e por aí vai até o final, sem decolar. Não tem punch, elemento essencial num jingle. Não foi uma boa para João Gilberto.


Por quase trinta anos, desde a gravação de *Getz/Gilberto*, Tom e João não se encontraram mais num palco ou estúdio. Cada qual seguiu sua trajetória internacional, ambos consagrados não só como os papas da bossa nova, mas como os arautos da música brasileira no mundo.

Mas alguma coisa provocara um distanciamento entre eles. João não se conformava de Tom ter aceitado o convite de Frank Sinatra para participar de seu programa de tevê tocando violão. O violonista era ele, ora! Após anos de andanças pelo mundo, ambos moravam no Rio. Não seria o caso de juntar os dois num histórico show de reconciliação? A Fischer & Justus foi acionada pela Brahma para fechar com chave de ouro a campanha Número 1. João e Tom eram os número 1 da música brasileira. Bastavam seus prenomes para intitular o superespetáculo no Theatro Municipal do Rio de Janeiro: *João e Antônio*.

Eduardo Fischer fez o contato com Gil Lopes, que fez o contato com João Gilberto, que relutou mas acabou aceitando. Com Jobim foi mais fácil. Fariam um espetáculo no Rio e outro em São Paulo. Ambos juntos de novo no palco, trinta anos depois do Bon Gourmet. Um ao piano, outro ao violão. E as canções que nesses anos todos eles tocaram e cantaram mundo afora. Essa não dava pra perder.

Era dezembro de 1992. Duílio Malfatti da agência Fischer & Justus foi encarregado de preparar o encontro em que ambos ajustariam os ponteiros para o espetáculo. Reservou uma suíte no Caesar Park, onde João foi providencialmente hospedado. Alugou um piano de cauda para um possível ensaio e foi buscar Tom na véspera do show, a fim de que ambos combinassem o repertório. Ao chegar ao hotel, o recepcionista disse que João tinha saído. Fora afinar o violão, justificou Gil Lopes. O jeito era esperar ouvindo Tom Jobim ao piano. Uma hora e meia depois, João entra na sala da suíte e vai direto para o quarto, sem olhar para os lados. Desconfiando de algo, Duílio levanta e abre a porta do quarto:

"João, o Tom está aqui, vocês têm que conversar."

João inventa um pretexto: "Ah, mas eu estou afinando meu violão".

Devia estar no limite máximo da tensão, procurando inventar uma desculpa para empurrar o encontro até quando fosse possível. "Mas você saiu para afinar, agora tem que afinar a conversa com o Tom, não o violão", ele ouviu como resposta.

Quantas lembranças podem ter passado pela cabeça deles na véspera daquele encontro? Eles se amavam, se admiravam, se desentendiam e se entendiam, sabiam o que significavam na música do mundo. Eles queriam e não queriam. João viu que não tinha jeito, mas não queria dar o braço a torcer: "Ah, sim, o Tom está aí, não é? Fala para ele vir aqui".

Duílio tentou contemporizar: "Mas você não quer ir para a sala conversar?".

"Não, é melhor nós conversarmos aqui."

Duílio foi diplomático. Deu por perdida a oportunidade de ser a única testemunha do encontro e disse a Tom: "Acho melhor vocês dois ficarem sozinhos no quarto". Tom entrou, os dois conversaram por pouco tempo. Tom saiu, e Duílio imaginou que tinham se acertado. Entre aqueles dois não era preciso ensaio nem muita conversa. Assim deu-se o reencontro de João Gilberto e Tom Jobim, na véspera do show.[20] Ninguém presenciou.

Duílio saiu para preparar a lista de convidados, retornou ao hotel às duas da manhã, subiu para seu apartamento contíguo ao de João e, sabendo que o dia seguinte seria brabo, foi dormir. Às três e meia toca o telefone: "Aqui é o João".

"O que aconteceu? Você está passando bem?"

"Sabe, é que eu estou aqui com os dólares que você me pagou e estou vendo que tem umas notas muito velhas, eu queria trocar por algumas notas novas."

"São três e meia da manhã, João, eu acabei de me deitar, estou morrendo de sono."

"É, mas por favor."

"Tenho que acordar muito cedo, amanhã eu pego esses dólares com você e faço o que tiver que ser feito."

"Ah, tá bom."

Desligou, acordou às cinco e meia e, mesmo sabendo que João dormia durante o dia, bateu na porta dele. Nenhuma resposta. Ligou para a recepção pedindo para chamarem o hóspede. Nada. Preocupado, ligou para o gerente abrir a porta. Entrou e sacudiu João, que acordou zonzo: "Que é que foi?".

"Nada. Você me ligou as três e meia, queria trocar dólar, me dá os dólares."

"Mas eu estou dormindo."

"Eu também estava, me dá os dólares aqui."

João se levantou, pegou os dólares e falou: "Tá aqui".

"Tá bom. Quantas notas são?"

"Não, eu quero que troque tudo."

"Mas João, são 50 mil dólares, como é que eu vou trocar?"

"Ah, mas eu queria que trocasse tudo."

Duílio conseguiu trocar todos os dólares correspondentes à metade do cachê de João e às seis e meia da tarde estava de volta ao hotel para levá-lo ao teatro, uma vez que o show seria às oito da noite. João queria ir mais tarde, Duílio não permitiu, argumentando que Gil Lopes estaria na porta do Municipal à sua espera. Chegaram com antecedência, João tentou sair mais uma vez dizendo que precisava afinar o violão, Duílio mais uma vez o impediu.

No camarim, quase aconteceu um barraco. Não entre Tom e João, que assim que chegou foi ao camarim de Tom e recebeu um carinhoso "Oi, João", retribuído com um "Oi, Tonzinho". O caso é que na semana anterior João havia feito um pedido que soara para a agência e a empresa patrocinadora como uma imposição: "Tem que chamar a Astrud. É a chance da gente fazer os três". Muito a contragosto, as partes tiveram que ceder e arcaram com o custo extra.[21] Tão logo chegou ao Municipal, Astrud bateu na porta do camarim: "João, é Astrud". Imediatamente ele se levantou do sofá e se trancou no banheiro. Nenhuma resposta.

"João, abra. Sou eu, Astrud." Silêncio. A porta enfim é destrancada, e os dois conversam a sós no banheiro.[22] Astrud sai e João se prepara para entrar no palco.

O show vai começar no horário. "Ufa!", exclamou Duílio, podendo entrever o teatro superlotado de convidados, gente bacana, da música e do teatro, todos querendo ver o histórico encontro. O vozerio refletia a excitação da plateia. A ansiedade era tanta que a apresentação de um diretor da Brahma terminou em vaias que só diminuíram com o protesto de alguém da plateia. Era Sérgio Cabral: "Para de falar, vamos ver o show!".[23] E que show! Cada um se apresentou sozinho e depois os dois se juntaram, e foram ovacionados. Estavam exultantes, talvez não imaginassem ser tão queridos.

Em "Desafinado", João encurta frases para deixar o violão fluir com o piano de Tom, que aproveita as brechas para frases melódicas. Lá pelo final, "que no peito do desafinado/ também bate um coração", tem a coda: *tum dum dum tum dum dum tum...* e os acordes sincopados de Tom. Os dois abrem um sorriso ouvindo a si próprios no som que é só deles.[24]

Na última canção, Tom e João estão abraçados no palco, sorrindo abertamente enquanto o público aplaude de pé. Tom cochicha algo para João, vai para o piano, bate palmas, vê-se Edu Lobo na plateia. João senta no banco, também bate palmas. Ouve-se Tom dizendo "Oi, que sensacional". Closes de Caetano Veloso e Chico Buarque. Tom ataca a introdução de "Chega de saudade", e ao final o público vibra, aplaude, grita agradecendo por tanta coisa bonita. Isso foi *João e Antônio*. Mais um verso para "You're the Top".

Numa segunda-feira de julho, um dos amigos "telefônicos" de João Gilberto, Paulo Cesar de Araújo, baiano de Vitória da Conquista, ligou como sempre fazia e ouviu: "Paulo, foi bom você me ligar, queria mesmo falar com você. Você não quer ir a Salvador comigo? Esta semana vou me apresentar no Teatro Castro Alves e convidei alguns amigos. Faltava falar com você. Chama também seu pai para ir com a gente. Quero ver vocês dois lá na plateia. E não se preocupe com hotel, passagens, porque vocês são meus convidados". Seriam três shows na reabertura do teatro, com Gal Costa, Bethânia e João Gilberto. Paulo Cesar não só assistiu a todos como participou dos jantares oferecidos após cada espetáculo a toda a comitiva na casa de Vavá, irmão de João. Foi quando João lhe contou que, em 1960, ele foi certa noite à boate Plaza ouvir pessoalmente um cantor que, segundo diziam, o imitava. Era Roberto Carlos, em seus dezoito anos, que naquele momento cantava "Brigas nunca mais".[25]

A apresentação no 1º Festival de Jazz de Miami, em 30 de julho, no Jackie Gleason Theater, não acrescentou grande coisa à carreira de João. Ele chegou, não deu a entrevista prometida, cantou e voltou para o Rio em seguida. Segundo Gil Lopes, criar sinergia era o meio de fazer João se movimentar, aproveitando ao máximo seus momentos de atividade antes que retornasse à caverna de onde fazia de tudo para não sair.

No ano seguinte, sua participação no show do Palace em 13 de abril de 1994, destinado a um especial da TV Cultura, teve enorme repercussão. O presidente da emissora, Roberto Muylaert, chamou seu novo diretor de programação, o gaúcho Luiz Eduardo Crescente, e sua irmã, Rosa Crescente, e lhes expôs uma velha ideia: "Tenho shows com Caetano, com Gil, Chico Buarque, só não tenho com João Gilberto. Minha expectativa é que vocês consigam trazer ele". Iniciou-se um processo cujo primeiro passo foi contatar Gil Lopes, que por acaso era amigo de Rosa desde Porto Alegre, quando empresava os Engenheiros do Hawaii. A tratativa veio a calhar com a realização dos Heineken Concerts, idealizados por Toy Lima, também amigo de Rosa, que já tinha fechado com João um show na edição naquele ano. O Heineken Concerts não era propriamente um festival de jazz, mas uma série de shows montados para valorizar músicos e arranjadores brasileiros, porém com a presença de solistas de jazz.

Formou-se uma harmônica aliança para que o show de João no Palace fosse televisionado pela TV Cultura e transmitido como um especial comemorativo dos 25 anos da emissora. Na condição de grande astro da quarta edição do Heineken Concerts, João Gilberto participaria de um evento significativo, o que não acontecia desde o *João e Antônio*. A equipe técnica estava à altura de uma gravação perfeita do show. Alugaram uma mesa de som de primeira linha, escalaram o que de melhor havia na TV Cultura, que na ocasião era dominada por um time de gaúchos, como o diretor de TV Carlos Kobe.

Veio o show, e João, com o Palace lotado, cantou pela primeira vez canções nunca ouvidas em seus espetáculos: "Eu sei que vou te amar", "Você não sabe amar", "Fotografia", "Lá vem a baiana", "Guacyra", "Se é por falta de adeus" e "A valsa de quem não tem amor", sete canções pinçadas de sua arca pessoal. Ao final, com o Palace já vazio, João fez um pedido: "Eu acho que não ficou bem e eu quero regravar uma música". As pessoas da equipe retomaram seus postos. E então ele cantou várias músicas, refez grande parte do show para os poucos privilegiados: Roberto, os irmãos Crescente e Beth Carmona. Diz Rosa:

> Tinha aquele monte de gaúcho, e quando a gente subiu no palco, o João veio para o Muylaert e falou: "Puxa, Roberto, é um prazer te conhecer, eu acompanho o que você está fazendo na TV Cultura, é importante como você contribui no cenário musical e cultural, como você transformou a TV Cultura num veículo tão importante, eu te admiro muito, ainda mais agora que eu soube que você é gaúcho". O Roberto emudeceu, porque não tem ninguém mais santista do que ele. Mas quem é que vai desmentir João Gilberto? Eu lembro que numa outra situação Roberto contou a história para alguém que perguntou: "E o que você fez? Falou que não era gaúcho?". Ele respondeu: "Eu não, a única coisa que eu fiz foi nunca mais lavar a mão".[26]

Gil Lopes havia recebido uma cópia em VHS do show para João Gilberto conferir o som.[27] Sexta feira, faltando duas horas para o programa ir ao ar, Rosa recebe um telefonema de Gil: "Rosa, estou te ligando para comunicar que o João não está autorizando a exibição do show". Rosa engoliu em seco: "Você está de brincadeira, Gil? Daqui a duas horas vai pro ar. O que aconteceu? Tem algum problema?".

Do outro lado da linha, Gil explicou: "O áudio está péssimo".

"Mas como você sabe que o áudio está péssimo?", ela perguntou, atordoada.

"O João revisou a fita em VHS que vocês mandaram."

"Vocês quem?"

"Você."

"Não, eu não fiz isso."

"Não está autorizado e eu estou comunicando."

"Imagina, Gil, pelo amor de Deus. Você tem noção do que é isso para a TV?"

A TV Cultura tinha anunciado reiteradamente o *Especial* de João Gilberto, aproveitara uma permuta com o *Estadão* inserindo um anúncio de página, fizera uma superprodução esmerada com qualidade de som e imagem. Houve um empenho inaudito para que fosse um superprograma, um mega *gold diamond* show de TV, e de repente aquele terremoto. Gil estava irredutível: "Olha, não quero saber. O áudio não tem condições".

Desesperada, Rosa procurou o consultor jurídico da emissora, Fernando Fortes. Além da voz de locutor (trabalhara na Rádio Eldorado), ele era um gozador de marca, que camuflava sua capacidade de enfrentar e superar situações consideradas perdidas. Com sua calma quase irritante, ele quis saber em que termos o empresário havia se pronunciado. "Ele falou: estou desautorizando a exibição, o João não concorda, não aceita e proíbe a execução." Imperturbado, Fernando entrou pelo caminho jurídico: "Mas ele te mandou alguma coisa? Ele escreveu?". Rosa sentiu firmeza: "Muito provavelmente ele vai mandar um fax". "Você pediu para ele mandar isso por escrito?", perguntou o advogado. Rosa entendeu aonde ele queria chegar: "Eu não, não sou louca, mesmo sob pressão consegui raciocinar, desliguei o telefone e comecei a chorar". Fernando encontrou a solução: "Então vamos fazer o seguinte: vamos desligar todos os faxes da TV Cultura inteira".

Os departamentos da emissora providos de máquinas de fax entraram em ação. Desfaxiaram tudo. O fax não chegou. Rosa foi para casa, assistiu ao *Especial* em duas televisões ao mesmo tempo. O que ela nem ninguém da TV Cultura sabia é que João Gilberto havia alugado uma suíte no Copacabana Palace para assistir ao programa, pois o sinal era retransmitido pela TVA. Dois minutos depois do final do especial, toca o telefone na casa de Rosa. Era Gil Lopes: "Rosa, João está emocionado, está tão feliz, tão contente, que lindo show, que maravilha, que homenagem, parabéns, TV Cultura, parabéns Rosa!". Ela soltou dois ou três palavrões,[28] saltou de felicidade e ganhou a parada. No Rio, João Gilberto estava emocionado, chegou a chorar com o *Especial de 25 Anos* da TV Cultura.

A programação do Heineken Concerts se estendia para o palco do teatro do Hotel Nacional, no Rio de Janeiro. Assim como os demais participantes da série daquele ano,[29] João teve seu show, no dia seguinte ao espetáculo em São Paulo, ou seja 14 de abril, com a plateia recheada de grandes figuras da música brasileira. João abriu com "Não vou pra casa", um samba gravado pela dupla Joel e Gaúcho, praticamente desconhecido da assistência.[30] Antes de cantar, ainda agradecendo os aplausos com um "muito obrigado", surge um moço de cabelo comprido e camiseta branca, agacha-se a seu lado para melhor posicionar o microfone do violão. Era João Marcelo, seu filho do primeiro casamento com Astrud Gilberto. Segundo Toy Lima, João manifestara vontade de reunir no Brasil seus dois filhos que moravam nos Estados Unidos, João Marcelo e Bebel, de mães diferentes. Foi atendido. Bebel cantou no show do pai e João Marcelo atuou na área técnica do segundo show, no Teatro Nacional — o qual, ao que se saiba, não foi lançado em gravação ou vídeo.

Um estúdio do Rio de Janeiro guardava o material sonoro que daria sequência ao que Toy Lima estabelecera com a Heineken: a opção para um disco de João com o áudio do show no Palace.[31] Onze canções além das sete inéditas perfazem as dezoito faixas do LP e CD *Eu sei que vou te amar*, que traz na capa uma foto do artista clicada em São Paulo por Mario Luiz Thompson. No verso, pode-se ler, acima dos logotipos da LPC Projetos Culturais, empresa de Toy Lima, e da Heineken Concerts, o seguinte: "Gravado ao vivo no Heineken Concerts Especial apresentado pela TV Cultura". Abaixo: "Direção-geral do evento: Toy Lima". Nas precárias informações de ordem técnica, consta que a masterização é de Ricardo Garcia, João Leopoldo e João Marcelo. E o que está no disco?

De minha parte, meu comentário para o livro *João Gilberto* de 2001 é este:

> Há uma gigantesca diferença entre o disco de Montreux [também ao vivo] e o do espetáculo gravado no Palace de São Paulo, durante a série Heineken Concerts, em 1994. A começar pela qualidade de som, bastando comparar duas músicas que estão em ambos, "Desafinado" e "Estate". Em vez de brilhantes, os agudos são opacos, os graves não existem, e o disco inteiro incomoda pelo excesso de reverberação. A edição é de um amadorismo primário, com emendas malfeitas; a sequência não faz sentido, devendo ter sido montada no estúdio com o intuito de disfarçar aplausos após cada número. [...] *Eu sei que vou te amar* é um disco artificial, de produção desleixada, em que o próprio João parece desanimado até mesmo em sambas como "Rosa morena" (Dorival Caymmi), naturalmente provocante. Alguns sambas-canção dos anos 50 também se perdem no menos interessante dos discos ao vivo de João Gilberto.[32]

O som do disco era muito diferente do que foi o do espetáculo. Mais de vinte anos depois, ouço novamente o LP. Fico pasmo. Esse fica encostado.

Em 8 de dezembro de 1994, a música sofreu uma enorme baixa. Antônio Carlos Brasileiro de Almeida Jobim nos deixou. O Maestro Soberano partiu. João Gilberto ficou só. Posso imaginar: pegou o violão e, como no dia da morte de d. Patu, se ausentou do mundo tocando pela linha da espiritualidade para quem partira. Nesse dia muita gente chorou pelo mundo inteiro. Uma emissora americana tocou músicas de Jobim por 24 horas. Justamente dois anos antes, abraçados e felizes no palco, cantaram e tocaram juntos. Justamente dois anos depois, João tocou sozinho.

Carmen Elisa Ritenour mais uma vez se envolvia em outro grande projeto de música brasileira em Nova York. Já havia trabalhado com a Brasil Projects, que promovera o show de João no Town Hall, em 1988. Agora, a Sociedade Cultural Arte Brasil, da qual era diretora, iria produzir em 18 de abril um tributo a Tom Jobim no Avery Fischer Hall, a principal sala de concertos de Nova York, no Lincoln Center. Com o apoio da embaixada do Brasil, na gestão de Paulo Tarso Flecha de Lima, o convidado de honra seria o presidente Fernando Henrique Cardoso. João Gilberto tinha que estar nessa.

Para o superconcerto de astros, estrelas e músicos brasileiros e norte-americanos,[33] o radialista Sergio Mielniczenko[34] escolheu 33 canções de Jobim. Assistir a João Gilberto, Milton, Gil, Caetano, Gal, Sting e tantos outros num mesmo show motivou uma corrida à bilheteria: mais de 2500 ingressos se esgotaram em menos de duas horas. Seria uma produção intrincada com 26 artistas. Tanta gente junta era motivo mais que suficiente para João tomar duas providências assim que chegou: isolar-se no Surrey Hotel do East Side enquanto a delegação se hospedava no Méridien do West Side; não participar do ensaio geral na tarde do show. Sua aversão quase doentia a grupos de mais de uma pessoa falou mais alto.

Antes de chegar ao Lincoln Center, João fez questão de ficar circulando pelo quarteirão dentro do automóvel, enquanto o show transcorria no Hall. Exigiu que não houvesse ninguém em seu caminho no trajeto do carro até o palco. Nem Milton, nem Caetano, Gil, ninguém. Abriu a porta do carro, caminhou até a entrada dos artistas, foi direto para o palco, cantou, terminou e saiu contornando os participantes que aguardavam a vez no *backstage*. Agarrou Gil Lopes pelo braço, entraram num lavabo, trancaram-se e combinaram sair rapidamente, abrindo caminho nem que fosse à força para deixar o teatro o quanto antes.

O que João não sabia é que depois dele Astrud entraria para reviverem "Garota de Ipanema", como um bis. Carmen saiu correndo atrás de João, que se recusava a voltar. "Mas João, a gente combinou, está todo mundo esperando", ela pedia. João negava: "Não tenho condições, vou embora". Afinal concordou, voltou e entrou no palco. Quando começou a cantar, os músicos que participavam do número perceberam que a afinação de seu violão não batia com a de nenhum outro instrumento. Mesmo em cena foram afinando aos poucos, com exceção do piano de Dave Grusin. No final, cada um foi parando aos poucos. O crítico do *New York Times*, Stephen Holden, escreveu que o piano é que estava desafinado.

No dia seguinte, João ligou para Carmen se desculpando por não ter ido ao ensaio, elogiou o show e lamentou que, com músicos tão maravilhosos, ele sentira que tinha perdido a arca de Noé.[35]

João Gilberto foi o artista escolhido para inaugurar o Tom Brasil, uma nova casa em São Paulo, na Vila Olímpia, que deu início a um novo polo de entretenimento naquela região. Nos anos seguintes se tornou seu local preferido para os shows na cidade que lhe era tão grata. Confessava no palco a pureza de seu amor por São Paulo. Suas comunicações em cena variavam entre pedidos ou broncas aos técnicos de som e, quando tudo corria bem, ele se alegrava de ver o público cantar em coro e gostava de contar histórias sobre as músicas que iria cantar. Foi assim no Tom Brasil de São Paulo em agosto de 1995.

E foi assim em Campinas em maio de 1996, no Centro de Convivência Cultural.[36] Tudo correu bem, o povo cantou e ele contou histórias. "Vou cantar a música de um grande amigo meu, Denis Brean, ele nasceu nesta cidade, fez essa música. Linda. E um dia encontrei com ele na rádio, tv Excelsior, e disse 'Puxa, você é Denis Brean, muito prazer. Que música linda que você fez, é sobre a Bahia'. Ele dizia: 'Nunca fui lá'. E é perfeita, parece que vê aquilo... É que ele tinha medo de viajar." João tange o violão e canta "Bahia com H" num balanço irresistível, flutuante, que faz você dançar sentado, remexendo o traseiro, o violão sintético, pulsante. Ao final, ele volta a falar: "Não é bonita? Não é bonita? Parece um postal mesmo. Deixa eu repetir por favor. Assim lento... lento... lento que é pra vocês verem". E ataca "Bahia com H" em acordes calmos, às vezes arpejados, sem o ritmo do samba que é pra todo mundo gozar a beleza da canção, na mais bela interpretação de "Bahia com H" de João.

Foram dois dias de show em Campinas produzidos por Toy Lima, que firmou o contrato diretamente com João Gilberto. Explicou que seria num teatro projetado por Fábio Penteado, com uma acústica elogiada pelo mundo inteiro, abafada do jeito que ele gostava. João decidiu: "Ah, eu quero ir sim. Vou fazer uma música do Denis, 'Bahia com H'". Toy alugou um jatinho da Lider no qual embarcaram do Rio João, Bebel e Otávio Terceiro. Também providenciou um banquinho de veludo preto. Os dois shows foram patrocinados pela Coca-Cola e Kaiser, cuja matriz era em Campinas, com uma plateia de convidados meio grã-

-finos na primeira noite.[37] Cantou "Eu sei que vou te amar", "Fotografia", "Lá vem a baiana", "Da cor do pecado", "Guacyra" — "para mim, a mais linda e tocante interpretação daquela noite [...], meu pai amava ouvir com a dupla Cascatinha e Inhana. Chorei baldes. João estava inteiro, mágico, real", escreveu o jornalista Fernando Kassab.[38]

No segundo show, João estava encantado, se engraçou com uma das moças da produção, conversava, brincava, um capeta, fez todo mundo cantar. Novamente Mario Luiz Thompson estava agachado na plateia tirando fotos de João, que ao terminar uma música disse: "Mario, estou ouvindo seu clique". João ouvia tudo. Cantou seis músicas inéditas que nunca cantara nem gravara, duas delas de Denis Brean. A primeira foi "Boggie-woogie na favela": "Chegou o samba minha gente/ lá da terra do Tio Sam com novidade/ e ele trouxe uma cadência que é maluca/ pra mexer com a mocidade". Em seguida contou uma história: "Roubaram a música dele, fizeram qualquer coisa com o *boggie-woogie*, umas coisas assim, e ele fez essa ['Boggie-woogie do rato']: 'Tá dando rato, muito rato e que rato que está dando no meu boogie e que sopa para um gato/ Eu não sabia que havia tantos ratos no meu samba mas agora ante o fato, o rato é mato'". Foi a única vez que João cantou essas duas composições com letra e música impecavelmente bem amarradas, numa interpretação *superbe,* homenageando seu amigo.[39]

Repetindo a trajetória das *jazz bands* e do foxtrote, o boggie-woogie também aportou entre nós via os discos norte-americanos, inspirando músicos a aderir à nova febre e compositores, a reconhecer que ela podia perfeitamente se integrar à canção brasileira. Foi quando entrou em cena um rapaz de Campinas que, ao perceber a possibilidade de misturar o ritmo brasileiro com a grande novidade americana, tratou de criar um samba rasgado contando o desembarque do boggie-woogie nestas plagas. Julgando que seu nome destoava com o de um compositor de música popular, Augusto Duarte Ribeiro adotou um pseudônimo americanizado, que poderia lhe assegurar certo anonimato e talvez até combinar melhor com a letra. A carreira de Denis Brean como compositor e jornalista, no entanto, revelou que um possível entusiasmo pelo imperialismo norte-americano estava a léguas de suas intenções. A ironia do "Boggie-woogie na favela" gravado por Ciro Monteiro veio à tona em outro sucesso de Denis, na gravação de "Boggie-woogie do rato", com a dupla Joel e Gaúcho, uma alfinetada bem dada em represália aos autores com quem o compositor tivera litígios autorais.

Denis Brean era uma figura típica do rádio e do jornalismo brasileiro daqueles anos 40 e 50, um gozador, sempre com tiradas sarcásticas e bem-humoradas — parecia ter vindo ao mundo mais para se divertir do que para qualquer outra coisa. Aproveitava intensamente a noite paulistana, quando a boemia ainda era possível.[40] No segundo show, João estava mesmo com a macaca: não foi arredio, foi magistral.

Na última década do século xx, João Gilberto participou de dois dos principais festivais de jazz dos continentes europeu e norte-americano, ambos costumeiramente realizados no verão do hemisfério norte. No Umbria Jazz Festival da montanhosa cidade de Perúgia, na Itália, ele fez três apresentações no Teatro Morlacchi em julho de 1996, uma das quais comentada por Gino Castaldo: "João Gilberto vive de absolutos, de regras extremas, como todos os criadores que são responsáveis por um inteiro mundo expressivo [...]. No seu mundo não existe o passar do tempo nem a história. Existe a emoção da descoberta da música como zona profunda da nossa compreensão".[41]

Em junho de 1998, João foi convidado para a noite *The 40 Years of Bossa Nova*, do jvc Jazz Festival de New York no Carnegie Hall, onde já estivera por duas vezes.[42] Com a casa lotada, entrou no palco às 20h12, cantou por 75 minutos, saiu e perguntou emocionado: "Quanto já cantei?". Voltou para um bis com "Nova ilusão", "Louco", "Garota de Ipanema" e "Mais que nada", por sugestão de Bebel, que também participara do espetáculo.[43]

À primeira vista, pode soar estranho que um artista que não faz improvisações e com um repertório constituído praticamente de canções brasileiras, interpretadas em língua portuguesa, que nada tem a ver com blues, posto que matriz enraizada no samba, possa ser atração de primeira grandeza num festival de jazz. Nunca se cogitou convidar Domenico Modugno nem Frank Sinatra para um festival de jazz. Por quê?

Talvez por João ter acontecido nos Estados Unidos, ter gravado com Stan Getz. Se gravou com Stan Getz, que improvisava, devia ser jazz. Atuando em clubes de jazz norte-americanos como o Village Vanguard, e não em ambientes do tipo cabaré (Algonquin ou mesmo Copacabana, dois modelos dos emblemáticos nightclubs de Nova York), uma apresentação de João Gilberto não exigia recursos cênicos ou coreográficos, não dependia de acessórios nem de efeitos e recursos da tecnologia, nada do que faz parte dos espetáculos de entretenimento musical. Eram recitais em que a audiência está interessada no que vai ouvir, como no jazz. Os comentários sobre seus discos eram publicados em revistas de jazz, escritos por jornalistas especializados em jazz.

Como ponderou Gary Giddins com lucidez:

João Gilberto se tornou uma figura cult, e cult por definição tem uma audiência pequena. João chega a uma proporção impecável entre a voz e o violão. Sempre microfonado e muito sutil, ele sabe exatamente o que precisa para que a voz e o violão tenham o equilíbrio perfeito. É uma das coisas que você me ensinou quando me visitou pela primeira vez. Eu não percebia. Como a grande maioria das pessoas por aqui, pensava que a bossa nova vinha diretamente de Jobim. Mas Jobim escreveu as músicas e João Gilberto criou o estilo.[44]

# 13. Minimalismo

A relação entre João Gilberto e Caetano Veloso começa a se estreitar em 1968, ano em que Augusto de Campos visitou João em sua casa de Nova Jersey. O poeta, que estava em Nova York, ligou para o número de telefone que lhe foi passado e, sem muita expectativa de um encontro, disse ser portador de um cassete com músicas novas de Caetano. João foi gentilíssimo, lhe deu o endereço e comentou: "Ele está fazendo coisas tão lindas. Caetano é um poeta. Caetano está lá no alto... O que é que eu vou dizer pra Caetano? Diga que eu vou ficar olhando pra ele". Augusto teve um insight. Seu livro *Balanço da bossa* estava pronto, faltava apenas a ideia da capa. De volta ao Brasil, ligou para o amigo e artista gráfico Décio Pignatari e lhe pediu para montar uma foto de João Gilberto no alto de uma sequência em perspectiva com fotos idênticas de Caetano sentado no chão. "Seria a representação figurativa da frase de João que utilizei numa página de meu livro: 'Diga que eu vou ficar olhando para ele'."[1]

Três anos depois, Augusto testemunhava o encontro de João com Caetano na gravação do programa da TV Tupi. Em 1989, os dois estavam juntos na turnê europeia, e mais João Bosco. João e Caetano se aproximavam cada vez mais.

Um encontro de considerável importância se deu no Teatro Gran Rex[2] de Buenos Aires, em 19 de março de 1999, quando encantaram mais de 3 mil portenhos ao longo de duas horas do espetáculo. O show era dividido em três partes:

João solo; Caetano solo, e os dois juntos. Na primeira noite, João cantou oito músicas; Caetano cantou seis, e os dois cantaram mais doze. Lá pela metade do show, após a aplaudidíssima interpretação de "Acontece que eu sou baiano", em que os dois dividiram os versos, João dirigiu-se ao público relembrando sua primeira ida a Buenos Aires: "Con permiso, vou dizer uma coisa. Quando eu vim aqui *la prima* vez em 62, grandes amigos, tinha o Antonio Prieto, chileno vivia aqui, Antonio Prieto! Maestro Malvicino, Carlos Rodai, grande amigo, Eduardo Mataqui, Hernández que tocava *el pistón*, grande mússico, Gustavo tocava piano, outros amigos que *no me acuerdo* o nome e um grande amigo meu, Jorginho Echeverría tocava *la* guitarra, é isso, eu quero *decir que los tengo en el corazón*".

A plateia se derreteu. Daí em diante, João e Caetano cantaram mais dez canções no mesmo formato, um deles cantava uma vez, o outro repetia e depois ambos pela terceira vez. Na mais aplaudida, "O pato", João fez contracanto para Caetano, e nos *quén, quén, quén* finais se revezaram em duelo único até o fade out. Mais adiante, quando os argentinos perceberam que após outros 26 números "Garota de Ipanema" seria o de encerramento, prorromperam em aplausos, gritos, assobios, palmas ritmadas, pedidos de bis por dois minutos e 23 segundos sem arredar o pé. Um concerto triunfal.

No dia seguinte, René Vargas Vera escreveu em *La Nación*, com minha tradução:

> Caetano antecipa sortilégios que pleiteiam a dimensão do maravilhoso para quando chegar o maestro, o seu maestro. O sortilégio está em seu delicado violão que desfolha harmonias e em sua encantadora voz de barítono, produzindo delícias como "Manhatã" [...]
>
> Por acaso seria necessária uma bateria para marcar o ritmo? Inútil. Os quatro dedos de sua mão esquerda encerram todas as cadências imagináveis. E se incorporarmos uma flauta? Sugestão desnecessária: a voz de João encerra a sedução dos desenhos sutis e dos fraseados que não se repetem. [...] João parece empenhado em levar seu estilo a picos inacessíveis do preciosismo e originalidade. É quase impossível imaginar um refinamento mais elevado e aristocrático para a música popular do Brasil.[3]

Na primeira ida a Buenos Aires, em 1962, à qual João se refere com tanto carinho, seu show foi modesto, com Milton Banana à bateria na boate 676 da calle Sucre. Seduzido por Buenos Aires, ele conheceu a vida noturna e fez amigos. Assim começou sua história de amor pela cidade. Em 1997, retornou à capital argentina como parte de *una gira* por Montevidéu, Santiago e Buenos Aires, nessa ordem, promovida pelo chileno Jorge Espinosa e o argentino Roberto Menéndez. Depois de se apresentar em Montevidéu, João voou para o Chile na véspera do show, acompanhado de sua corte habitual, composta, entre outros, por Otávio Terceiro, Maria·do Céu, a empresária brasileira Fátima Rodriguez, João Marcelo, que veio dos Estados Unidos a seu pedido, Castor, o técnico de som.

A primeira noite em Santiago lhes reservou um tremendo susto: um terremoto. Pode-se imaginar a cena: a terra treme, todo mundo apavorado, invocando os santos, João·querendo sair do país pra nunca mais voltar, um sufoco. Mal conseguiram dormir. Na manhã seguinte, tudo em paz, como se nada tivesse ocorrido. No Centro de Eventos San Carlos de Apoquindo João fez o show, bem-humorado, alegria geral, todos vão dormir sossegados, *sin terremoto por supuesto*. Às dez da manhã descem todos aliviados, prontos para embarcar para Buenos Aires. Todos não. João, que havia tido uma discussão brava com Maria do Céu, não desceu. Fátima sobe, bate na porta, e nada. A van não pode mais esperar. Segue para o aeroporto. Fátima Rodriguez e Roberto Menéndez ficam à espera de João. Resumo da ópera: perderam o voo. Conseguem remarcar para as duas da tarde do dia seguinte, véspera do show em Buenos Aires. Pernoitam em Santiago. Os três, João, Fátima e Roberto, se mandam para o aeroporto no horário. Tudo certo, check in. Nããão! Surpresa: João não tinha passaporte.[4]

"Como assim? E agora? Ai, ai, ai!", lembra Roberto, sobre mais um apuro da turnê. Maria do Céu havia surrupiado o passaporte de João para dar o troco da pendenga entre os dois. Como se estivesse revivendo a angústia daquele dia, Roberto prossegue:

> Imagina a cena: nós três sozinhos no aeroporto de Santiago, João sem passaporte e eu tentando explicar à autoridade quem era aquele senhor. Deixa eu ver o que você tem aí, João: Green Card americano, cédula de identidade brasileira. Chilenos são chilenos. Fomos ficando nervosos, sem saber o que fazer. Vamos a uma cabine telefônica. Chamar quem no Brasil? Alguém do Itamaraty? Da chancelaria? Voltamos para o hotel, nos hospedamos, vamos ver se conseguimos outro passaporte. Chega alguém da embaixada para fazer ali mesmo no hotel um passaporte novo. Precisávamos fazer a foto de João, nenhum fotógrafo no hotel. Chega um fotógra-

fo, e João não queria que alguém o visse sendo fotografado. Mas é só uma foto de passaporte, João! Acaba a foto, é feito o passaporte, trocamos as passagens, entramos no avião no dia seguinte, chegamos a Buenos Aires no dia do show. Eu havia contratado uma limusine de motorista uniformizado com boné para esperá-lo. Depois desse estresse todo, estamos em Buenos Aires, relaxados, felizes, vamos para o hotel. Havia reservado o Plaza Hotel, um superhotel, cinco estrelas, suíte presidencial. João não gostou, quarto muito escuro, muito tradicional, tivemos que ir para outro hotel, terminamos no Sheraton. Concerto, alegria, primeiro grande espetáculo em Buenos Aires, João chega atrasado, o público reclama contrariado. Mas era João Gilberto, estava tudo perdoado. Esse foi meu primeiro contato com o mestre zen.

Diante de plateia repleta no Teatro Opera da avenida Corrientes,[5] João foi ovacionado calorosamente pelos argentinos. "Los mágicos acertos", estampa *La Nación*. João recebe o título de cidadão ilustre de Buenos Aires.

A odisseia vivida por Roberto Menéndez nesse outubro de 97 permitiu que sua relação com Otávio Terceiro, o interlocutor de João, frutificasse. Dois anos depois ele ligou: "Otávio, por que no volvemos a traer João a Buenos Aires?". O Chile estava fora de questão por causa dos terremotos; o Uruguai era uma praça pequena que não rendia muito, e João adorava Buenos Aires, era visitante ilustre. Não importava que ele tivesse faltado à cerimônia da entrega da honraria, Bebel recebera a chave do prefeito. O primeiro LP de João Gilberto fora lançado havia quarenta anos, era aniversário da bossa nova: "Otávio, olha, cara, por que não fala com o maestro para ver se ele não gostaria de vir? Por que não fazemos algo com Miúcha? Também não seria má ideia fazer alguma coisa com Caetano".

Passadas algumas semanas, Otávio liga: "João gostou da ideia com Caetano. Podemos avançar". Dias depois João liga para Roberto: "Falei com Caetaninho, ele está na Bahia de férias e gostou da ideia de ir a Buenos Aires. Acho que vai topar". Em seguida deu o celular de Caetano e disse: "Acerte tudo e vamos a Buenos Aires". E assim foi.

Roberto liga para Caetano para assuntar como seria o show, não sabia como qualificá-lo, se em dupla com João Gilberto, como? Como convidado especial? Caetano responde: "Roberto, tranquilo, entendo tudo, eu farei o que o maestro quiser". Roberto chega ao Rio para tocar os procedimentos necessários, hospeda-se no Othon e ao abrir a porta do quarto se depara com uma garrafa de champagne Pommery, uma espetacular orquídea e um cartão: "O Brasil te recebe com os braços abertos. João Gilberto".

De todas as reclamações de João Gilberto em relação ao som, a mais célebre ocorreu seis meses depois, na inauguração da mais ampla casa de shows de São Paulo, o Credicard Hall, com capacidade para 7 mil pessoas. A estreia em 29 de setembro de 1999 deu o que falar. A atração era a mesma do Gran Rex, João Gilberto e Caetano Veloso, voz e violão.

Para a *opening night* de um investimento de tal porte foi elaborada uma lista de convidados recheada de socialites das mais diversas procedências a fim de assegurar à noite o clima "não dá pra perder". Fotógrafos pipocavam desde a entrada em busca de celebridades que davam sopa a três por dois no saguão. Nesse ambiente festivo, eram todos conduzidos a seus lugares na monumental sala, um enorme plano inclinado em forma de leque, com o palco no vértice. Tudo imenso, para onde quer que se olhasse. O público vai se acomodando. À primeira vista, não parece uma plateia do tipo que está lá para ouvir João ou Caetano, nem João com Caetano. O frisson era para marcar presença. Situação possivelmente de risco.

Começa o show. "João Gilberto canta como João Gilberto e só como João Gilberto […]. Não há cantor mais sofisticado do que Caetano Veloso hoje no país […]. Nada disso fazia muito sentido num ambiente como o do Credicard Hall", escreve Arthur Nestrovski.[6] A primeira reclamação de João acontece quando acaba o primeiro número, "Acontece que eu sou baiano": ele ouvia um eco no palco. Na sequência, não passava um intervalo entre cada música sem que reclamasse com veemência progressiva. "Infestada de bocas-livres, a festa não se distinguia muito de um rodeio ou de um intervalo de jogo de futebol. Durante o show, os vips abriam as portas das suítes estrepitosamente para fazer fotos para a revista *Caras*."[7] Decididamente não era um público ávido por música. O clima ficou pesado, Caetano tentou contemporizar com diplomacia, João foi se enfezando, a plateia reagiu, começaram a vaiar. "Vaia de bêbado não vale", cantarolou João Gilberto, ferino. À inconveniência veio uma resposta autoritária: "Quem você pensa que é?". O show foi pras cucuias.

"João tinha razão: havia mesmo um problema de acústica na estreia", reconheceu Fernando Altério, sócio e administrador da casa. Na noite seguinte, Gal

Costa foi obrigada a interromper sua apresentação por não conseguir ouvir os músicos.[8] Gian Carlo Gasperini, o arquiteto do projeto, admitiu que a sala não estava concluída na noite de abertura, mas achou pouco elegante a queixa de João. "Tivemos de fazer ajustes", complementou o engenheiro José Augusto Nepomuceno, responsável pela acústica.[9] Moral da história: quanto ao som, João Gilberto estava certo. Quanto à escolha do show inaugural, alguém errou. A redenção não demorou muito: em 8 de outubro, menos de dez dias depois da inauguração, o Credicard Hall recebia o Red Hot Chili Peppers, uma banda de funk rock. Acertou a mão.

Em 1999, o jornalista Ben Ratliff veio ao Brasil a fim de entrevistar Caetano Veloso para a revista *Spin*. Zarpou direto para Salvador, e lá foi regalado com a generosa receptividade de Caetano e Paula Lavigne. Inevitável conversar sobre *João voz e violão*, então na iminência de ser gravado, porquanto o disco seria dirigido por Caetano. De volta a Nova York, Ben cogitou entrevistar João Gilberto, pauta que agradou ao editor da seção Arts & Leisure do *New York Times*. Ligou para Caetano, que, se dispondo a atuar como intermediário, recomendou o jornalista a João, que anuiu. Caetano não só passou o telefone de João a Ben, como se propôs a elaborar um roteiro de perguntas, evitando temas espinhosos.

Após vãs tentativas de falar com João, em 6 de janeiro de 2000 Ben recebe uma ligação de Caetano: "Ele está em casa. Pode chamá-lo que está pronto para atender você". À uma e meia da noite o jornalista ligou, ouviu uns três minutos de um ruído incompreensível, até que João respondeu: "Ben! Feliz ano-novo! Quando você vem?". Previdente, Ben quis saber se deveria procurar alguém para organizar o encontro, mas João disse que não precisava, estava tudo acordado entre os dois. Ben sentiu firmeza.

O jornalista desembarcou no Rio em meados de fevereiro e foi ao apartamento de Caetano, que ligou para João. Conversaram de quinze a vinte minutos, até que Caetano desligou. Péssima notícia: João não daria a entrevista. Simplesmente não queria, até sugeriu: "O que eu gostaria de fazer é comprar uma casa no Brasil para Ben, que assim poderia entender melhor a cultura do Brasil". Nesse momento, não querendo prejudicar a relação entre Caetano e João, Ben Ratliff virou a página dessa história, a despeito do eventual embaraço que isso lhe traria com o *Times*, e enterrou o plano na pasta de abortados.[10]

O disco referido por Caetano já estava gravado na virada do século xx para o xxi. Dois versos finais de sua música "Pra ninguém" sintetizam seu amor por

João: "Melhor do que isso só mesmo o silêncio/ Melhor do que o silêncio só João".[11] Em 13 de janeiro, o comentário do saudoso crítico Mauro Dias sobre o CD foi capa do Caderno 2 do *Estadão*:

[...] a divisão das frases musicais muda, milimetricamente; as notas internas do acorde encontram caminhos novos de solução, elucidação do caminho harmônico. Há sempre um vislumbre. Num mundo minimalista, uma pequena diferença corresponde a iluminação, epifania. Isso é João Gilberto. Por isso é preciso ouvi-lo em silêncio. Sua música é dirigida à sensibilidade e à inteligência. Se é que são coisas diversas.[12]

Nas dez faixas de seu 15º disco, o primeiro exclusivamente em CD, duas eram clássicos da bossa nova, "Chega de saudade" e "Desafinado"; outra um samba-canção, "Segredo"; uma regravação de "Eclipse"; dois sambas primos entre si, "Não vou pra casa" e Eu vim da Bahia"; o clássico de Bororó, "Da cor do pecado"; um Jobim menos conhecido, "Você vai ver"; e duas de Caetano, "Coração vagabundo", lá de trás, e "Desde que o samba é samba", bem recente. "Eu fui uma espécie de produtor executivo do João, não do disco", disse Caetano.[13] Na capa, o indicador levantado sobre a boca fechada da parte visível do rosto bonito da atriz Camila Pitanga enfatiza o silêncio que João necessitava para ser ouvido devidamente. O título do disco não aparece nem na capa nem no encarte, mas no próprio CD: *João voz e violão*.

O maestro e violoncelista Jacques Morelenbaum seria convidado para os arranjos de orquestra que não se concretizaram. Entusiasmado pelos discos anteriores, Max Pierre, da gravadora Universal, pediu a Caetano para convencer João a acrescentar orquestra. "Olha, ele não quer de jeito nenhum", Caetano respondeu. Max insistiu: "Posso tentar?".

"Claro, liga pra ele." Max ligou. "E aí, João, como vai você? Olha, o disco está maravilhoso, sensacional. Eu posso te fazer um pedido? Botar só uma música com orquestra. Se você gostar, fica, se não gostar, sai."

Surpreendentemente, João concordou: "Não, põe mais, não uma só, mais músicas".

Max ficou feliz da vida e manifestou sua alegria: "O disco tem atmosfera!". João pegou pela língua: "Então, essa atmosfera é que eu quero manter. Pra que botar orquestra?".[14]

E com essa encerrou-se a discussão e o disco ficou mesmo apenas voz e violão. O engenheiro da gravação Antonio "Moogie" Canazio conta:

> João, diferentemente da maior parte dos músicos com quem já trabalhei, não é um cantor que toca violão ou um violonista que canta. Ele próprio é um som. É sempre considerado problemático porque tem uma maneira de cantar e tocar que você não pode separar. Confesso que esse João que descrevem não foi o com quem trabalhei. Ele foi a pessoa mais educada possível.[15]

Em 1954, quem primeiro teve a iniciativa de realizar um festival de jazz aberto para grandes plateias foi George Wein, programador de seu próprio clube de jazz, o Storyville, o mais afamado de Boston. O Newport Jazz Festival realizou-se na pequena Newport, em Rhode Island, resort de verão na região da Nova Inglaterra e célebre pelas mansões espetaculares. Com seu crescimento, o festival teve de ser estendido para Nova York, e em 1986, com a entrada de um patrocinador, a Japan Victor Company, foi nomeado JVC Jazz Festival. Pianista do estilo tradicional, George Wein tinha faro apuradíssimo para escolher músicos e cantores.

Embora não cantasse em inglês nem fosse violonista de jazz, João Gilberto era um dos prediletos de Wein, tendo participado de várias edições do JVC, sempre com casa cheia. Na 28ª, de 12 a 24 de junho de 2000, seu nome figurava na *lineup* ao lado de Maria Schneider, Diana Krall, Dianne Reeves e Herbie Hancock como destaque de uma programação especial no Carnegie Hall com artistas de origem latina.

No Brasil foi noticiado que a apresentação de João Gilberto na sexta-feira, 16, sofreu atraso de uma hora e dez minutos, durante o qual George Wein em pessoa tentava contornar o desagrado da plateia. "João is João", ele sentenciou. É apenas parte da história.

Gabriel Segat, administrador de empresas, era um seguidor contumaz de João Gilberto, a cujos shows no Tom Brasil de São Paulo ele assistia religiosamente. Tão logo soube que em junho o artista estaria no JVC, tratou de ir atrás dos ingressos. Em janeiro, no primeiro dia das vendas, seu companheiro, o empresário Richard Steurer, ligou logo de manhã para a bilheteria do Carnegie Hall: "Que lugares você tem?". "*Wherever you want*" (Onde você quiser), responderam. Richard imediatamente comprou dois assentos na primeira fila: A 4 e A 6.

Na quinta-feira, 15 de junho, embarcaram para Nova York, com viagem de volta no domingo. "Como é que a gente vai retirar os ingressos?", se perguntaram assim que chegaram ao aeroporto. "Olha, antes de ir pro hotel a gente passa no Carnegie Hall e pega os ingressos", propôs Richard. A bilheteria ainda estava fechada, esperaram as portas se abrirem e foram os primeiros a retirar seus ingressos num envelope que Gabriel abriu para se certificar de que estava tudo certo. Beleza! Só então se acalmou.

No que entraram no táxi para o teatro, foram surpreendidos com um congestionamento monstro na cidade. O presidente Bill Clinton estava em Nova York, a polícia fechara as ruas no entorno do hotel, uma confusão no percurso, longa demora, os dois temeram chegar atrasados. Mas deu certo: com uma hora de antecedência estavam no Carnegie Hall para o show das oito da noite. Apesar de saber que João se atrasava sempre, estavam nos Estados Unidos, onde o horário seria logicamente cumprido à risca. Ingressaram na sala. Deu oito horas e nada. Às oito e meia o produtor entrou pedindo desculpas dizendo que João estava a caminho; com a cidade toda parada, o carro dele estava preso no trânsito. Se quisessem podiam se levantar, dar uma volta que seriam avisados para entrar de novo.

Na fila do banheiro, Gabriel ouviu duas funcionárias comentando que se o show não começasse às nove, ele seria cancelado, uma vez que o sindicato não permite que o espetáculo termine depois das onze. Gabriel gelou e, ao perguntar o que aconteceria, ouviu que não era para se preocupar, pois ou o show seria remarcado, ou ele receberia o dinheiro de volta. "Bella roba!", pensou Gabriel, com passagem para o domingo. No saguão ouviu dois norte-americanos comentando que "o produtor disse que ele está preso no trânsito, mas é mentira porque João está num hotel a meia quadra daqui".

Bem, a história parecia ser outra. Às 20h30, George Wein foi ao hotel Méridien Central Park, vizinho ao Carnegie Hall, subiu ao quarto, bateu na porta e percebeu que João Gilberto ainda dormia. O artista acordou e saiu meio às carreiras, deixando no quarto os óculos e a chave, problema que foi resolvido rapidamente e serviu como justificativa para o atraso de hora e dez. Passada mais de meia hora, umas poucas pessoas deixaram a sala.

Às 21h10 João entrou no palco, terno preto, violão e uns esquisitos óculos escuros de grau. Apesar do atraso, foi muito bem recebido pela plateia lotada, predominantemente norte-americanos, mas também muitos japoneses. Justificou-se timidamente num inglês enrolado, desculpando-se pelo atraso — tinha fechado a porta do quarto, esquecera os óculos, tentou abrir mas não conseguiu, perdeu tempo para entrar e tinha sido por isso que demorara. Sentou e cantou.[16] Gabriel rememora:

> Depois do "Pato" deu um clique, João estava inspiradíssimo. Em "Garota de Ipanema" não cantava a interjeição "Ah!" antes de *por que estou tão sozinho*. Como ninguém tinha pensado nisso antes? Em "Caminhos cruzados" tocou só os acordes sem a melodia, eu nunca tinha visto, taí por que é um gênio. Em "Insensatez", no pedaço *"porque o amor é a coisa mais triste quando se desfaz"*, esse *desfaz* dele foi só voz, é um vai embora, é que acabou. O bis foi longuíssimo, já eram onze e pouco, o produtor que estava nervosíssimo no começo entrou supersatisfeito, entusiasmando todo mundo: "João Gilberto!". Precisava acabar o show por causa do sindicato. Lembro até hoje da cara do João olhando para a plateia como quem diz: "Tá bom, por mim eu ficava, é ele que está me mandando embora", como que meio cúmplice da gente. E se levantou, foi flutuando, foi voando. Terminou o show, eu caí num choro.

Dos jornalistas amigos de João Gilberto, nenhum foi mais privilegiado que Mario Sergio Conti, dos mais categorizados em política do país. De 6 a 19 de julho de 2000, ele acompanhou, na condição de convidado especial, uma turnê que incluía dois shows em Barcelona e um em Londres, da qual publicou uma extensa reportagem em forma de diário.[17]

No sábado, 8 de julho, João viaja na primeira classe com Maria do Céu Harris. Na classe econômica, vão dr. Campos, um sobrinho de João Gilberto, Pequinho, e Otávio Terceiro.

> O artista continua sem sair da suíte, com as cortinas fechadas. Mas repete que adora Barcelona. "Que avenidas largas, que luzes, que frisos, que povo legal. Só não gosto muito do nome: Barcelona. Parece meio largadona." Ele só lê duas críticas do show. Ri de uma na qual o articulista o chama de *"chansonnier"* da Amazônia. "Vai ver que ele está me comparando com um índio", diz. E gosta de outra em que o crítico se pergunta por que determinadas músicas, banais na interpretação de outros cantores e violonistas, provocam sentimentos tão complexos quando tocadas e cantadas por João Gilberto.

★ ★ ★

Sou amigo do londrino Earl Okin desde os anos 70. Uma figura: terno preto com colete, polainas brancas, um par de óculos grossos, chapéu-coco, inegavelmente esnobe, não está nem aí em ser identificado como um inglês amalucado do século xix. Na música, nada tem de maluco. É um connoisseur apurado de jazz, compõe canções cativantes, canta, toca violão, faz seus próprios discos em casa com teclados eletrônicos, mora sozinho num sobrado em Portobello Road atulhado de velharias, discos, fitas gravadas, documentos, cartas manuscritas, raridades, tudo na mais perfeita desorganização imaginável. E é absolutamente fanático por João Gilberto. Mesmo não falando português, canta e toca "Caminhos cruzados" e outras do gênero como poucos brasileiros. Distingue bem a diferença entre jazz e bossa nova: "Por cantar como cantora de jazz, Ella Fitzgerald não conseguia cantar bossa nova. Uma questão de frasear diferente".

Earl me disse que os ingressos para o espetáculo de sábado, 15 de julho, venderam bem antes, como pão quente. João Gilberto chegou a Londres pela primeira vez para cantar no Barbican, teatro de curiosa acústica: ouvia-se tão bem a fala de alguém do outro lado da plateia como qualquer ruído procedente do palco. João surgiu tão relutante que parecia preferir fazer o show dentro do camarim, sem enfrentar as 2 mil pessoas. Comentava-se que costumava abandonar o palco se tudo não estivesse perfeito, o que deixara extremamente apreensivo o público, em sua maioria brasileiros que moravam em Londres.

Após cada canção era aplaudido com entusiasmo inaudito, e de súbito todos paravam ao mesmo tempo, aguardando no mais absoluto silêncio a canção seguinte. Um stop misterioso, como se alguém apertasse um botão de comando. Após cada canção, João, que nada falava, olhava para o chão onde estava a playlist de seu repertório, escolhia mais uma e continuava diante da plateia em silêncio respeitoso, quebrado pelos intensos aplausos cortados de repente. Earl notou que em "Desafinado" João mudou a divisão dos anos 60, aumentou consideravelmente as pausas em certos versos, deixando o violão fluir, como fez em "S' Wonderful" no álbum *Amoroso*. Ficou fascinado. Assistiu a João Gilberto na sua London Town, retornou ao mocó da Portobello Road num Rover antigo caindo aos pedaços mas funcionando, e se pôs a tocar violão nota por nota como seu ídolo.[18]

Qual a maior virtude de um grande cantor? Afinação de diapasão como Odete Amaral, Elza Laranjeira ou Zezé Gonzaga? Dicção cristalina como Sílvio Caldas? Impulso rítmico instigante transmitido ao corpo como Jackson do Pandeiro ou Tim Maia? A ternura carinhosa em tratar uma canção como Bola de Nieve? O respeito pela obra como tem Noite Ilustrada? A leveza de Ciro Monteiro? A dignidade de Paulinho da Viola? O jogo rítmico de Miltinho? O timbre mélico de Gal Costa? A personalidade conquistadora de Bethânia? A divindade de Milton? As incalculáveis fisgadas de repertório como fazem Nana e Caetano? Pode-se dizer que tudo isso "y otras cositas más" fazem parte. Mas o que derrete qualquer tipo de análise é a descoberta de uma pedra preciosa incrustada na canção que ainda não havia brilhado como devia, o que aconteceu por exemplo em "Saudosa maloca", último número do espetáculo de sábado de João Gilberto no Tom Brasil. "Nós fumo pro meio da rua apreciar a demolição" veio como mais um dos inesquecíveis momentos de cumplicidade entre o cantor mais refinado da história da música popular brasileira e o grupo representativo de seu público paulista lotando a sala.

Não, não houve nenhuma menção ao som ou à acústica, ambos irrepreensíveis. Sob o silêncio natural e comunicativo quando João Gilberto atua, o espetáculo foi das 22h40 à 1h05, duas horas e 25 dos melhores momentos musicais que cada um dos presentes teve em sua vida. Sem o menor esforço, cuidadoso, respeitoso, gentil e sobretudo generoso, ele interpretou quase trinta músicas irrepreensivelmente selecionadas e encadeadas ao sabor de olhadelas na lista do *"crème de la crème"*, seu repertório de músicas brasileiras, uma italiana e uma mexicana. Dezessete canções antes do bis, outras doze, aí sim valendo sugestões que ele atendeu com gosto. Nada de introduções reveladoras ao violão, um ou dois acordes, quando começava a cantar a plateia embarcava feliz, reconhecendo a maioria, descobrindo as demais como um presente especial.

João Gilberto, o que fez o samba de gloriosa história chegar ao mundo, devolveu a homenagem do campineiro Denis Brean à Bahia, lançou Rosa na roda de samba de Caymmi, pinçou Odete, deixou Isaura para ir trabalhar, devolveu tim-tim por tim-tim, recebeu o frenético ardor das moças da plateia via *"una mujer"*, gotejou nota por nota com seus dedos alvos os acordes do violão no abraço para o Bonfá. Durante o bis, que foi mais uma segunda parte, bateu palmas para um alguém, Antônio Medeiros, e para o coro que se formou deixando-se guiar suavemente pelas canções que conduziu com seu violão preciso. E como se cantou bonito ao som daquele violão que deixara Menescal perplexo, correndo atrás até apreender o que era aquilo. Quem diria que aquelas passagens de "Desafinado" que desnorteavam cantores pudessem ser agora cantadas tão naturalmente por quem nem cantor era. João faz você ser cantor também, faz você vibrar com o samba rasgado e bem ritmado.

Os espetáculos no Tom Brasil fazem parte de uma série que João tem realizado pelo mundo nos últimos meses, incluindo Barcelona, Nova York e Londres, onde deixou extasiados críticos e plateia. Se houve alguns senões, como o atraso de uma hora no Carnegie Hall, não foi porque ele tivesse com os óculos errados como divulgado, mas porque estava dormindo no hotel Park Méridien às oito e meia para o concerto das oito. Nada chegou a perturbar o soberbo nível artístico das maravilhosas exibições do grande embaixador do samba brasileiro que é João Gilberto. Nem comentários descabidos como o de Clive Davis no *Times* londrino. Apesar de ser o todo poderoso da indústria do disco, ele não conseguiu perceber que aquelas "músicas sem fim", como ele julgou, eram na verdade versões diferentes repletas de sutis e inventivas nuances rítmicas, harmônicas e interpretativas, justamente o grande presente que João desembrulha para o público cada vez que canta uma canção. João Gilberto cada vez depura mais a canção, supera cada intepretação anterior, encurta o trajeto para chegar ao ouvinte em sua máxima potencialidade, e isso foi evidente em seus espetáculos. Só é necessário ouvi-lo. Apenas ouvi-lo.

Por fim um elogio à inciativa de Paulo Amorim do Tom Brasil. Ele é quem, desses comandantes de Hall de espetáculos em São Paulo, entende do riscado. Além do som irrepreensível, uma iluminação afinada com a delicadeza das canções, por conta de sua equipe, o Tom Brasil abriga plateias que sabem onde está o busílis. Nada a ver com a jecada que foi aquela inauguração do ano passado. No Tom Brasil, João Gilberto teve a sua turma do público paulista. Os intensos aplausos que recebeu não foram uma demonstração de desagravo, foram, isso sim, junto com aquele coro que se formou e saiu flutuando nas nuvens, a melhor forma de todos dizermos: obrigado, João.

Esse é o rascunho de uma crítica não publicada, guardada por quase vinte anos, sobre o show de João Gilberto no Tom Brasil em agosto de 2000 a que assisti com minha mulher Ercília Lobo e nossos amigos Cecilia e Fernando Perez, que ficaram chapados quando viram João Gilberto pela primeira vez.

Semanas depois do alvorecer de 2001, João Gilberto foi contemplado com seu segundo prêmio Grammy pelo melhor álbum do ano anterior, mas dessa vez na controvertida categoria World Music criada em 1992 para abrir espaço a artistas não europeus de tradição indígena e redefinida quatro anos mais tarde de forma mais ampla e talvez pouco precisa. Para resolver um problema mais de marketing do que musical, a expressão *world music* foi inventada na tentativa de englobar estilos diferentes da música de natureza elástica e que, procedendo de diversas etnias, não se enquadravam em nenhuma das categorias até então existentes — o rock, o rhythm & blues, o jazz, o clássico — na premiação à indústria fonográfica e também nos balcões das lojas de disco. Uma espécie de balaio para o inclassificável, o que de certa forma acompanhou o surgimento de categorias como a *rap music* em função de novas tecnologias e da dinâmica na música popular.

Por esse motivo, a vitória do álbum *João voz e violão* nessa categoria um tanto difusa não foi bem recebida no Brasil. Nem João nem nenhum representante da produção do disco estavam na cerimônia do 43º Grammy no ginásio do Staples Center em 21 de fevereiro para receber o troféu. E tem mais: a reação da crítica ao disco havia sido do inferno ao céu. José Ramos Tinhorão gastara duas páginas da revista *Veja* para destilar sua bronca contra a bossa nova com trinta anos de atraso.[19] O Picapau caiu matando ao rejeitar "a tonalidade do disco, obrigando-o a emitir quase um arroto no lugar de uma nota grave".[20] Por outro lado, fazendo coro a Mauro Dias, Ruy Castro se soltou no final de seu texto: *"João voz e violão* contêm apenas trinta minutos de música. Seus antigos LPS também. E nenhum deles precisou de um segundo a mais para ser definitivo".[21] E Tárik de Souza decide a favor: "João Gilberto, claro, mereceu o Grammy. Mas a recíproca não é verdadeira".[22]

João, que não se importava com troféus e títulos honoríficos, completou setenta anos em junho de 2001. A data foi celebrada com ampla cobertura jornalística na imprensa, que esquadrinhou sua vida e sua obra. O Caderno 2 do *Estadão* tascou duas páginas inteiras. A *Folha de S.Paulo* dedicou seis matérias em três páginas da *Ilustrada*. Com o título de capa "70 anos de João Gilberto", *O Globo* saiu com seis páginas do Segundo Caderno, com artigos de seis colaboradores e convidados. O *Jornal do Brasil* foi mais longe: lançou um caderno de doze páginas, "João Gilberto, o dono da bossa", com o rosto de João no lugar do círculo azul da bandeira nacional na capa, seis matérias, um extenso poema de Hélio Oiticica, uma cronologia e nove declarações sobre João, além de cinco dele próprio. Foi uma festa.

Entre tantos jornalistas que escreveram por ocasião dos setenta anos de João, lembro da importância de Edinha Diniz, responsável por editar o caderno do *Jornal do Brasil*, e por um primoroso artigo que atestava seu profundo conhecimento sobre João e sua obra.

Essa personalidade artística, considerada mundialmente das mais originais da contemporaneidade, tem uma trajetória relativamente simples, comparada à complexidade da sua criação. A exemplo de outros grandes, os traços da sua genialidade permanecem esse mistério insondável, como é insondável a criação. Não adianta: uma rosa é uma rosa é uma rosa, nos ensina Gertrude Stein. Querer explicar a rosa é tentativa estéril. Ela é um mistério como a beleza é um mistério. Ponto.[23]

Em 2002 chegou ao mercado europeu o concerto do Festival da Úmbria num CD editado pelo selo italiano EGEA — e que não saiu no Brasil —, *João Gilberto Live at Umbria Jazz,* gravado no Teatro Morlacchi de Perúgia em 21 de julho de 1996. Na capa funcional e despojada, sobre um fundo preto, o enorme logo do festival em amarelo e, sobre o logo, uma imagem em PB de João de calça clara e blazer escuro.

João termina o espetáculo em Perúgia com uma rara interpretação de "Garota de Ipanema", plena de invenções na divisão que não se encontra nas dezenas, talvez centenas, de vezes em que cantou a canção mais representativa da bossa nova para o mundo. Outro destaque é um improviso vocal incomum na parte final de "O pato". O repertório das catorze canções inclui duas italianas de gravações anteriores, "Malaga" e "Estate", naturalmente aplaudidas com mais animação.

No mesmo ano de 2002, João Gilberto voltou a Nova York para o JVC Festival, em show no Carnegie Hall programado para 22 de junho.[24] Dez minutos após o horário marcado, anunciaram que ele iria se atrasar; passados outros quarenta, quando o público dava mostras de indignação, disseram que ele estava preso num congestionamento. Na verdade, como em 2000, ele estava hospedado num hotel vizinho ao teatro. Enfim, com uma hora e meia de atraso, João entrou no palco. Qualquer outro cantor levaria uma vaia, me disse Gary Giddins.[25] João foi recebido de pé, sob uma ovação impressionante. Como se nada tivesse acontecido, certificou-se de que o microfone estava funcionando e deu início a um show de pelo menos uma hora e meia, encantando devotos que aceitavam seus atrasos já esperados. Depois do show, Gary, que nunca havia assistido a João Gilberto, passou a entender por quê.

A agenda de João Gilberto registra shows pelo Brasil (Curitiba, Belo Horizonte, São Paulo na inauguração do novo Tom Brasil), nova turnê pela Europa (Viena, Paris, Málaga, Barcelona, Montreux pela segunda vez e Perúgia novamente), outra pelos Estados Unidos (Boston, Los Angeles, San Francisco e Chicago), tudo isso só em 2003. Esse também foi o ano da primeira de suas três viagens ao Japão.

Dos países do extremo e médio Oriente, o que melhor convive com a música ocidental é o Japão. Ao perceber esse interesse, por quase trinta anos o empresário de jazz Norman Granz passou a levar regularmente seu glorioso time de expoentes do Jazz At The Philharmonic, JATP, ao Japão.[26] Ray Brown, um dos mais fiéis integrantes dessa trupe, me contou que eles chegavam a desfilar em carro aberto pelas ruas de Tóquio.

Os japoneses que cultivam e estudam a música brasileira com afinco e surpreendente capacidade de execução manifestam um carinho especial pelo samba e pelo choro. Expressivos artistas brasileiros que fizeram temporadas no Japão voltaram encantados com a receptividade do público e a intimidade dos músicos para com a música brasileira.[27]

Entre a ideia da turnê e a concretização da primeira temporada, passaram-se sete anos, relata o empresário Gil Lopes:

> O japonês Shigeki Miyata foi ao escritório da ShowBras querendo levar João para o Japão. Aí Yutaka Toyama, dono da empresa promotora de shows Promax, veio com um plano: o local da apresentação seria o espetacular Forum. Eu cobrei uma fortuna e ele disse: "Mas por quê?". Eu disse: "A Europa apresentou várias vezes, os Estados Unidos várias vezes, o Brasil várias vezes, mas o Japão jamais. Vocês não pagaram nunca, agora aparecem e querem que eu cobre a mesma coisa? Não tem hipótese". Ficaram sete anos amadurecendo, até que respiraram fundo, levaram o João e foi um estouro.[28]

Em Tóquio, o primeiro dos quatro espetáculos programados ocorreu no dia 11 de setembro, no estupendo Hall A do Tokyo International Forum. Os 20 mil ingressos haviam se esgotado três meses antes de João murmurar a saudação japonesa *konbanwa* no concerto inaugural.[29]

Como João iria para o Japão sem técnico de som, o produtor local foi atrás do ex-técnico do músico e compositor Ryuji Sakamoto, Kenichiro Kondo, que estava nos Estados Unidos e, às pressas, viajou ao Japão em voo procedente do Rio de Janeiro com escala em Nova York. No avião, ele perguntou à aeromoça se havia alguém com o nome de João Gilberto a bordo. Coincidentemente, era o mesmo voo de João, que, desconfiado, não entendia como aquele japonês estava no avião. Foi assim que os dois se conheceram.[30] Com Ken Kondo como técnico de som de João no Japão, não é de espantar que a captação da voz e violão tenha sido extraordinária, como se pode constatar no magnífico CD *João Gilberto in Tokyo*, gravado em 12 de setembro, na segunda apresentação.

No concerto de encerramento, João Gilberto foi ovacionado com a mais demorada salva de palmas jamais recebida em toda a sua vida, 25 minutos, possivelmente uma das mais longas da história. Se o público brasileiro tem o hábito de se levantar ao final bradando "Mais um", os japoneses batem palmas sem parar insistente e constantemente, demonstrando seu apreço quanto mais longo for o aplauso. De cabeça baixa, imóvel, em atitude monástica, João recebeu aquela ovação.

O CD, lançado em maio de 2004, tem a mais singela de todas as capas dos dezesseis discos anteriores de João Gilberto, totalmente branca com letras serifadas em preto: JOÃO GILBERTO in Tokyo. "Mais minimalista impossível", comentou Lauro Lisboa Garcia no Caderno 2 do *Estadão*.[31]

Dentre os dezessete discos lançados no Brasil ao longo de sessenta anos, esse ocupa uma posição muito especial para os que têm a percepção da filigrana musical. Não exclusivamente no repertório, mas na depuração das interpretações captadas, em que o mérito de Ken Kondo é inegável e passa a ser primordial em sua atuação dos anos que viriam.

*João Gilberto in Tokyo* contempla com nitidez espantosa a clareza de sua dicção, sobretudo nas consoantes fricativas "S" e "Z", cujo sibilar soa como um ruído de frequência muito aguda. João explora de maneira singular o caráter percussivo das plosivas bilabiais pê e bê, que nascem da interrupção do fluxo de ar.

Nas vogais tônicas, o "U" se aproxima do modelo francês, a boca fechada e os lábios avançando para a frente. João devia praticar incessantemente a articulação dos diversos fonemas que cada letra de canção lhe oferecia, explorando a conversão musical do som como finalidade de sua investigação vocal. Fazia parte dessa prática a articulação dos fonemas oclusivos desvozeados (pê, tê, cá), cuja produção não envolve as pregas vocais, oclusivos vozeados (bê, dê, gê) e os vozeados nasais (eme, ene, nh).[32] Ele trabalhava o som produzido pela fonte glótica modificando a abertura da boca, o posicionamento dos lábios e da língua, esculpindo esse som para construir seu gesto vocal. Pensava na voz como objeto artístico que demandava intensa dedicação. Investigava a sonoridade através desses movimentos e gestos como um artesão a construir um som.

No disco fica ainda mais evidente que as horas de exercício ao violão eram divididas com outras tantas de canto, em que o trato vocal era trabalhado por extensão: língua, dentes, articulação. E também o controle respiratório, a intensidade, o timbre e tudo o mais que faz da audição do CD gravado em Tóquio uma meticulosa aula do som de João Gilberto.[33]

Dos encartes de CDs gravados fora do Brasil, esse é o único que inclui as letras das canções. Dessa vez o cuidado na reprodução é tal que os versos impressos são os cantados no disco, e não seguem as letras originais editadas. Na faixa 12 ele inova começando pelo final: "Deixa de lado essa pose / Vem pro samba, vem sambar / que o pessoal tá cansado de esperar", para depois entrar na cena inicial da composição de Caymmi: "Rosa morena, onde vais morena Rosa / Com essa rosa no cabelo / e esse andar de moça prosa".

Duas observações de ordem estritamente musical: em "Isto aqui o que é?", João como que segreda a um amigo a sensualidade da morena na segunda parte:

*Olha o jeito nas cadeiras que ela sabe dar*
*Olha só o remelexo que ela sabe dar*
*Olha o jeito nas cadeiras que ela sabe dar*

Em "Este seu olhar", samba-canção gravado por Dick Farney em 1961, João reforma tudo com delicadeza, ritmo e detalhes; lima o "Ah" em "se eu pudesse entender" e enxerta mais um *gosta de mim* na terceira das quatro vezes.

Nas harmonias do violão, João insere acordes de passagem que não fazem parte da harmonia original. É mais um detalhe ao estilo de observações de filatelistas ao examinar selos com uma lupa. Em suma, a audição de *João Gilberto in Tokyo* exige uma lente de aumento para que esses e outros tantos pormenores floresçam.

Uma das três maiores atrações do JVC Festival, empatando com Miles Davis e Ella Fitzgerald, João Gilberto retornou ao Carnegie Hall pela sexta vez para novo recital em junho de 2004.[34]

O próprio George Wein, o mago dos festivais de jazz, fez questão de apresentá-lo: "Ele é de fato uma das últimas lendas. Ninguém consegue imitá-lo ou copiá-lo. João Gilberto cria magia com música, e quando tudo vai bem, a atmosfera é de uma catedral". Pois não é que justamente nessa noite nem tudo foi bem? Lá pela terceira música, João estava visivelmente desconfortável. "Me ajudem", pediu, sinalizando que não ouvia som algum dos monitores. O problema persistia e, mesmo com aplausos após duas canções de Jobim, João reconheceu: "Está difícil para mim". Um fã entusiasmado pulou no palco e foi retirado pelos seguranças. Decorrida meia hora de espetáculo, João abandonou o palco. No *backstage*, um furioso George Wein tentava acertar o som. Finalmente perceberam que os microfones instalados eram incompatíveis com o sistema dos monitores. Após uma interrupção de quinze minutos, João recomeçou e logo restabeleceu a atmosfera mágica, alternando baladas lânguidas e lentas com canções mais movimentadas, misturando suas incomparáveis interpretações de obscuras composições antigas com uma bossa nova mais familiar. Após a ovação da plateia em pé, João ainda deu quatro *encores*.[35]

A segunda temporada no Japão, em 2004, contou com seis shows,[36] os dois primeiros em Osaka, onde o cantor chegou exausto e depois de meia-noite na véspera da estreia. Dessa vez ele estava acompanhado de Otávio Terceiro, da amiga de longa data Edinha Diniz como secretária, da irmã mais velha Dadainha e seu filho Péricles como convidados, e Tuzé de Abreu, médico e flautista baiano requisitado em shows e turnês anteriores, a quem João apelidou de Túzeas. Chegando ao hotel, dois senhores japoneses bem-vestidos com o estojo de um violão novo em folha queriam falar com João. João os viu, sorriu, fez algumas mesuras e entrou no elevador, encarregando Tuzé de cuidar do assunto. Os dois representavam o setor de violões da Yamaha e levavam um modelo especial, com a intenção de divulgar que João Gilberto tocava um violão da marca, o que é frequente entre fabricantes de instrumentos. Tuzé conversou, ouviu um deles tocar, prometeu entregar o violão a João e subiu para o quarto. No dia seguinte, levou o violão a João, explicando do que se tratava, e ele nada disse. O violão ficou ao lado de seu favorito, um Di Giorgio escuro apelidado de Café.

"Mais tarde começou o nervosismo da estreia", escreveu Tuzé de Abreu.[37]

Que roupa? Que sapatos? Que gravata? Nós da equipe fomos mobilizados para minimizar o nervosismo de João antes do show. Repassei a afinação dos dois violões, que nunca o satisfazia, e finalmente saímos num carro, Otávio, Nobu, um intérprete japonês e eu; no outro, João e Edinha. João tinha o privilégio de entrar nos bastidores do teatro de automóvel. Foi como aconteceu em 2 de outubro de 2004 no Festival Hall de Osaka. Um dos motivos pelos quais eu e outros viajamos várias vezes com João Gilberto era neutralizar ou pelo menos minimizar seu pavor patológico de entrar em cena. O que para a maioria dos artistas é um nervosismo um pouco mais intenso, para ele era paralisante. Enfim João entrou no palco com os dois violões, cumprimentando o público com um *"konbanwa"*. Deixou o Di Giorgio no suporte e tocou a primeira música com o Yamaha. Os dois japoneses que estavam a meu lado nos bastidores exultaram, sorrindo o tempo todo. Quando terminou a primeira, João, sabendo onde ambos estavam, virou-se e sorriu como que aprovando o Yamaha. Depois colocou o Yamaha no suporte, pegou o Di Giorgio e por todo o resto da viagem nunca mais pegou no Yamaha. Nem sequer o levava para os teatros. Os japoneses ficaram doidos e me perguntaram que violão era aquele. Eu, com imenso orgulho, disse: "Di Giorgio, um violão brasileiro".

Desde o início de sua carreira, João já utilizava violões Di Giorgio, sobretudo um modelo Author 3. A partir de 1981, passou a usar com mais frequência um modelo Tárrega, do final da década de 60. Sua caixa é feita de jacarandá da Bahia, o tampo maciço de pinho, abeto alemão, a escala (espelho que cobre o braço) de ébano da Índia, a mão do violão laqueada de preto e o filete branco que o contorna, de acetato.

O encordoamento preferido por João era La Belle, série Elite modelo 850-B. Por volta do ano 2000, passou a usar cordas Folksinger 830, do mesmo fabricante e de características similares, exceto pelo modo de fixação no cavalete. Um luthier norte-americano sugeriu a troca e a executou considerando que a tração das cordas no cavalete seria mais branda e paralela com o modelo Folksinger. O trabalho foi feito por cortesia e ainda com transporte do violão até o hotel onde João estava hospedado, segundo disse João Marcelo a Fernando Romeiro, que publicou minucioso texto sobre os violões de João Gilberto.[38]

As chaves que prendem e regulam as tarrachas são de origem holandesa e folheadas a ouro, conforme o catálogo da Di Giorgio da década de 90. Contudo, como o mecanismo das tarraxas sofre inevitável desgaste, deve ser sempre trocado. Elas já foram de madrepérola, foram as antigas Horvath, já foram pesadas e blindadas, e foram discretas com pegas claras, como é possível confirmar numa foto do encarte do disco *João*.

Quanto à origem do Tárrega, o que se contava na loja Di Giorgio do bairro paulistano de Santana é que aquele violão fora construído especialmente para João em fins da década de 60 e oferecido a ele no verão de 1969. João teria experimentado vários instrumentos com o vendedor Reinaldo Proetti até se decidir por esse Tárrega, que passou por alguns ajustes de altura nos trastes e ficou com o volume controlado, pouca sustentação, timbre redondo, doce e levemente anasalado. Não é igual aos Tárrega fabricados na linha de montagem da Di Giorgio no período, foi manufaturado por um único funcionário-luthier. O violonista baiano Aderbal Duarte, que chegou a tocar nesse violão, notou que uma descompensação entre a sexta e a quarta corda era superada pelo controle que João tinha sobre as cordas na execução de acordes com a mão direita.

No concerto do Carnegie Hall em 2004, João surpreendeu ao usar um instrumento diferente do Tárrega. Era um violão Fleta, o Stradivarius dos violões, o queridinho de violonistas como Andrés Segovia e John Williams. É curiosa a preferência de João por seu inseparável Di Giorgio.[39] Consta que tinha dois ou três violões e que ao longo do tempo eles foram se alternando e sofrendo danos e reparos, nem sempre bem-sucedidos.[40]

O Japão foi eleito um destino privilegiado na agenda de João Gilberto. Dois anos depois, lá estava ele embarcando com sua equipe para Tóquio pela terceira vez. Equipe é modo de dizer, pois a rigor ele e mais um ou dois dariam conta de tudo. Em seus contratos, a cláusula de transporte costumava rezar que deveriam ser reservadas duas passagens de primeira classe e mais três ou quatro executivas — que ele próprio distribuía, quase sempre em cima da hora. Dessa vez embarcaram no Rio de Janeiro, num jatinho com destino a São Paulo, João, Otávio Terceiro, sua amiga indispensável Edinha Diniz e Arnaldo Bortolon como *road manager*, que no meio do entretenimento brasileiro é denominado de produtor. Uma quinta pessoa, Claudia Faissol, também deveria viajar, mas houve um quiproquó à última hora, e Arnaldo teve de providenciar que as malas dela, que já estavam no aeroporto, fossem "repatriadas". Cláudia, que havia acompanhado João em 2003 para filmar a turnê, não foi em 2006. Não foi e não gostou. Em São Paulo, mais dois convidados de João se agregaram ao grupo: Tuzé de Abreu, vindo da Bahia, e a monja Dedé. Embarcaram para Tóquio via Frankfurt.

Essa turnê de quatro shows em Tóquio teve muitas novidades. A primeira eram dois avisos insólitos estampados nos ingressos: "É proibido aplaudir por mais de quinze minutos" e "João Gilberto se atrasa". Se o primeiro pretendia evitar o mesmo que ocorrera em 2003, quando os aplausos se estenderam por quase meia hora, o segundo se devia ao horário em que as portas das salas de espetáculo costumam ser abertas no Japão, um a três minutos antes do início. Dessa forma, o público já se prevenia. Que fizeram os japoneses? Levaram sanduíches, tiraram os sapatos e calçaram pantufas confortáveis, como se estivessem em casa.

A produção, por sua vez, inventou um criativo modo de entretenimento pré-show: passaram a transmitir informações de cada movimento de João desde a saída do hotel. "João agora está deixando a suíte, está entrando no elevador, agora entrou no carro, está a caminho do teatro, está passando por tal lugar, cruzou os portões do teatro. João está no camarim, agora vai testar o som." A cada informação, a plateia reagia e se divertia. Arnaldo conta:

> Quando João se sentou para testar o som, ele me disse: "Olha, Arnaldo, não está igual, não está bom".
>
> "João, é tudo igual, os japoneses compraram tudo o que você usou nas vezes anteriores para não ter problema. O tapete é o mesmo, o banquinho é o mesmo, o apoiador de pé é o mesmo, os retornos são os mesmos, as mesas de som são as mesmas, foram fotografadas, tudo está equalizado nas mesmas posições, é tudo igual."
>
> João não ficou satisfeito: "Mas Arnaldo, tem alguma coisa que não está igual. Não está bom".
>
> Foi quando um dos técnicos da equipe me chamou e disse: "Olha, eu sei o que é. É porque na verdade João envelheceu. Então ele está um pouco mais curvo. E isso faz com que ele ouça diferente a emissão dos retornos porque está numa posição diferente da que estava na última vez".[41]

Arnaldo se espantou com a capacidade de percepção do japonês. Pediu para João voltar ao camarim. O técnico observador disse que tinha se preparado e trouxe um tapetinho. Tirou o tapete persa e colocou um tapetinho de espuma dura embaixo, recolocou o persa conseguindo um minipraticável. Aí ele disse: "Agora sim, está perfeito". Por quê? Porque eram duas perspectivas diferentes para João, uma da emissão do retorno e outra de como ele via as cadeiras do teatro, mais baixas antes e depois parecia que estavam mais perto.

E esses shows de novembro de 2006[42] renderam outra novidade: a gravação dos espetáculos na mesma sala do Tokyo International Forum, nos dias 8 e 9 de novembro, pelo novo sistema de vídeo e áudio, o blu-ray.[43] O vídeo começa com uma câmera postada no fundo da plateia mostrando de longe a boca de cena retangular com o palco parcialmente iluminado. Ouvem-se passos de alguém que surge do lado esquerdo, um corte mostra ser João Gilberto caminhando normalmente com o violão, consciente de uma missão a cumprir. João chega ao centro, agradece os aplausos maciços abaixando a cabeça várias vezes; senta na cadeira, ajeita o violão em posição e apoia os pés no tablado. À sua direita uma mesinha com uma garrafa de água, um copo e um relógio. Antes de tocar, murmura *"konbanwa"*, o cumprimento japonês. De óculos sem aro, veste um terno escuro de cashmere, camisa cinza de listas, gravata também de listas em diagonal. À sua frente as hastes de dois pedestais se cruzam em xis com os microfones AKG 414, um para captar o som do violão e outro destinado à voz. Não toca em nenhum dos microfones para tentar ajeitá-los. Como estão, ficam. Sobre o tapete persa, a uma distância visível para ele, folhas de papel com a lista das canções do recital. Pouco mais distante, quase no limite do palco, duas caixas de monitores para que possa ouvir diretamente o som da voz e do violão combinados.

A imagem de uma extrema nitidez exibe João de perto totalmente tranquilo, como que mimetizado pela postura dos orientais. Tange as cordas, toca um acorde, um arpejo e canta: "Nunca sonhei com você/ nunca fui ao cinema/ não gosto de samba/ não vou a Ipanema/ não gosto de chuva/ nem gosto de sol". É o samba-canção "Ligia", e ele omite o nome da homenageada toda vez que chega no momento de ser mencionado, deixando o violão soar nos espaços da letra original de Tom Jobim. Segue um corte para a câmara em close de sua mão direita com três dedos puxando as cordas do violão. Nenhum "Ligia" foi ouvido nas três vezes. Sob aplausos intensos, permanece sereno. Ajeita os óculos e ataca o samba "Pra que discutir com madame" sob aplausos tímidos, para que nada possa perturbá-lo. Balança para os lados o joelho da perna esquerda no ritmo, despreza a regularidade dos versos antecipando ou atrasando com o violão a pulsar compassado, como se vê quando a câmara focaliza em detalhe a mística batida da bossa nova que já não é mais bossa nova, que é samba de João Gilberto. Modula na melodia do verso "No Carnaval que vem também concorro" e retorna ao tom depois. O sibilar dos esses e dos *zês* estalam de tão fulgentes em "Morena boca de ouro", que precede "Doralice", que precede "Da cor do pecado", quando os cortes de câmara são trocados por fusões de perto, de longe e closes. João dá uma olhada para o chão antes de escolher "Tim-tim por tim-tim", que pronuncia *tchim-tchim por tchim-tchim*, tão baixinho quanto possível, fazendo uma careta em "você tem que dar, tem que dar" irresistivelmente sambante. Em "Retrato em branco e preto", sua expressão mimetiza o drama da letra, permanece de olhos fechados, da testa caem pingos de suor, a voz quase some. Termina com notas em arpejo.

As trocas de cores do arco-íris no imenso painel retangular ao fundo do palco logram um complemento de beleza que nunca interferem com a cena principal, a de João tocando e cantando. Funcionam como uma delicada moldura de luz chapada sem estímulo visual que se altera suavemente entre os números musicais, jamais durante sua execução. O cuidado respeitoso com a música colabora decisivamente para o encantamento do design de luz.

O 11º número é "O pato", recebido com entusiasmo. Nos deliciosos *quén, quén, quén* do final, os óculos estão na ponta do nariz de João, caem de vez, ele repõe, pede desculpa, o público gosta, aplaude intensamente, e ele sorri pela primeira vez dizendo "*sorry*" e retribui batendo palmas. É o primeiro momento de real descontração. Aos quarenta minutos, ataca: "Um cantinho, um violão/ este amor, uma canção/ pra fazer feliz a quem se ama". É "Corcovado", cujo subtítulo é: "O que é felicidade". Puro Jobim, aquele Rio dos anos 50, "o Redentor, que lindo!". Na segunda vez ele reduz o volume, esboça um sorriso em "com você perto de mim", na terceira quer ouvir a melodia, toca os acordes e escuta. Sente a beleza, zumbe ao entoar de boca fechada, e retorna em "um cantinho, um violão...". Ao fim, um acorde e um arpejo superlento de cinco notas, a quinta mais aguda, quase sumindo. Um nó na garganta. Os japoneses se seguram por uma fração de segundo antes de aplaudir. João emenda com outra obra-prima: "É pau, é pedra, é o fim do caminho/ é um resto de toco, é um pouco sozinho". Em "tombo da ribanceira" ele dispara, desembesta numa correria frenética pulando as pausas, de repente espera para empatar, o violão segue e ele retoma a levada original "é o pé, é o chão, é a marcha estradeira/ passarinho na mão, pedra de atiradeira...". Assim vai, na mais doida "Águas de março" de todas.

Na sequência canta duas novidades velhas que devem ter deixado aturdidos os japoneses que conheciam bem seus discos. Nem o samba "Treze de ouro" nem a marcha "Pica-pau" constavam de gravações suas.[44] Mais cinco músicas ("Meditação", "Aos pés da cruz", "Bim bom", "Chega de saudade" e "Garota de

Ipanema") fecham o espetáculo de 21.[45] João toca o último acorde, levanta, agradece várias vezes abaixando a cabeça, caminha com dignidade para o lado esquerdo, agradece elegantemente, encosta a mão direita no peito e sai. Resta o palco vazio, o plano retangular do fundo que era vermelho e vai do azul a um rosa desbotado em dégradé. Sobem os créditos.

Um espetáculo de som e imagem que, como a voz e o violão, se fundem em harmonia. O presente de João Gilberto para o respeitoso povo que tão bem o recebeu, ouviu, aplaudiu e soube amar.

# 14. Pôr do sol

Até o momento da inauguração do Auditório Ibirapuera ao som do primeiro movimento das *Bachianas Brasileiras nº 4* de Villa-Lobos executado pelo pianista Marcelo Bratke, passaram-se mais de cinquenta anos para que fosse concretizado o projeto de Oscar Niemeyer, autor de outras edificações do mais relevante parque da cidade de São Paulo.

Em 1954, o parque do Ibirapuera era o centro dos festejos do Quarto Centenário da cidade, e por questões de prazo e custo nem todas as obras do projeto original puderam ser mantidas ou construídas. O edifício da Oca — um dos museus mais bonitos do mundo, segundo outro arquiteto de escol, Paulo Mendes da Rocha — pôde ser inaugurado, mas o projeto do auditório caiu nos planos dos adiados para quem sabe um dia. Todavia, passados 35 anos, em 1989 o interesse em pôr de pé o projeto ressurgiu por intermédio da Fundação Rubinstein. Niemeyer foi consultado, se entusiasmou e criou rapidamente o que viria a ser a terceira versão do projeto a ser tocado pela Prefeitura. As mudanças de alcaides empurraram novas versões até que a planta trapezoidal fosse finalmente executada com a participação de uma empresa de telefonia celular que bancou a construção na gestão de Marta Suplicy.[1]

O conjunto Oca e Auditório Ibirapuera, próximos um do outro, foi escolhido em 2008 para sediar o evento comemorativo dos cinquenta anos da bossa nova, que teve como marco inicial o disco de 78 rotações gravado por João Gilberto em 10 de julho de 1958 na Odeon.

A ideia inicial partiu do publicitário baiano Nizan Guanaes, que telefonou: "Monique, eu gostaria de montar um projeto em torno dos cinquenta anos da bossa nova. É algo que envolve uma série de ações para a gente poder retratar isso bem". Nizan sonhava, e a cineasta, experiente empreendedora de festivais e eventos, dona da empresa Dueto, a também baiana de nascimento Monique Gardenberg, colocou a bola no chão: "Não há a menor condição de eu fazer isso, vou ter que envolver pessoas muito difíceis. Como fazer a bossa nova sem convidar João Gilberto? Sem Vinicius e Tom, que já morreram, e ter pela frente uma longa jornada sobre direitos autorais? Acho que vai ser uma loucura". Nizan insistiu: "Não tem outra pessoa que possa estar a meu lado, você vai conseguir". Monique engoliu em seco, pensou, fez uma pausa, fixou o olhar no falso infinito de edifícios que podia enxergar no bairro de Higienópolis, onde morava, arregaçou as mangas e foi à luta.[2]

Primeiro chamou o antropólogo Hermano Vianna e o jornalista Hugo Sukman para pensarem o contexto da época, cinquenta anos antes. Eles imaginaram remontar o musical *Orfeu da Conceição*, cujo cenário teria desaparecido numa viagem para São Paulo; projetaram levar ao teatro *Pobre menina rica*, de Vinicius e Carlos Lyra, e afinal optaram por uma exposição na Oca a ser montada por dois especialistas, o diretor artístico Marcello Dantas e o documentarista Carlos Nader. Seria a Bossa na Oca.

Era preciso chamar João Gilberto, Monique sabia que não tinha como fugir. Aconselhou-se com Paulinha Lavigne e Caetano Veloso, e entrou em contato com Carmela Forsin, da ShowBras. Fecharam quatro shows com João Gilberto, dois no Auditório Ibirapuera, em São Paulo; um no Theatro Municipal do Rio de Janeiro e o quarto no Teatro Castro Alves, em Salvador. Tudo caminhava bem até que Carmela liga comunicando que João havia se desligado da empresa ShowBras e o contrato não valia mais.[3]

Monique estranhou, pois o contrato fora assinado e ela já efetuara um depósito. Receosa que sua Dueto pudesse ser esmagada, resolveu se afastar das negociações enquanto o departamento jurídico do Itaú, patrocinador do evento, assumia os trâmites, mantendo os valores acertados e adicionando cláusulas com um adendo inédito: a exigência de um técnico de som do Japão.[4] Sentaram-se à mesa advogados do banco e de Claudia Faissol, que dizia acompanhar a carreira de João Gilberto havia doze anos.

Claudia Faissol era casada com o empresário Eduardo Zaide quando teve uma filha, Luisa, mas não gostava de falar sobre o assunto. "A vida pessoal das pessoas não é ensinamento pra ninguém", declarou na ocasião. Na entrevista de página inteira concedida a Mônica Bergamo, a legenda ao lado da foto de Claudia com Luisa, àquela altura com quatro anos, dizia: "O músico, com quem tem uma filha, não é 'abilolado'; ela filma a vida dele para um documentário e afirma que o mundo ergue catedrais para ouvi-lo cantar".[5]

Entre as exigências despropositadas do aditivo, uma se referia ao jatinho que deveria estar à disposição não apenas para os deslocamentos de João do Rio para São Paulo e do Rio para Salvador, mas ainda para que, a qualquer momento, ele pudesse ir a São Paulo a fim de conhecer o espaço. Outra exigência é que, no Rio de Janeiro, ele precisava ensaiar no hotel Caesar Park num quarto com varanda. Nenhum quarto do hotel tem varanda. A terceira era uma pegadinha: a hospedagem no Maksoud de São Paulo incluía quatro apartamentos, um para cada membro da banda de João Gilberto. Só que ele não tinha banda.[6]

Para efeito dos detalhes relativos aos shows de João Gilberto, o interlocutor com a Dueto passou a ser Otávio Terceiro. Nada era fácil.

O que é impressionante é a capacidade dele de mobilizar, ele mobiliza. João não resolveu se viria de carro ou de avião. Você tem que deixar o avião reservado, monta um esquema caso ele vá de carro, tudo pré-locado por uma semana em stand-by para qualquer decisão que ele viesse a tomar para ir a São Paulo. No dia do show ele avisou. Algumas horas antes, Otávio diz: "João Gilberto está indo para o Santos Dumont". Depois: "Veio". Otávio liga de novo: "Ele esqueceu a identidade". João não tinha como embarcar, foi um inferno para resolver.[7]

A Dueto designou o produtor Otávio Ferraz para acompanhar João Gilberto assim que desembarcasse em São Paulo e ficasse ao lado dele até o final da jornada em Salvador. No dia 14 de agosto, Otávio estava no hangar aguardando a chegada do jatinho por volta das quatro e meia da tarde, uma hora depois da saída do Rio, segundo foi informado. O jatinho não chegou. Alterações de horário em voos de aeronaves fretadas implicam novos planos de voo, programar outra reserva de vaga no hangar, alinhar toda a operação novamente. Enfim a aeronave pousou em Congonhas às nove e quinze da noite. Horário do show: nove da noite.

No Auditório Ibirapuera, o público que se acotovelava no saguão desde oito e meia foi convidado a entrar, certo de que o show começaria dali a pouco. Na coxia do teatro estávamos na expectativa de notícias e nada. Por fim Otavinho ligou informando: João chegou, mas estamos indo primeiro ao hotel Maksoud para João jantar. Para acalmar os ânimos e pressentindo um atraso considerável, Monique me pediu para dar um aviso ao público transmitido pelos alto-falantes: "Pessoal, tenho duas notícias para vocês, uma boa e outra ruim. A boa é que o avião de João Gilberto acaba de aterrissar em Congonhas!". Aplausos comedidos. "A ruim é que João Gilberto foi direto para o hotel, onde vai jantar." Riram, deu para segurar as pontas, na coxia sentimos certo alívio. Mais uns minutos e voltei ao microfone: "Como vocês podem imaginar, vamos ter de esperar mais um pouquinho. O timing de João Gilberto é o de seu violão". Quase todos pareciam concordar.

Quem não sossegava era Toshihiko Usami, o japonês que veio de Tóquio como diretor de palco, que montara sobre um tapete persa a cadeira e os microfones que seriam levados ao palco pouco antes do começo do show. Por enquanto o conjunto estava à nossa frente, na coxia. Toshihiko era incansável, media pressurosamente a distância entre os dois microfones, certificando-se de sua exatidão, temeroso de que algum incauto tivesse mexido neles. Tão logo João chegasse, o conjunto todo seria transferido para o centro do palco e, aí sim, poderia se mover ligeiramente. Mas Toshihiko conferia de cinco em cinco minutos.

Enquanto o público esperava, o automóvel seguia de Congonhas para o hotel. Otavinho cerimoniosamente na frente, ao lado do motorista; João atrás, tranquilíssimo com seu violão. A fim de evitar contato com hóspedes na recepção, entraram pelos fundos, atravessando a cozinha no subsolo. Batendo palmas de felicidade, João saudou em voz alta: "Viva o Maksoud!". Subiram. João pediu um filé-mignon grelhado, depois pediu outro prato enquanto Otavinho permanecia na porta do quarto, recebendo telefonemas da produção no Ibirapuera e mandando recados: "A porta abriu, João deve sair". Nada disso. Foi aberta para que o garçom do *room service* entrasse com mais comida. Aí chegaram Claudia e a filha Luisa, que ocuparam outro quarto. O pessoal da produção no Ibirapuera não aguentava: "E aí, Otavinho, cadê o homem, ainda não saiu do quarto?". João pediu para a camareira passar uma camisa. A expectativa aumentava na plateia, a aflição na coxia e no corredor do Maksoud também. Passava das dez. Otavinho liga: "Gente, acabou de entrar um paletó que ele pediu para passar". Afinal ele

232

saiu, lindão, com o paletó cinza-claro, carregando o violão, numa boa. Otavinho não se conteve: "Nossa, seu João, a gente está muito atrasado". E teve que ouvir esta: "Por que você não me avisou que o show era às nove horas?".

Finalmente desceram. Foram num carro, Claudia e Luisa em outro. A cada parada nos amarelos e vermelhos dos semáforos, fotógrafos se postavam diante do para-brisa do carro. Otavinho se apavorou e, para aliviar a tensão, puxou conversa sobre Chet Baker. João contou que o conhera pessoalmente. Chegaram ao auditório, enfim. No que João abriu a porta do carro, pipocaram flashes disparados por uns 25 fotógrafos que se aglomeravam na entrada lateral. Otavinho precisou atuar como segurança, receoso que ele fosse empurrado e caísse. Avançaram incólumes pisando na grama e ingressaram pela entrada de artistas do auditório. Passava das dez e meia. Assim que João me viu, nos abraçamos e ele disse: "Zuza que só toma café sem açúcar!". Sua memória estava em plena forma.

Toshihiko transportou o conjunto todo para o centro do palco, mediu tudo de novo pela última vez. João esperava sentado numa cadeira na coxia; o operador da mesa de som soltou o serviço e me dirigi ao centro do palco para anunciar João Gilberto, falando bem pouquinho. João entrou às 22h37. Aí foi demais: as pessoas se esqueceram do nervosismo, da espera que não acabava nunca, dos avisos, de tudo. Aplaudiram calorosamente e então ficaram em silêncio, à espera. A magia ia começar.

João cantou vinte músicas, voltou para o bis e cantou mais nove, terminando com "Garota de Ipanema" depois da meia-noite.[8]

Danuza Leão comentou: "Num momento em que João estava cantando uma de suas músicas mais clássicas, fechei os olhos e viajei. Era como se o tempo não tivesse passado e eu estivesse na casa dos meus pais, em Copacabana".[9]

Fernanda Ezabella: "Ao contrário da fama, não reclamou de nada. Nem do ar-condicionado, nem do som, nem da plateia. O público, aliás, caprichou tanto no silêncio que era possível ouvir os cliques das máquinas dos fotógrafos autorizados, na primeira canção [...]. A plateia fazia questão de esperar até o soar da última nota para começar a bater palmas, que eram rapidamente interrompidas [...]. João falou pouco. Começou pedindo desculpas pelo atraso e lá pela quarta canção elogiou a cidade e afirmou que era, sim, paulista. 'São Paulo, I love you', disse".[10]

Jotabê Medeiros: "Como explicar que o pé esquerdo de João dance tanto durante 'Doralice' e fique tão quieto durante 'All of Me'? Talvez porque aqui nessa segunda canção fique claro que João é uma antítese de Sinatra, é o eterno baiano de Juazeiro arredondando canções de todos os quadrantes".[11]

Luiz Fernando Vianna: "João faz como ninguém: revitalizar aquilo que canta há quarenta, cinquenta anos, mexendo com obsessão em detalhes. Há quem ache tudo a mesma coisa. Tudo bem, é o tempo das falsas e efêmeras novidades".[12]

No dia seguinte, João Gilberto chegou pontualmente para o segundo show, e o público ouviu com perfeição o som captado pelo técnico japonês que chegara dois dias antes da estreia para estudar a melhor forma de amplificar o som da voz e do violão. "O que temos no palco é simples. São dois microfones", explicou Kondo com auxílio de um intérprete. "É um som de violão bem baixinho e o som do vocal é bem baixinho também. Temos que amplificar isso, e há algumas dificuldades", disse-lhe Usami. A junção desses dois sons vai para diversos tipos de caixas acústicas diferentes. As caixas do sistema P.A. são as que o público ouve, enquanto João Gilberto escuta o som por meio dos monitores. "Temos sempre que pensar [...] onde está o limite para o monitor e onde está o limite para o P.A. E tudo muda quando as pessoas lotam o lugar", continuou Usami.[13]

Como João não fazia a passagem de som, Kondo acrescentou um terceiro microfone disposto sob a cadeira, invisível ao público, para captar o som dos monitores. Com esse expediente, o técnico, atrás da mesa de som do P.A. no centro da sala, escutava praticamente o mesmo som que João ouvia no palco, o que concorria para o controle dos monitores. Usami, por sua vez, descobriu a cadeira perfeita, que mantinha em seu almoxarifado, no Japão, e que viajava com ele desde 2003, sempre que João o chamava.[14] Era a cadeira dos shows em São Paulo e que foi para o Rio de Janeiro, cenário do terceiro show, nove dias depois, no domingo, 24 de agosto.

Nesse dia, a caminho do Theatro Municipal, Otavinho estava num carro que seguia o de João, que estava com Claudia e a filha. De repente, quando passam pela praia de Botafogo, o carro da frente para e encosta na guia; Claudia salta com a filha e o carro prossegue só com João. O casal teria tido uma discussão, e Claudia pegou um táxi com Luisa para o Municipal.

No Municipal, de certa forma se repetiu a situação da estreia em São Paulo. O pessoal teve de aguardar, só que do lado de fora do teatro. O técnico de som não queria liberar o palco: Kondo era de uma precisão, de uma exigência sonora descomunal. E estava ainda passando dois microfones. Monique Gardenberg aguardava na coxia, acompanhando tudo. Num inglês macarrônico, ele dizia al-

234

guma coisa que só depois de quase meia hora é que decifraram: pedia uma flane-linha para limpar os óculos. Monique não aguentou a espera, mandou abrir o teatro com o técnico ainda no palco. Todo mundo sentou sem reclamar do atra-so. João entrou. Superbem-humorado, feliz, nada tenso. A plateia que ficara fora até a hora do show estava alegre. "Foi lindo", lembrou Monique. "Eu me lembro de todo mundo cantando com ele 'Chega de saudade', mas cantando em uníssono, baixinho, 2400 pessoas, e ele ficou tão feliz. 'Vamos cantar de novo?', propôs, acompanhando o público ao violão: 'Vamos tentar cantar 'O pato'?'."[15]

A magia começou com um tributo a Dorival Caymmi, que morrera oito dias antes, com três clássicos: "Você já foi à Bahia?", "Doralice" e "Rosa morena". João disse apenas "Dorival Caymmi, vocês sabem". E foi entendido. No bis voltou a abordar: "Vocês me dão licença de cantar uma música de Dorival Caymmi que talvez não conheçam muito?". Cantou "Você não sabe amar". Desde 1994 João Gilberto não se apresentava na cidade. Fez suas homenagens: "Samba do avião" e dois temas da "Sinfonia do Rio de Janeiro". Cantou mais Jobim: "Ligia", "Caminhos cruzados", "Desafinado", "Corcovado" e "Retrato em branco e preto", e mais Wilson, Bororó, Ary e Haroldo Barbosa. E se lembrou dos Cariocas, "os professores de música do Brasil", citando um por um. "Cadê Os Cariocas?" Dois deles, Badeco e Quartera, estavam na plateia.

Cacá Diegues sintetizou: "Nunca o vi tão solto, alegre e feliz. Foi um sonho".[16]

Já Otávio Ferraz não assistiu, embarcara para Salvador, para poder recepcioná-lo:

O jatinho ia chegar à meia-noite, não chegou. Nem à uma. Às duas e quarenta aterrissou. Ele já me conhecia, vim de novo no carro, ele sozinho com o violão na mão. O percurso de automóvel tinha um toque emocional porque ele estava na Bahia; eu lembro que no Méridien, onde ele ficou, tem aquela subida, o hotel está de um lado e você vê o mar, tem uma sacada, ele saltou do carro e falou assim: "Nossa, Salvador, hein? Bahia, a terra de Caymmi. Caymmi já foi e o próximo vou ser eu".

"Que é isso, seu João? Que bobagem!"

Fui criando um carinho porque o cara era um gênio mesmo, não tinha a menor importância essas coisas todas. Ele era muito solitário. Fui antes ao hotel para ver um quarto bem isolado que não fosse de passagem, tapei as frestas da cortina, pedi um micro-ondas porque ele gostava de esquentar leite, era uma suíte presidencial, tinha uma sala bem grande, quarto separado. Quando chegamos, ele pediu comidas regionais e disse: "Você canta?". Ele sentado no sofá, pegou o violão e perguntou: "O que você gosta de cantar?". Eu estava morto de cansaço, passava das três da manhã, mas respondi: "Imagina, seu João, qualquer coisa. Gosto de Noel Rosa". Aí ele começou: "Quando o apito da fábrica de tecidos", e eu cantarolei com a voz no pé, estava exausto e ele falou: "Você tem boa voz". Aí eu disse: "Vou deixar o senhor descansar e vou pro meu quarto lá embaixo". Ele começou a ligar a cada segundo, tá faltando isso, tá faltando aquilo, não tá funcionando, pedi um salmão, não veio. Eu subi de novo, ele pedia comida, e o restaurante do hotel não funcionava porque eram três e tanto da madrugada. Aí ele falou: "Iih, Otavinho, eu quero mudar de hotel". Três e meia da manhã em Salvador e ele queria ir pro Sofitel em Itapuã. Eu falei: "Seu João, pensa uma coisa. O senhor está em Salvador, conhece como é o ritmo daqui, a gente vai mudar de hotel, vai começar tudo outra vez, vai ser a mesma coisa ou pior. Sendo que o senhor vai estar muito mais longe do teatro para o show de amanhã. Então eu sugiro fazer o que eu posso e o senhor fique aqui que é o melhor lugar".

Ele ouviu, ficou, e eu fui pra cozinha ver quem era o maître, a pessoa que estava responsável pela cozinha da noite, porque estava aberta, mas não funcionava, acho que ninguém pede para comer às três da manhã. Expliquei o que estava acontecendo, quem era o João Gilberto e eles deram um jeito e mandaram lá pra cima. Ele comeu eu fiquei assistindo e sei lá, cinco e vinte da manhã, já estava amanhecendo e eu falei: "Estou indo pro quarto, vou descansar um pouco".

Ele falou: "Você vai ver, assim que você sair e bater essa porta, alguém vai chegar aqui e vai bater na porta pra me incomodar".

"Que é isso, seu João? Imagina! Palavra de Ferraz que ninguém vai te incomodar, nem que eu tenha que dormir aqui no tapete, ninguém vai incomodar o senhor, o senhor vai ver."

Aí ele falou: "Ferraz?".

"É, eu sou baiano, como já falei pro senhor, minha família é Ferraz."

"Você é alguma coisa de Helinho Ferraz?"

Eram cinco e meia da manhã e eu exausto. Falei: "Sou, é meu tio Helinho".

"Eu sabia que tinha alguma coisa especial em você."

Eles foram amigos na adolescência, a família do meu pai era metida com arte, tio Hélio cantava, a irmã de meu pai casou com Mário Cravo, então tinha uma veia artística na família, e João Gilberto foi amigo do tio Hélio, que morreu em num acidente em Vitória. A partir daí ele me chamou de Tavinho da Barra. Ele tinha uma ironia muito fina, eu lembro dele rindo nesse momento. Perguntou se ainda existia a sorveteria da Ribeira: "Otavinho, quando você passeia na calçada ainda existem aquelas folhas das árvores que fazem um barulhinho assim, *crac, crac, crac*?".

"Acho que existe, seu João."

A sorveteria ainda existia.[17]

Os jornais de Salvador dão conta de que os mais de 1100 ingressos para o show de encerramento da programação dos cinquenta anos da bossa nova haviam se esgotado em menos de uma hora. Os que seguiam João Gilberto por onde fosse vieram de outros estados nordestinos formando fila na véspera. Um casalzinho armou barraca uma semana antes de 5 de setembro, a fim de garantir seus ingressos no Castro Alves.[18]

Claro que a rotina de João Gilberto não seria alterada justamente na sua terra. Malgrado as regras do teatro quanto a horário fossem sabidamente rígidas, Otávio avisara antes: ele vai se atrasar. E o atraso se cumpriu rigorosamente dentro do previsto. No carro, a caminho do teatro, seu telefone tocou: "Otavinho, não vai ter show, não?", quis saber d. Julita, que estava no teatro, bem à moda dos baianos". E ele: "Mãe, agora a gente está passando pelo supermercado".

Sabendo perfeitamente que seria histórico, o público aguardava alvoroçado na sala repleta. João Gilberto entrou no palco mais de uma hora depois do horário, às 22h10. Meio sem graça, começou se desculpando: "Me desculpem de chegar atrasado, me perdoem".

Atacou "Que saudade eu tenho da Bahia se eu escutasse, aah". Interrompeu ao ouvir um ruído no microfone do violão. "Desculpe, desculpe, eu tinha pedido pra não ter esse microfone que tem um negócio assim, desnecessário, você encosta e faz o barulho, poderia ser reto, sem isso. Eu pedi a alguém para pedir mas acho que alguém não pediu." Usami entra rápido e ajeita a posição do microfone. "Meu amigo japonês veio do Japão, craques que são." O público aplaude. "Tá bom. Obrigado." João canta outra: "Você já foi à Bahia, nega? Não?". E fala: "Então vá!". Retoma a melodia: "Quem vai ao Bonfim, minha nega/ nunca mais quer voltar/ muita sorte teve/ muita sorte tem/ muita sorte terá/ Você já foi à Bahia, nega?". É samba de remelexo folgado, é Caymmi o homenageado da noite em que João conversou à vontade, cantou e tocou emocionado pelo reencontro, pela partida de Caymmi, pela Bahia sua terra, pela sua gente.

"Eu vim aqui cantar. Mas qual o baiano que não sabe cantar? Não tem nada demais. Essa música é de Dorival Caymmi, e eu me lembrei de uma história hoje. Em Roma, uma vez, o rapaz chegou assim e disse pra Dorival: 'O ensaio é às quatro e meia'. Aí Caymmi disse: 'Eu já vim ensaiado da Bahia'." Gargalhada geral. "Mas ele faz essas coisas: 'Você já foi à Bahia…'." E repete mais à vontade, sem se ligar no ritmo, alongando as pausas com acordes, mas não aguenta e na metade toca o violão sambado. "Pronto." O público gosta reagindo. "Olha, eu canto por esse mundo todo, mas a Bahia é diferente… é uma… eu fico até nervoso." Risadas, muitos aplausos, e João entra com "Treze de ouro", de Herivelto Martins e Marino Pinto. Toca arpejos e canta o mais inventivo "Chove lá fora" de quantos tenha cantado, lentamente, recria uma nova melodia em "Onde estás, como estás, com quem estás agora". Volta a conversar: "Eu sei que tenho aqui muitos amigos, em família, meu povo e tudo, mas eu quero falar de pessoas assim… Edson Diniz, maravilhoso; Maria Eugênia, escândalo, um dia cheguei aqui na Bahia e tinha uma gravação… Edson, Maria Eugênia e Coqueijo, Carlos Coqueijo Torreão da Costa, ministro superior do Tribunal do Trabalho… Coqueijo…[19] Aí a música é mais ou menos isto: 'Eu e a solidão nos encontramos a sós ninguém nos vê… *za zán, zán* falamos… diversos amigos sobre você', mas um som tão lindo, era Maria Eugênia cantando, Edson tocando violão e um instrumento fazendo contracanto. Terminou e eu disse: 'Que instrumento é esse?'. Coqueijo disse: 'Violino'. Violino, você sabe logo *hiiiiiinn*, mas era um som, aí eu disse: 'Quem? Quem? Quem tá tocando?'. 'Sou eu.' Ele fez um gesto e viu o violino em cima de um guarda-roupa, o violino, o arco, e eu procurei essa gravação, ninguém tem, Adyl não tem, mulher de Coqueijo, grande Naná. Ninguém tem, mas que som lindo, eu lembro perfeitamente. Bom, Edson é médico, cardiologista, Maria Eugênia [Nery], psiquiatra, que aliás eu vou até procurar pra endireitar minha cabeça". A plateia ri gostoso, e João ponteia o violão alternando com falas: "Mas quem tiver essa gravação me dê, por favor, Nossa Senhora. Que som bonito, meu Deus! É, o Brasil é assim. Aderbal Duarte, escândalo. Músicos da Bahia".

Canta "Rosa morena" como já vinha fazendo, começando por "Deixa de lado essa pose/ vem pro samba, vem sambar". Emenda com "Esse seu olhar" e volta a falar: "Por favor, não é coisa de ventinho nem nada, mas não tem um ventinho, não? Porque estava no Carnegie Hall e tinha um vento assim em cima. Eu estava até envergonhado de reclamar porque reclama, reclama pra poder construir, né? Aí tem um vento assim direto na minha cabeça, foi me fazendo afônico, afônico, lá pras tantas, cê sabe? Pode tirar esse ventinho?". Mais risos na plateia. "Mas que tem um vento, tem." Aí são gargalhadas. "Bom, eu vou, eu vou assim mesmo. Quando eu fui gravar o primeiro disco *Chega de saudade*, lembrei de uma música que eu ouvia e meu primo cantava, no banheiro, ele ficava tomando banho e cantava aquela música, eu não me interessava por ela nem sabia que sabia. Aí um dia quando fui lembrar, sabia tudo e gravei. Esse primo é Yulo Cesare Viana Pereira, é médico e também cardiologista, meu primo-irmão, e sempre viajamos juntos, me ajuda demais nos temores totais e tudo e vou cantar essa música pra ele." Era "Morena boca de ouro".

Antes de quase todas as músicas desse show, João fala sobre seus amigos da Bahia, conta histórias ou se manifesta sobre o som: "Será que podia ter mais um pouquinho de violão? Não sei. Porque o som pra aí é um e pra aqui é outro, quer dizer, é o mesmo, mas me dá outra informação, às vezes tá bom aí, no balanço, e aqui falta um pouquinho, uma coisa ou outra. 'Quem acreditou, no amor, no sorriso, na flor, então sonhou, sonhou e perdeu a paz. O amor, o sorriso e a flor se transformam depressa demais...' Eu estava cantando, cantei um verso que não estava certo porque fui escutar uma tosse, fiquei escutando o ritmo dela, *tchá*, *tchã* e aí me atrapalhei aqui, desculpe todos. Aproveito pra dizer xarope, aquele Vennegrete". Risadas na plateia e depois aprovação total pela mensagem comercial gratuita. Alguém diz qualquer coisa e ele: "Hein? E estou com o vento, continua o ventinho, o.k.? Pode falar". Ouve-se alguém dizer: "Não tem som!". João tenta entender: "Como é? Fala!". Agora se consegue entender o que foi dito: "Aumentar o som da mesa!". João: "Aumentar é aqui, né? É lá no volume, no controle, o som é esse. Você não vai berrar não, senão não existiria a trompa". Faz: *uóóóó*, *puóóóó*. O público gosta e se diverte. "Não tem nada disso. A trompinha e tudo. Lá naquela orquestra sinfônica. *Tcham*, *tcham*, *tcham*, *tcham*, *uôôôô*, *puôôôô*, é só." Diz, fazendo pouco-caso: "Aumenta o som...". Risadas. "Eu também acho que deve aumentar o som. Aumente o som, por favor." Ficam contentes, batem palmas. "Já conheço os passos dessa estrada, sei que não vai dar em nada, seu segredo sei de cor... Mas também meu amigo tinha um pouquinho de razão porque fiquei um pouquinho resfriado, não sei como, se eu tenho tanto cuidado com isso, alguém que passou o resfriado. Alguém que está resfriado não se incomoda muito, eu sentei ao lado de um chofer no Rio, e por isso perguntei: 'O senhor está resfriado?'. Ele disse: 'Não'. Aí andei mais um pouquinho, daqui a pouco ele fazia *tchmmmm*, andei mais, uns sons tenho certeza que não era estrada de ferro. 'Não, é hábito.' 'Pode ser hábito, sim.' Aí eu passei pra trás. Troquei de lugar, passei pra trás."

João se dirige a quem reclamou: "Talvez, desculpe, amigo. Eu vou treinar. Cantar bem alto. 'Você não sabe amar meu bem, não sabe o que é o amor, nunca sofreu, nunca viveu e quer saber mais que eu...'. Sabe de quem é essa música? Dorival Caymmi. Ele fazia músicas assim lindas. Antes dessa história toda, bossa nova". Retoma pela segunda vez o samba-canção de Caymmi.

Depois de "Desafinado", ele comenta: "Olha, eu tenho um amigo que eu gosto muito, eu gosto muito dos amigos e tenho um amigo de Recife, talvez esteja aqui, mas se não estiver estará também. É uma música de Capiba, mas eu canto pra ele, ele é ótimo: 'Eu ando pelo Recife, noites sem fim / Percorro bairros distantes sempre a escutar / Luanda, luanda, onde está? É alma de preta a penar'.[20] O nome desse amigo é Raul Henri".

"Recife, cidade lendária" foi uma das duas canções da noite nunca cantadas antes em seus shows. A outra é uma homenagem a Dorival Caymmi: "Tem uma música tão linda de Dorival Caymmi, todo mundo conhece, eu às vezes canto sozinho comigo e às vezes fico emocionado, vou tentar não ficar. É linda. Não sei direito. 'É tão tarde, a manhã já vem / todos dormem / a noite também / só eu velo por você, meu bem / Dorme, anjo, o boi pega neném / Lá no céu deixam de cantar / Os anjinhos foram se deitar / Mamãezinha precisa descansar / Dorme, anjo, papai vai lhe ninar / Boi, boi, boi, boi da cara preta / pega essa menina que tem medo de careta'". João está visivelmente emocionado, mas consegue prosseguir até o final cantando mais de trinta músicas.

Nesse show ele fala publicamente como jamais falou, o que pode ser interpretado como a entrevista que sempre evitou conceder ou que, quando encostado nas cordas, disfarçava respondendo com evasivas. Foi preciso um momento como esse para João se abrir como se abriu, motivado pelo reencontro com sua gente, pelo abalo com a morte de Caymmi e por sua premonição exposta na frase à subida do hotel Méridien. Pressentiu ser seu derradeiro show na sua Bahia. E foi.

João continuou na suíte do hotel por mais umas quatro semanas, a Dueto teve que renegociar e ficou monitorando; o mesmo que já tinha acontecido no Rio de Janeiro quando acabou o período de show e ele não foi para casa.

Fecha-se o círculo da comemoração dos cinquenta anos da bossa nova que se iniciara em 8 de julho de 2008 com a magnífica exposição Bossa na Oca, aberta por dois meses. "Utilizando alta tecnologia em todos os aspectos, a mostra reúne documentários inéditos, imagens históricas, projeções holográficas, iluminação e montagens modernas, dialogando com a estética da bossa nova e com a do espaço da Oca."[21] "A Oca é um pouco bossa nova em forma de arquitetura. [...] Então a gente não quis esconder o prédio, mas usá-lo como protagonista", destaca Marcello Dantas, criador da mostra em parceria com Carlos Nader. "Criamos a ilusão da junção das pessoas em torno de uma canção", ele diz. "Filmamos Johnny Alf ao vivo no piano, buscamos Frank Sinatra, Astrud Gilberto, Ella Fitzgerald, uma lista enorme de pessoas que apareciam magicamente na música cantada por todos, em todos os tempos, o mais longo medley com o maior número possível de vozes. Era 'Garota de Ipanema'."[22] O encontro se deu por meio de uma técnica holográfica apresentada pela primeira vez no Brasil. A bossa nova chegou a um público jovem por imagens em movimento, fotos raras e 94 gravações clássicas ouvidas em jukeboxes estilizados em forma de LP.

No subsolo o visitante dava de cara com a praia de Copacabana, com areia branca de verdade, a icônica calçada de pedras portuguesas e o som do mar. No andar superior, um espaço para ouvir músicas de um toca-discos; no teto, a projeção do mar sem fim, para as pessoas se jogarem nos pufes e se entregarem a uma experiência imersiva.

Na cronologia da Bossa na Oca havia um momento em que se entrava na câmara anecoica (sem eco), um lugar para se ouvir o silêncio partindo de uma frase de Tom Jobim, "a música é o silêncio que existe entre as notas", e pela obsessão de João Gilberto com o silêncio. "O silêncio dele é ensurdecedor", sacou Carlos Nader.[23]

"A bossa nova é um desses momentos únicos da nossa história a prefigurar um Brasil mais autoconfiante e feliz, que ao mesmo tempo em que passa a acreditar em sua própria cultura, não tem medo de dialogar com as outras", resumiram Carlos Nader e Marcello Dantas.

Em princípio a exposição teria três módulos, um dedicado a Vinicius de Moraes com um filme documental de Miguel Faria Jr.; outro a Tom, com o que foi feito por sua neta Dora Jobim, ambos contando um pouco da história de cada um. O terceiro módulo seria o de João Gilberto, o único ainda vivo e com quem se negociou uma entrevista. Marcello e Carlos foram ao Rio num sábado e às onze da manhã estavam a postos, conforme o combinado. O encontro foi remarcado para o meio-dia, depois passou para as duas, depois ele precisava comer, depois foi adiado de novo, e assim foi até a madrugada, com Claudia Faissol ligando. Marcello e Carlos ficaram na cidade de sábado a segunda-feira de manhã, a entrevista não rolou e os dois voltaram. Já estavam em São Paulo quando Claudia ligou se gabando de que João tinha recusado 20 milhões de euros para dar uma entrevista ao *Le Monde* e não aceitaria nada menos que isso. Marcello respondeu: "Pois devia ter aceitado, você não vai ter nunca uma oferta dessas na vida, a gente não vai ter nem vinte nem uma fração de vinte". Não houve módulo de João Gilberto na Oca.

O primeiro espetáculo de que Claudia Faissol participou na condição de empresária de João Gilberto após ter ele se desligado da ShowBras foi, coincidentemente, o último no Carnegie Hall, também em 2008.

"O show de João foi o que teve os ingressos mais rapidamente esgotados de todas as atrações do festival. Como sempre", informou por telefone o produtor do jvc Jazz Festival George Wein a Sérgio Dávila, no dia exato do espetáculo, o domingo de 22 de junho.[24] O produtor norte-americano que melhor conhecia a arte e o potencial de João Gilberto acrescentou: "Ele faz do Carnegie Hall uma catedral. Durante seu show, você pode ouvir uma agulha cair no chão. É uma experiência religiosa". À pergunta "João Gilberto é jazz?", ele respondeu: "Quando João Gilberto toca violão e canta, João Gilberto é João Gilberto". Poderiam ocorrer problemas técnicos, como nas edições anteriores? Wein foi taxativo: "Honestamente? Sim".

Os dois últimos ingressos disponíveis no Carnegie Hall foram adquiridos pelo guitarrista Steve Berger, que gravou discos com Bob Dorough e tocou várias vezes no Blue Note nova-iorquino. "Parecia uma festa brasileira", ele disse:

Eu estava lá no alto, acima do palco, e pude ver quando João surgiu caminhando vagarosamente com seu violão. A plateia explodiu, todos ficaram de pé numa ovação ininterrupta de três a quatro minutos antes dele se sentar para tocar por duas horas e meia sem parar. Cantou músicas conhecidas, mas elas soavam diferente do que eu estava acostumado, ele modificava os acordes, eram outras harmonias. No violão de João você sente vontade de remexer o traseiro, não dá para pressentir onde ele vai acentuar a batida, e assim mesmo fica um negócio completamente natural. Às vezes todos cantavam com ele, mas o que me deixou atônito foram aqueles acordes completamente diferentes dos que escutei a vida inteira nos discos que eu tinha. As canções eram as mesmas, mas ali ele cantava e tocava outra coisa, como um músico de jazz.[25]

"Acho que ele começou com 'Doralice'", recorda Gabriel Segat, o brasileiro admirador que viajava para assistir João Gilberto onde quer que ele fosse cantar. "Nesse show tinha um problema do vento, mas ele estava bem-humorado, reclamou que estava ventando, me lembro até que ele disse que estava *uncomfortably windy*, uma coisa assim."[26]

"Não houve sinais daquele João Gilberto que deixa todo mundo de cabelo em pé por causa de sua fama de perfeccionista, que é capaz de sair do palco se achar que alguma coisa não está do jeito que gosta. Só depois de uma hora de show, depois da décima música, ele murmurou um pedido de desculpas para se queixar que havia 'um ventinho' em cima da sua cabeça."[27]

"20h36 — Após reclamar pela primeira vez do ar-condicionado, começa a tocar 'Caminhos cruzados' [...]. 20h50 — Reclama do 'vento' pela segunda vez. [...] 21h05 — Reclama do 'ventinho' mais uma vez."[28] Então, como lembra Segat: "Aí eu percebi que desligaram o ar-condicionado. Ele ficou tranquilo, não reclamou mais, a gente suava em bicas, todo mundo morrendo de calor, mas era um prazer, uma coisa ver que ele estava feliz. Todo mundo suando. Deixa, depois a gente toma um banho".[29]

"Cada canção, repetida várias vezes como um mantra, foi interpretada pelo João introspectivo de sempre, que só levantou os olhos para a plateia ao sair do palco, aplaudido de pé. Ao voltar para o bis, ele mostrou que a sutileza da bossa nova, da qual é pai e papa, pode fazer até hino patriótico soar como música de ninar. Antes de encerrar a noite com 'Garota de Ipanema', ele surpreendeu o público com 'Deus salve a América', versão brasileira de 'God Bless America', composta por Irving Berlin em 1918. A música é considerada um hino não oficial dos EUA e foi cantada por muitos pracinhas brasileiros na Segunda Guerra Mundial."[30]

"De certa maneira, João Gilberto cantando 'Deus salve a América' (Verdes mares/ Florestas/ Lindos campos abertos em flor)[31] no palco que o ajudou a se consagrar em 1962 era sua maneira de dizer 'obrigado' ao país. Modesto e tímido, ele disse que pedia 'permissão' para fazê-lo e lembrou que cantava a música quando jovem no Brasil — ele e milhares de estudantes e pracinhas brasileiros nas décadas de 40 e 50."[32]

Não houve mais show de João Gilberto no Carnegie Hall. Nem em São Paulo, nem no Rio de Janeiro, nem na Bahia, que foi o último de todos. João estava se despedindo. Uma temporada contratada para o Japão em 2008 foi cancelada por problemas de saúde.[33]

No início de 2009, o blog Toque Musical despejou na web uma ambicionada fita de rolo do fotógrafo das capas dos discos da Elenco, Chico Pereira. Foi registrada em 1958 em seu apartamento, num gravador doméstico, talvez um Grundig — João Gilberto tocava e cantava, possivelmente no período da gravação do seu primeiro disco, *Chega de saudade.*

Se há alguém que possa ser o sujeito do verso *"Fotografei você com minha Rolleiflex"*, essa pessoa é o Chico Pereira, autor das nove fotos de João na praia de Ipanema, das quais uma entrou na contracapa do LP *Chega de saudade* de 1959. Chico era de uma generosidade inexcedível. Quando eu procurava imagens para meu primeiro livro, nos anos 70,[34] ele me recebeu gentilmente e cedeu dezenas de fotos em papel.

Levando em conta a fita original, a qualidade sonora do material que levou mais de cinquenta anos para vir a público chega a ser surpreendente. Isso se deve ao minucioso tratamento do engenheiro de som Christophe Rousseau, que utilizou duas eficientes ferramentas para conseguir resultado tão formidável.[35] A fita original lhe chegou às mãos por meio de um amigo sueco, que por sua vez a obtivera de um colecionador.[36]

Nos setenta minutos de duração, João toca duas instrumentais, "Um abraço no Bonfá" e outra não identificada. Canta 26 canções, das quais seis entrariam no primeiro LP de 1959 — podem, pois, ser consideradas as versões brutas que receberiam orquestrações de Tom Jobim. Outras quatro seriam incluídas no segundo LP, "O pato" é a que seria consideravelmente mais lapidada até chegar à versão que viria a público no disco. Na gravação informal, João muda a melodia no verso *"tico-tico no fubá"* e insere na pausa a seguir um *"tico cá, tico-tico lá"* que não está em nenhum disco. Os destaques da fita são cinco canções que nunca seriam gravadas: a valsa "O bem do amor" (Carlos Lyra e Nelson Lins e Barros), "João Valentão" (Dorival Caymmi), "Chão de estrelas" (Sílvio Caldas e Orestes Barbosa), "Nos braços de Isabel" (Sílvio Caldas e José Judice) e "Beija-me" (Roberto Martins e Mário Rossi). A faixa 9 foi a que mais me intrigou, por não ser identificada. É um samba cantarolado, sem letra, do qual não se tem notícia e que pode estar à espera de algum letrista para se converter numa canção. Até o presente, tudo indica que só João Gilberto a conhecia. Seria ele o autor?

As 38 faixas são completadas pelas denominadas "Conversas", nas quais é possível ouvir vozes masculinas e pelo menos uma feminina — são sete faixas com comentários e pedidos de música dos presentes, alguns falam ao mesmo tempo, dificultando a compreensão. Entre as falas de João, pode-se distinguir alguma coisa: "Eu vi tanta coisa dele, tem uma do Caymmi", antes de cantar "Doralice". Mais adiante ele diz "Caymmi é danado [...]. Um rapaz de São Paulo [...]. Jacob é o máximo, eu não sei solar, não tenho mão pra tocar".[37] A fita de Chico Pereira é um recuo no tempo que mostra um João que já sabia o que estava pronto para seu futuro.

Suas interpretações são de tal forma o diferencial de sua arte que quase inexistem comentários sobre suas composições, ainda à espera de uma crítica condizente; salvo "Bim bom" e "Ho-ba-la-lá", elas foram gravadas apenas por ele. Não chegam a quinze títulos em gêneros diversos, samba, samba-canção, valsa, baião, choro, bolero e temas instrumentais, dos quais onze foram selecionados para um disco que trata exatamente do João Gilberto compositor, *Bim Bom — The Complete João Gilberto Songbook*, gravado pela cantora Ithamara Koorax, com o violonista e guitarrista Juarez Moreira.[38]

Ouvi-lo desperta uma sensação curiosa — trata-se da obra de um compositor como tantos, sem que se fique tentado a compará-la com as gravações do próprio, o que seria covardia. Aí se tem um João de quem pouco se fala, é um outro, distante do mitológico, é um criador de melodias. Com isso é possível avaliar outra forma de criação que nada tem a ver com a batida do violão, divisão rítmica ou emissão vocal.

É um disco que leva a descobertas e constatações. Descobre-se a beleza melódica de "Coisas distantes", tão antes da bossa nova; o criativo encadeamento harmônico de "Undiú"; a valsa dedicada à filha Bebel, cujo outro título é "Como são lindos os youguis", é pura alegria, no volteio do três por quatro em seu cantarolado conquistador adequadamente interpretado por Ithamara com sua voz límpida. Sua preferência pela área da tessitura mais aguda opõe-se de frente a uma das obstinações de João, a flagrante busca pela região dos graves. E há outras marcas igualmente reversas às de João: Ithamara não esconde que gosta de improvisar ao modo do jazz (como em "Minha saudade") e admite andamentos mais rápidos que João jamais adotou, o que a distancia um bocado do "Bim bom" que nos é familiar. Não são, contudo, motivos para deslustre; longe disso, é mais uma razão para se embrenhar na obra do João compositor. Esse objetivo da cantora, de trazer à tona sua criação como compositor que acabou relegada injustamente a segundo plano, como declarou Ithamara, é atingido nas doze faixas.[39]

O que esse disco tão delicado propõe e consegue é mostrar composições singulares, com modulações internas de frase a frase; é também deixar explícita a constatação inequívoca de quem sabe conduzir uma célula melódica para se tornar canção. Nas três faixas instrumentais do estupendo violonista mineiro, Juarez Moreira, que se mostra sabedor da arte instrumental de João, aparecem a singular sequência de acordes em "João Marcelo", a familiaridade com o choro quando abraça Luís Bonfá e a musicalidade ao desenvolver um trechinho de melodia para chegar ao tema completo que é "Acapulco".

Um disco envolvente que nos leva a uma dedução: é possível, no distanciamento entre o João cantor/violonista e o João compositor, imaginar o quanto ainda pode ser aproveitado dessa faceta tão pouco contemplada. É possível abrir um horizonte nos poucos mais que doze temas ou canções. E é como se pode vislumbrar o que também fica de João, o que fica à disposição de quem quiser cantar suas canções. Aí então ressurgirá outro João Gilberto, o compositor.

No primeiro semestre de 2011, Marcello Dantas recebeu um telefonema de Claudia Faissol propondo que ele participasse da produção de uma grande turnê de shows por capitais do Brasil para comemorar os oitenta anos de João Gilberto. Marcello ouviu, pensou duas vezes, talvez uma só, agradeceu mas não se interessou. Não punha fé.

Junho mal se iniciava quando foi divulgado que, para festejar os oitenta anos que completaria no dia 10 daquele mês, João Gilberto faria um show no HSBC Brasil (então o *naming right* do Tom Brasil) em 3 de setembro e, uma semana depois, outro no Rio. Segundo Claudia Faissol, ele tinha composições prontas que nunca apresentara. A transmissão do show no Vivo Rio seria ao vivo, via satélite, para salas de cinema do Brasil e outros países, inclusive o Japão, pela empresa MovieMobz, numa linguagem cem por cento digital.[40]

O acordo com o artista foi firmado numa união entre a Mauricio Pessoa Show e Eventos Culturais Ltda. e a Organização em Comunicação e Propaganda e prevê [...] até oito apresentações, entre os dias 29 de agosto e 30 de novembro deste ano. Dos oito concertos, dois devem acontecer fora do Brasil. Batizado de *João Gilberto 80 anos: Uma vida bossa nova*, o projeto vem sendo negociado desde janeiro. [...] DVDs também estão em contrato, afirma Mauricio Pessoa. Um deles trará o registro dos espetáculos. O outro, feito em estúdio, um encontro de João com artistas nacionais e internacionais. Para isso, foi escolhida "por João" uma equipe italiana. A codireção será de Claudia Faissol. [...] Tudo foi negociado por meio de Faissol e do advogado do artista: os empresários nunca o encontraram.[41]

O portal iBahia confirmava que as datas dos shows estavam fechadas e que a produção estudava a participação de dois convidados internacionais: Eric Clapton e Jon Hendricks.[42] Benza a Deus! Três meses depois anunciaram que seriam em outubro e novembro, em Salvador, São Paulo, Rio de Janeiro, Brasília e Porto Alegre, e que os ingressos começariam a ser vendidos no dia 22 de setembro.[43] Um mês mais tarde chegam as últimas novidades:

> É de se supor no entanto, que a disposição de João hoje não seja das melhores. A turnê de aniversário do gênio, *80 anos: Uma vida bossa nova*, anunciada para o início de novembro em cinco capitais do país, teve de ser adiada por causa da sinusite, diagnosticada por seu médico, o geriatra carioca Jorge Jamili. Rumores de que o cancelamento se devera ao encalhe de parte dos salgados ingressos, com preços variando de 500 a 1400 reais, certamente não contribuíram para o estado de espírito [...]. João ficou "tristíssimo" com o fato e a produção teve de enxugar itens como o jatinho particular.[44]

Pronto, aí o leite começou a derramar. No site da revista *Época*, Luís Antônio Giron disse que o preço dos ingressos era extorsivo. Claudia movimentou mundos e fundos para conseguir uma solução. "Claudia conta que se dedicou pessoalmente na última semana a fazer contatos com governos e prefeituras por onde a turnê vai passar na intenção de viabilizar outras apresentações a preços populares ou a transmissão dos concertos de graça. Ainda sem sucesso."[45]

Em 14 de dezembro, a turnê é oficialmente cancelada por meio de um comunicado da ocp Comunicação e Mauricio Pessoa Produções, no qual eles afirmam terem sabido do cancelamento das apresentações no Rio e São Paulo pela imprensa, com declarações da sra. Claudia Faissol. (Marcello Dantas tinha ou não tinha faro?) "Os produtores lamentam profundamente o ocorrido e reforçam que todas as pessoas que compraram ingressos serão devidamente ressarcidas pelos teatros/ locais de compras."[46]

Segundo Marcello Dantas, a temporada não foi para a frente pelo seguinte motivo:

Parte da história é que a Claudia tinha uma visão do João Gilberto que dava uma certa desproporcionalidade na coisa. Ela o tratava como se ele fosse Leonardo da Vinci. Quando você começa a colocar isso em cima da mesa de negociação, gera uma distorção e não é mais possível falar de coisas normais, ou seja, a que horas vai pro show, qual será o valor do ingresso. Ela tratava João como uma divindade, parecia certo delírio mesmo. Essa divinização em torno dele tolda o fluxo de razoabilidade que as coisas precisam ter porque é aquela história, pode ser Deus, mas se o ingresso for muito caro, as pessoas não vão ver Deus. Deus vai descer no Maracanã! Cinquenta mil reais! Quem paga? No frigir dos ovos, as coisas precisam existir dentro do mundo real.[47]

Em 13 de dezembro daquele ano, o Superior Tribunal de Justiça, STJ, determinou que João deveria ser indenizado com 18% das vendas do CD *O mito*, mais um terço para reparar danos morais como indenização por remasterização não autorizada.[48] Parecia estar próximo do fim o processo que se arrastava desde a ação movida contra a EMI em 1992 por ela ter lançado seus três primeiros discos em formato de LP e CD e um compacto com as músicas do filme *Orfeu*. Mas como saber o total das vendas?

Começava uma nova batalha. "Para poder ter o controle de futuros discos, o artista solicitou à Justiça o direito de reaver as fitas matrizes."[49] Aos 81 anos, João Gilberto perdia um round importante para reaver sua obra, sintetiza a matéria de Julio Maria sobre os três rounds do novo processo. Primeiro round: por decisão da juíza Simone Nacif, a gravadora deveria entregar as másteres a João Gilberto. Segundo round: a EMI recorreu, mas no terceiro round a decisão foi confirmada; o juiz Sergio Wajzenberg definiu que a gravadora entregasse as matrizes, estipulou multa e acatou o pedido para que o experiente produtor Marco Mazzola fizesse uma perícia no material. Mazzola verificou o bom estado das gravações. Tudo caminhava bem, quando, em 14 de maio de 2013 o desembargador André Gustavo de Andrade julgou novo recurso da EMI para derrubar decisões anteriores, entendendo que João não apresentava condições de cuidar de seu material no que diz respeito às condições ideais quanto à ação do tempo.[50] Pois não é que uma semana depois o mesmo desembargador reconsiderou sua decisão? As gravações deveriam ficar com João Gilberto e a EMI teria cinco dias úteis para entregar o material ao artista. É que o desembargador julgou que, ao contrário de seus argumentos anteriores, João teria condições, preservando as fitas na empresa Recall, a mesma contratada pela EMI para essa função. O advogado da EMI, Raphael Miranda, ficou indignado, pois em 2011 as fitas foram mostradas a João Gilberto, que chorou de emoção ao constatar que estava tudo intacto.[51] As fitas permaneciam sob a guarda de João Gilberto. Claudia Faissol decidiu se envolver.

Está mais que na hora de saber um pouco mais sobre Claudia Faissol: "Filha de um famoso dentista carioca [que tinha João como cliente], era casada com Eduardo Zaide [...] quando, no final de 2003, resolveu acompanhar a turnê de João Gilberto ao Japão para rodar um documentário. O filme nunca saiu, mas ela engravidou do artista".[52]

O leitor deve estar lembrado do embarque de João para a turnê de 2006. Houve um desentendimento quando Claudia, segundo Gil Lopes, lhe disse que ia tornar público que tinha uma filha dele. Claudia não embarcou. Enquanto ele estava no Japão, ela cumpriu o prometido: a nota saiu na imprensa e João ficou muito tenso. Tanto que, segundo Arnaldo Bortolon, adiou o quanto pôde o retorno ao Brasil.

Eis um trecho do longo artigo sobre o processo João *versus* EMI, publicado na revista *piauí* em janeiro de 2016. O texto de Consuelo Dieguez, rico em detalhes, engloba o que acontecia. Ainda sobre Claudia:

> Zaide pensava que o bebê, uma menina nascida nove meses depois da turnê, fosse sua filha biológica, até que sua mulher, por ocasião do segundo aniversário da criança, veio a público revelar que o verdadeiro pai era o artista baiano. O casamento se desfez. A socialite decidiu tomar as rédeas das finanças do músico e, para tanto, embrenhou-se no cipoal da dinheirama da EMI, a que ele alegava ter direito.
>
> Claudia Faissol procurou Carlos Rodemburg, executivo do Opportunity, [...] sobrinho de João Gilberto. Ele ouviu os argumentos de Faissol e marcou uma reunião com [Daniel] Dantas e uma equipe de advogados do banco.

Vamos aos pontos principais da narrativa de Consuelo nas duas páginas seguintes da *piauí*:

> O negócio se resume ao seguinte: o banco adianta ao litigante uma fração do ressarcimento reivindicado por ele [João] — que, em troca, abre mão de receber o grosso das indenizações futuras no caso de ganho nos tribunais. [...] Antes da en-

trada do Opportunity, a indenização era estimada em 2 milhões de reais. [...] Não só a EMI havia explorado várias gravações do artista, como não vem lhe pagando royalties desde 1964, como consta no processo de quase vinte volumes. [...] Para calcular o valor devido, os advogados [do banco] contrataram um perito, que apresentou uma conta salgada à gravadora: ao artista caberiam cerca de 200 milhões de reais atrasados.[53]

A informação "adianta ao litigante uma fração do ressarcimento", que deve ser entendida como 10 milhões de reais em duas parcelas iguais. E o "grosso das indenizações futuras" seria, segundo o escritório Gusmão & Labrunie, 50% do que fosse pago pela EMI, 60% do valor de futuras ações contra a gravadora e mais 60% dos direitos de tudo o que João Gilberto viesse a lançar. Quanto ao cálculo de 200 milhões de reais, foi um erro crasso, afirmou o advogado da EMI, Raphael Miranda.[54] O Opportunity havia cortado o aluguel da cobertura do Leblon e João se mudara para uma suíte no Copacabana Palace providenciada por sua filha Bebel.

Em 10 de junho de 2016, João completava 85 anos, e as perspectivas eram mais que sombrias: ele não faria shows nem gravaria discos enquanto seus advogados travavam uma guerra de muitas batalhas com a EMI, que fora adquirida pela Universal.

"Refugiado dentro de si mesmo, João não quer festa"[55] era o título da matéria de Julio Maria no dia de seu aniversário.

# 15. Adeus

João cantava "Isaura" vezes seguidas para Miúcha ouvir pelo celular colado a sua orelha. "Sem você, Heloisinha, com quem eu vou cantar? Você é o amor da minha vida",[1] dizia desesperado, pressentindo o pior.

Após tratamento médico na Clínica São Vicente, ela estava sedada no Hospital Samaritano do Rio. Pela primeira vez João entrou num hospital para visitar a mulher de quem nunca se separou de verdade. "Escolheu o terno mais belo e seguiu para o Hospital Samaritano, onde cruzou com jornalistas — sem ser reconhecido — e cumpriu a despedida final."[2] Heloísa Maria Buarque de Holanda lutava contra um câncer, teve uma parada respiratória e se foi em 27 de dezembro de 2018, aos 81 anos. João ficou devastado.

> Era ela o fiel da balança, [...] a escudeira de todas as tempestades, a voz mais sensata, um farol que parecia guiar personagens de uma história nem sempre regida pelo bom senso. Atendia aos telefonemas elegantemente, oferecia algum alpiste aos questionamentos e se despedia com lealdade sem fornecer mais informações que colocassem em risco a preservação psicológica do cantor do qual estava separada havia mais de três décadas.[3]

Filha do historiador Sergio Buarque de Holanda, que a estimava como a filha mais próxima dos seus interesses culturais, ela era a memória da família e da música brasileira na segunda metade do século xx. Na adolescência, uma tia lhe ofereceu três opções para um presente: um colar de pérolas, uma máquina de escrever ou um violão — ao escolher o último, a garota Heloísa determinou não apenas o seu futuro na música, mas influenciou o destino dos irmãos Chico, Cristina e Ana.[4]

Miúcha e João moraram em apartamentos no Brooklyn e em Manhattan; na casa de três andares em Nova Jersey; em outra, com piscina, no México, e depois cada um na sua, no Rio. É como se continuassem juntos, tal a solidez do anel que os unia, independente da distância física entre as duas moradas.

No círculo rente a João Gilberto desde os anos 80, havia três figuras merecedoras de atenção especial. A primeira era o ator Otávio Terceiro, cuja atividade no cinema acabou suplantada por sua proximidade com João, de quem foi interlocutor, fiel escudeiro ou ainda *personal manager* (no jargão do show business, uma espécie de assistente pessoal). Para Marc Fischer, Otávio desenvolveu o papel que representou uma centena de vezes: o de defensor e exegeta de João, detentor do código secreto de acesso, jamais revelado.[5]

O amigo leal que o acompanhava nas viagens, Otávio se ocupava de suas idiossincrasias, era um anteparo nas ocasiões delicadas ou problemáticas. Mais que factótum, era o confidente sempre a postos com quem "João discutia o *set list* dos shows, que escrevia em cartões dispostos ao pé dos pedestais dos microfones".[6] Era quem estava no camarim, quem o acompanhava aos shows e providenciava a fuga após o final.

Otávio acaba sendo o protagonista do filme *Onde está você, João Gilberto?*, tal sua habilidade em se desvencilhar do diretor Georges Gachot, que lhe implorava por uma entrevista com João. Os argumentos de que lançava mão para cozinhar o galo chegam ao limite e ele é obrigado a se dar por vencido e cumprir a promessa de levar o diretor ao encontro de João. Chegam afinal à porta atrás da qual estava João Gilberto, ele entra e faz menção de que vai reabri-la; passa-se um tempo até que o cameraman e o diretor percebem que ficaram na mão. O público cai na risada.

A segunda pessoa é a moçambicana Maria do Céu Harris, por quem João se enamorou quando fez sua primeira turnê em Portugal, em 1984. Os dois viveram a maior parte do tempo em apartamentos separados. "Nosso relacionamento foi contínuo, mas é claro que a gente brigava. Eu e João nunca nos separamos. E morar separado não me incomodava", disse ela, que sempre se manteve nos bastidores da vida de João, longe dos holofotes.[7] "Só vivo por causa do João Gilberto." Maria do Céu nunca trabalhou, suas contas sempre foram pagas pelo músico.

A terceira pessoa é Edinha Diniz, que esteve ao lado de João em várias de suas viagens pelo mundo. Conselheira que tão bem soube compreender João sem nunca ter se preocupado em apregoar sua forte ligação de amizade com ele, era assim que via sua música:

> A canção pode ser um constrangimento para um grande músico, devido à sua descritividade narrativa. João Gilberto, no entanto, submete a palavra a mais um elemento sonoro naquela sonoridade total e ainda lhe extrai ritmo. Na música tratada por ele, o que se oferece é som, a canção enfim livre das contingências e dirigida à percepção. Essa é apenas uma das muitas possibilidades de abordar a arte de João Gilberto. Afinal, a complexidade de sua obra vem também da riqueza que carrega, a tradição musical brasileira. Ao fazer a grande síntese, ele lançou as bases para o futuro.[8]

"Todas as lembranças que tenho de João são doces, são boas", comenta Arnaldo Bortolon, seu *road manager* em tantas viagens, especialmente na última ao Japão, em 2006.

> Ele tinha uma maneira muito simples de se aproximar, muito suave. João era reservado em todos os aspectos, nas questões pessoais, na questão da religiosidade, tudo era muito particular, e o que se via eram só fagulhas de energia que brotavam pelo ar. Normalmente a convivência era muito relaxada, João era muito engraçado, fazia comentários irônicos, inventava uma piada e brincava mesmo num momento sério. A questão do palco, do som, essas eram muito sérias, nem sempre tratadas com apuro profissional, principalmente no Brasil. Talvez por isso ele tenha sido tão bem-sucedido no Japão, porque lá há mais respeito ao artista que em qualquer outro lugar do mundo. O atendimento que João teve, a compreensão dos japoneses à sua música, o respeito pelo seu comportamento é uma coisa inacreditável, diferente de tudo. Eu vou dizer uma coisa: quando a gente foi pagar os extras, quando finalmente saímos do hotel de Tóquio e dei o cartão de crédito de João para passar, os japoneses da recepção ficaram todos em volta da máquina. Quando o cartão

passou, eles aplaudiram. Sabe por quê? Era para a gente ficar dez dias, ficamos quase trinta porque ele não queria sair de jeito nenhum e isso implicava o quê? Que estávamos segurando uma suíte e os demais apartamentos reservados a outros hóspedes, uma vez que o hotel estava completamente lotado, e a gente não tinha reserva para ocupá-los. Os contratantes dizendo "vocês precisam ir" e João dizia "não, não vou sair". Na hora que ele disse "o.k., vamos" e pagou, eles aplaudiram.[9]

A essa altura de seu depoimento, Arnaldo desata o nó sobre o tão criticado motivo de João se atrasar:

O que acontecia com João é relacionado à dificuldade dele de sair de um lugar. Depois que se acomodava, não queria mais sair, ele adiava a viagem ou se atrasava para um show porque tinha muita dificuldade em deixar o ambiente onde estava, deixar o aconchego. Depois que chegava, não queria mais sair — sair de casa, ir pro aeroporto, sair do hotel, fazer o show.

Na volta do Japão, acho que cancelei seis vezes a passagem, horas antes do embarque. No dia em que dissemos "o.k., vamos", eu fiquei no telefone com a pessoa da companhia aérea do aeroporto e ela me disse: "Mas você está realmente vindo?".

"Sim, estou no carro, estamos em dois carros indo pro aeroporto. Vamos embarcar."

"Mas já não dá mais tempo."

"Mas a gente está indo pra embarcar."

Eles nos receberam no aeroporto, a gente nem passou pela alfândega. Abriram as portas, a gente foi passando por lugares de circulação proibida e entramos no avião. Eles não aguentavam mais cancelar as viagens. Como eram bilhetes *full rate,* você pode cancelar, remarcar, cancelar, remarcar, fazer o que quiser. Aí chegamos na Alemanha e João disse: "Não vou seguir, vamos ficar mais um pouco aqui". Ficamos no hotel do aeroporto três ou quatro dias, João no quarto. Consegui uma cabeleireira que cortou o cabelo dele. Fomos ficando. Eu passeando pelo free shop olhando as coisas porque a gente não podia sair da área do aeroporto. Acabamos embarcando. Lembro do dia em que a gente chegou, descemos no Rio, fui até a casa dele e quando abri a porta da cozinha, eu falei: "Bom João, agora você está entregue, não é?". Ele me disse: "Tá vendo? Arnaldo é alemão".[10]

254

A partir de 2011 João Gilberto lamentavelmente passou a ganhar espaço midiático mais pela desordem jurídica e financeira de sua vida do que por sua música. Sua atividade musical ocorria apenas ocasionalmente, entre familiares ou amigos. Consta que podem existir registros de "Por causa de você" e de "Nunca" captados em celular ou iPad durante um encontro com Miúcha e Bebel, em 2015, no Copacabana Palace onde estava hospedado.[11] João Bosco, que junto com Caetano foi o único artista brasileiro que esteve com João em uma turnê, comenta sobre o violão do músico:

> A projeção sonora que o João imprime no violão está em perfeito equilíbrio com a projeção sonora que ele imprime na voz, ou seja, o resultado é uma coisa única, inseparável, indivisível. Muito parecida com Caymmi, embora sejam dois volumes diferentes, duas cores diferentes. O João sempre buscou a essência, nunca perdeu tempo com gordurinhas, sempre à procura da essência. Em "Aquarela do Brasil", ele passa por cima daqueles "pra mim", "Brasil", é como se não existisse, é uma gordurinha, não é necessário, não é fundamental dentro daquela paisagem. Ele vai na essência, você só chega se você sai à procura dela insistentemente, e o João passava dias, noites, meses, anos atrás da essência de uma canção, e a vida dele se pautou por isso, e você descobre isso na primeira audição.[12]

"João era místico", escreveu o jornalista que com ele privou diretamente, Mario Sérgio Conti. "'Católico apostólico romano', como dizia, rezava para santa Clara. Mas sabia de cor Yogananda, o autor de *Autobiografia de um iogue*, bem como versículos do Evangelho de João. Disse-me duas vezes o 'Om', o mantra sagrado do hinduísmo — algo deveras formidável. Como não catequizava, a sua religiosidade não pesava."[13] Na única vez em que cantou a "Ave-Maria", de Vicente Paiva e Jaime Redondo, a interpretação contrita realçou o profundo apego à religiosidade de João.

O monge budista Celso Marques (Seikaku San) me escreveu sobre João:

> A música para mim é parte fundamental da minha religião e da minha espiritualidade. E a obra de João Gilberto faz parte da minha religião, sou um devoto do culto a João Gilberto. Considero o samba o toque do tambor dos interesses comuns e do pacto social que convoca e levanta todas as tribos da nação brasileira. É o ritmo que evoca o supremo objetivo cívico de mobilizar o consenso em torno da

nossa identidade cultural e política. A batida do samba no violão de João Gilberto, inventada por ele e levada à sublimação da arte, expressa a sacralidade do sentido de pertencer à tribo. Para mim a música de João Gilberto expressa o Brasil na eternidade. É a suprema síntese da cultura brasileira. João Gilberto realizou este prodígio que é a culminância da arte e da música, particularmente. A arte do João Gilberto é um facho de luz apontando para a dignidade e do que somos como nação, mas que talvez nunca chegaremos a ser como país. É a plenitude da maravilha e da beleza que tem o dom de dignificar a indigência política do Brasil e da humanidade.

Sou um monge budista e comparo a música de João Gilberto com a simbologia da flor de lótus que representa o ensinamento de Buda. A flor de lótus com a sublimação da sua beleza nascendo no meio da lama. A vivência da suprema dignidade da vida e da condição humana, mesmo vivendo a plenitude da banalidade do mal no interior da nossa civilização ecocida, etnocida e suicida.[14]

A influência de João Gilberto na geração que elevou a canção brasileira ao grau máximo de consagração pelo mundo é um fato. Gilberto Gil, entre os mais destacados dessa linhagem, reconhece que João ensinou a ele e a seus contemporâneos que um homem poderia ser elegante e educado. Que a delicadeza passou a ser questão de postura no palco e de comportamento de vida. Dezenas de músicos de jazz, cantores e cantoras como Susannah McCorkle, Diana Krall e Stacey Kent ressaltam quanto João as inspirou. Até mesmo músicos do rock como o guitarrista Andy Summers, do Police, e Paul Weller, do The Jam, revelam que João abriu a cabeça deles na música, como assinala o jornalista Thales de Menezes.[15]

Sem João Gilberto a bossa nova não existiria, afirma com segurança um dos maiores conhecedores da música popular brasileira, meu parceiro Jairo Severiano. E prossegue: "O samba seria moderno com Tom Jobim, Vinicius, Mendonça, Carlinhos, Menescal, Donato e tantos outros, mas não seria a bossa nova".[16]

A amizade entre João Gilberto e Cézar Mendes começou no dia em que Maria do Céu, a nova moradora do apartamento 201, vizinha de cima do apartamento do compositor baiano, na rua Nascimento Silva, nº 395, lhe fez um pedido: "Será que posso trazer o violão de João pra você botar cordas e afinar?". Cézar mudou as cordas de náilon, afinou o instrumento e dias depois seu telefone tocou. Era João, para lhe agradecer e dizer que a partir daquele momento ele iria sofrer toda vez que tivesse de trocar as cordas. "João, não é sofrimento não, é com o maior prazer", respondeu Cézar, anotando o telefone do interlocutor.

Por mais de seis meses eles passaram a se falar de madrugada, até que um dia João perguntou: "Cezinho, onde você mora?". Cezinho, como João o apelidou, deu o endereço e ouviu: "Eu estou indo aí agora". Cézar sentiu um frio na barriga. Eram cinco da tarde quando pela primeira vez ele se viu frente a frente com João, que quis ouvir suas composições. "Cantei na coragem", ele me disse. João gostou tanto de uma parceria sua com Tom Veloso, filho de Caetano,[17] que pediu para ele repeti-la mais de dez vezes: "Talvez pra você eu seja mais um/ Pra mim você é o que ninguém foi/ Eu vivo a vida com calma/ pensando no amor/ Talvez meu olhar que te conquistou/ Não tenha mais luz, nem tenha mais cor/ Mas tantas memórias, histórias/ Canções pra compor". A partir desse dia ficaram ainda mais amigos, eram frequentes as visitas baianas, aquelas em que "você não avisa e chega". Em nenhuma delas João tocava violão. Certa vez, Cézar ouviu um sonzinho de violão que vinha do banheiro. Era João, muito abatido e frágil, que tentava tocar, para maravilhamento de Cézar.[18]

Em abril de 2018 teve início um período angustiante para João Gilberto: depois de dez anos, ele teve de deixar à revelia o apartamento em que vivia, no oitavo andar de um prédio na rua Carlos Góis. Chico Buarque, Caetano Veloso e Paula Lavigne se mobilizaram para ajudá-lo, e assim foi cedido um imóvel na Gávea para acomodá-lo.

Apesar do acordo milionário com o banco Opportunity em 2013, como adiantamento do valor a ser recebido por uma ação contra a gravadora EMI dois anos depois, João não possuía recursos para sequer arcar com um plano de saúde.[19]

"João Gilberto tinha uma velhíssima hérnia, inguinoescrotal, diagnosticada por mim em Nova York em 2004, então do tamanho de uma azeitona", revela o músico baiano Tuzé de Abreu que, sendo médico, por várias vezes integrou a equipe de João em turnês no exterior, inclusive em 2004 e 2006, para o Japão. "João nem quis ouvir falar em operar e perguntou com seu humor peculiar: 'E se eu for chamado pra cantar na Austrália?'. Eu ri e disse que em menos de uma semana ele estaria perfeito, se operasse. Não adiantou."[20]

Miúcha, que enfrentava problemas de saúde, observou que João, aos 86 anos, estava muito magrinho — ele se recusava a se submeter a exames, fugindo de médico como o diabo da cruz. Não adiantava marcar que ele fugia.[21]

Cézar conta mais sobre os tempos em que foi uma das companhias mais frequentes nesse período difícil.

> Antes do aniversário dele, eu disse: "Olhe, João, amanhã é seu aniversário e eu vou comprar um bolo e celebrar. Mesmo que você não venha". João se antecipou: "Ô, Cezinho, você deve estar sabendo que eu tenho uma dificuldade enorme de manter amizade".
>
> "João, não esquente a cabeça com isso. Se você não quiser aparecer nunca mais, não tem problema. Não esquente." Quando faltavam cinco minutos para a meia-noite, uma noite fria, eu vejo um homem de sobretudo preto e echarpe de seda finíssima descer do carro, parecia uma cena londrina. Ele veio com o Otávio. Saltou e disse: "Eu vim". [*Cézar faz uma pausa demorada.*] Rapaz, eu fiquei tão emocionado, porque já estava na janela com uma fatia de bolo pra comer sozinho. E aí ele veio, sentou aqui, contou histórias, falou coisas inacreditáveis que não vou me lembrar e celebramos assim o penúltimo aniversário de João aqui comigo e o Otávio.[22]

Em junho, João vivia entre dois endereços: a residência na Gávea — mantida por Paula Lavigne, Caetano e Chico — e um apartamento que pertencera a Heloísa, irmã de Claudia Faissol. O imóvel da Carlos Góis permanecia com móveis e pertences de João.[23]

"Eu só fui na casa dele duas vezes, na Carlos Góis nunca fui não. Fui num apart que a Claudia tinha alugado pra ele numa época, acho que era no Arpoador. Voltei àquele lugar, mas ele sumia inesperadamente. Ele mudava de endereço, ele fugia, se sequestrava."[24]

Caetano e Paula também cederam um imóvel em Ipanema para acomodar Maria do Céu [o apartamento na Nascimento Silva]. João pôde voltar para a rua Carlos Góis em novembro de 2018, pois as dívidas de 270 mil reais referentes ao imóvel seriam, como de fato foram, acertadas em fevereiro de 2019.[25]

> Uma vez ele chegou aqui e disse: "Você tem pizza aí?". Eu disse: "João, não tenho, mas tem uma pizza aqui em Ipanema que é uma maravilha. Vou comprar e combinar com você para entrar: um assobio e você abre a porta do lado da cozinha". Vim num táxi para não esfriar e quando entrei ele disse: "Você trouxe o quê? Qua-

tro queijos?". Eu digo: "Trouxe duas margueritas, que é a minha predileta". Ele comeu a dele, a minha eu só pude comer uma talhada porque ele comeu toda. Esse homem era um glutão, Zuza. Aí ele olhou pra mim e disse assim: "Odeio pizza. Odeio, Cezinho, mas aqui na sua casa, me dá vontade de comer, fico muito tranquilo, muito feliz".

Ele era louco por acarajé, aí descobri uma mulher lá na Tijuca que fazia um acarajé maravilhoso, uma baiana, quem me apresentou foi o Daniel Jobim, ele adorava Daniel. Comeu com uma pimenta baiana, aquela pimenta cozida, botou a colher cheia de pimenta na boca, eu digo: "João, pelo amor de Deus!". Ele disse: "A Bahia veio até aqui".[26]

Ao ser vendida, a EMI se bifurcou: a parte de direitos autorais foi adquirida pela Sony, enquanto a Universal ficou com a área das músicas gravadas.[27] Os discos da fase Odeon (EMI-Odeon) continuavam oficialmente fora de circulação. Bastava, porém, acessar o Spotify para ouvir "Chega de saudade", "Desafinado" e outros clássicos lançados também pelo selo VK Mastersound em 2017 ou pela Goldstar Records. O maior exemplo da desorganização na distribuição da obra de João Gilberto ao redor do mundo.[28]

João era louco por MMA, as lutas no canal 240. Uma das primeiras perguntas que me fez foi: "Cezinho, você tem o canal 240?". Assistia só imagem, sem som.

Um dia ele disse: "Cezinho, você conhece a América?".

Eu disse: "Não, João, nunca fui para fora. João, eu tenho Parkinson".

"Ah, você precisa conhecer, você não tem Parkinson nada, esses médicos não sabem nada. Cezinho, eu sou um iogue."

Eu não sabia o que era iogue. E ele: "Preciso dar uns livros pra você".

Eu disse: "João, vou fazer uma música pra você". Aí liguei pro Arnaldo [Antunes] e pedi: "Eu quero fazer uma música pro João". Aí fizemos uma música chamada "João", tocamos para ele. Ele chorou quando ouviu, ficou emocionado. Ele estava tristonho o tempo inteiro. Ele disse: "Quero tocar, quando eu voltar a cantar, eu posso". [*Cézar para de falar. Fica em silêncio, visivelmente emocionado e continua com dificuldade.*] Foi das coisas mais bacanas da minha vida. Me emociono. Eu esperava que ele pudesse tocar. Uma vez ele olhou pra mim e disse assim: "Eu vou morrer". "João, não fale isso." Ele nunca mais falou. Isso foi em 2018, o ano em que passamos juntos o aniversário dele. Nesses meses todos de amizade ele chegava e ia se soltando aos poucos. Eu só vi ele tocando uma vez. Como ele estava vivendo é uma situação barra, né, bicho? Um homem que cantava bem pra caramba, é briga pra cá, briga pra lá, nenhum ser humano aguenta.[29]

Desde que Miúcha se foi, não foram poucos os que tiveram a sensação de que João não conseguiria viver por muito mais tempo. Ela era seu porto seguro na vida, o esteio oculto na música. Sete meses depois o destino se cumpriu.

Na terça, 2 de julho de 2019, João foi jantar num restaurante do Leme na companhia de Maria do Céu e de seu advogado Gustavo Carvalho Miranda. Comeu mariscos, bebeu vinho português e ao voltar lembrou de dois jantares após seus espetáculos, um em Nova York, outro em Perúgia.[30]

Passados dois dias, depois de uma entrevista com psiquiatras num hospital em Botafogo, durante a qual nada disse, João teve uma crise de ansiedade à noite, chorou muito e teria dito a Maria do Céu: "Vou desencarnar".[31] Não pisava um palco havia onze anos, havia onze anos definhava mais e mais. E havia quinze Tuzé de Abreu havia detectado a hérnia já imensa, que estrangulara não sem antes causar vários problemas secundários.

Na tarde de 6 de julho de 2019, no apartamento do Leblon, João Gilberto expirou. Maria do Céu, sua companheira desde 1984, estava com ele. O corpo foi velado no Theatro Municipal do Rio de Janeiro. Tuzé de Abreu me contou:

Assim que soube que ele nos deixou, escrevi na última página, a que é em branco, do livro de Heráclito que estava lendo: "Saiu desta vida o maior artista que pude perceber. Considerando quaisquer artes e quaisquer tempos". De comum acordo com os advogados, cito aqui o dr. Alan, optou-se por uma autópsia. Assim possíveis suspeitas e acusações futuras foram evitadas. Naturalmente fui ao IML. Causa normal, basicamente a velhíssima hérnia, inguinoescrotal, diagnosticada por mim em NY em 2004. Bebel e Paulinha descobriram que a família Oliveira (João Gilberto Prado Pereira de Oliveira) tinha um jazigo em Niterói. Sob a brilhante e eficiente batuta da produtora Paula Lavigne, tratou-se da música do velório. Conheci Tim Rescala pessoalmente. Antes pensava que ele era um compositor de canções populares. E é. Mas também é maestro. Conseguiu um grupo de cordas e o grande coro do Municipal. Decidimos por fazer *Jesus, alegria dos homens*, de Bach, meu amadíssimo *Ave verum*, de Mozart, chorei muito, o prelúdio das *Bachianas nº 5* de Villa-

-Lobos e um arranjo de "Chega de saudade" com todos cantando. Isto tudo acompanhado de uma missa de corpo presente celebrada pelo padre Omar [Raposo], guardião religioso do Cristo Redentor, que fez as exéquias completas.[32]

Visivelmente emocionada, a cantora Adriana Calcanhotto agradeceu por tudo o que ele fez pela música brasileira.[33] E escreveu especialmente para o capítulo final deste livro:

No dia do velório de João Gilberto não teve nada demais. Fora o fato de que na minha vida, na vida dos vivos, rompeu-se o privilégio de poder transitar no tempo dele. Na cidade do Rio de Janeiro naquele dia não teve nem chacina nem enchente.

Voei de Portugal para o Brasil na noite anterior pensando em Bebel, que poucos meses antes perdera Miúcha (para nós; para ela, "mamãe"). Agora perdera "papai", para nós, João Gilberto; e imaginei em que estado estaria o seu coraçãozinho tomando o meu, esmagado, como medida de comparação.

Um homem que só vestiu ou terno ou pijama, enfiado em um terno pela última vez. A fisionomia serena, o corpo franzino, a alma gigantesca, já não mais ali, escapada pelas coxias do teatro. Os fotógrafos à caça do pior ângulo possível para a dor na expressão dos presentes, a ânsia conhecida.

Alguns arroubos de emoção incontida com sambas cantados em voz alta demais, desafinados demais e com a letra errada demais me fizeram pensar "ainda bem que está morto, ele não aguentaria isso agora". Mas os desafinados também têm um coração, conforme nos foi ensinado, e as demonstrações de amor eram sinceras. De gente que jamais o viu cantar ao vivo, naquele mesmo Theatro Municipal ou em qualquer outro lugar do mundo. Gente sem a menor condição de comprar um ingresso para assisti-lo uma só vez na vida. Gente que não ouve a música dele, mas sim a música que não existiria não fosse a dele. Isso é o que não sei se ele esperaria, o povo na sua despedida, lotando as escadarias da entrada do teatro, em comoção verdadeira e barulhenta.

Nós, os que ficamos, com nossas mazelinhas, nossos horários apertados, nossas rotinas, fomos cuidar de nossa vida. O governador do Rio de Janeiro levou quatro dias para decretar luto oficial, "esse país não tem memória", única frase unânime entre as nações do Ocidente. Ao menos decretou, talvez para não entrar para a história como uma rocha sem coração ou ouvidos.

O trânsito péssimo, as notícias desanimadoras, os oceanos e as barrigas dos peixes entupidos de lixo plástico, "Chega de saudade" no rádio do táxi na volta pra casa e em seguida anúncio de promoção imperdível no Pão de Açúcar. Obrigada, João, até qualquer hora.

E Tuzé de Abreu escreveu:

O enterro foi acompanhado por vários Oliveiras, todos simpáticos e muito religiosos. O dia no Rio de Janeiro estava deslumbrantemente belo. Que bom ver assim a Cidade Maravilhosa. Mais maravilhoso ainda era o Cemitério Parque da Colina, na região de Pendotiba, em Niterói. Na base de uma colina gramada e muito florida. Flores silvestres na frente de montes grandes de pedra, paz de granito ao sol. A luz era digna da Bahia. Eram cerca de dezesseis horas. João, cercado das filhas, da irmã, de muitos sobrinhos e primos e de alguns amigos, todos de mãos dadas, rezando, orientados por um primo mais idoso, finalmente foi colocado na cova.[34]

Quanto a mim, coube-me escrever uma análise para compor seu obituário, publicado em 7 de julho, no *Estadão*, o que fiz a igual distância da lisonja e da dor:

Tínhamos que nos preparar. Tínhamos que estar prevenidos para o dia em que João Gilberto não estivesse mais aqui.

Trancado a sete chaves por si próprio, tocando seu violão, cantando sozinho ou para alguém que privasse do momento sublime de ouvir João, não importa. Lá estava ele, existia. E agora? E agora Chico, Caetano, Gil, Milton, Edu, Marcos, Dori, João Bosco, Moraes, Djavan, Rosa e toda a geração que ele colocou na música? E nós que nos criamos ouvindo-o? E os que pelo mundo inteiro ficaram perplexos com seu som, o que será de todos nós de agora em diante? Teremos que viver sem ele. Teremos que tocar a vida sabendo que nada mais existe além do que já veio à tona. Será mesmo? Alguém não terá uma gravação caseira, uma música de show no celular, uma amostra inédita para mostrar? Agora que ele não está mais, o que vai aparecer dele, dos guardados com João Gilberto, não se sabe.

O que se sabe é que João Gilberto mostrou ao mundo uma nova bossa de cantar e de tocar o samba, o baião, a marchinha, a valsa, o samba-canção, o foxtrote, o bolero, um hino, uma cantiga. No concerto do Carnegie Hall ele conseguiu derrubar a barreira do código que mantém o entendimento entre quem canta e quem ouve. Até os que não entendiam português compreendiam aquela música.

Ouvir João Gilberto requer aprendizado. Requer concentração apuradíssima para se usufruir de tudo ao mesmo tempo: a precisão micrométrica do violão, a identificação das notas formando acordes, as sutis alterações harmônicas, o balanço rítmico irresistível, a destreza de seus dedos apertando as cordas do braço do violão, a posição da mão direita no jogo de vai e vem, a justeza equilibrada entre o volume do instrumento e o da voz, a dicção impecável, a emissão na medida certa, a minúcia das quase imperceptíveis mudanças na divisão, as defasagens rítmicas e alterações melódicas, a argúcia dos silêncios, a supressão do supérfluo, a valorização dos esses, dos erres, das consoantes e vogais; do sentido das palavras, das profundas notas graves, a capacidade de fazer vir à tona a intenção do verso, a delicadeza em mostrar a música como nunca se ouviu antes. É o requinte da elevada depuração para o ouvido humano. Saber ouvir João Gilberto, eis a questão.

É o que o mundo musical vem fazendo desde 1958. Nada, absolutamente nada envelheceu. As 36 faixas de seus três primeiros discos contêm tudo que se precisa saber para entendê-lo, para embarcar na bossa nova admirada pelo mundo afora, responsável por mostrar que a música brasileira tinha uma cara nova.

A vida enclausurada de João Gilberto foi constantemente incompreendida e criticada. Não se atestou porém que artistas excepcionais vivem à sua própria maneira, sempre na busca. Noel Rosa viveu 26 anos intensamente afogado na boemia, o que levou à breca seus pulmões, Lorenz Hart viveu embebido no álcool tentando resolver seu homossexualismo socialmente pecaminoso à época. E Picasso com suas mulheres? E Miles Davis? A arte é sublime. Queixas são infundadas. Queixam-se que João quase não se comunicava exceto nas intermináveis ligações telefônicas de horas seguidas. Felizes os escolhidos nessas chamadas. […]

João Gilberto deu tudo de si para se comunicar com o que de melhor tinha, sua música. Sem nunca comprometê-la. Por isso precisava do melhor, a melhor sala, o melhor violão, o melhor microfone, o melhor som, o melhor técnico, sempre o melhor. João Gilberto era o melhor.

Em sua obra gravada iniciada com a Bíblia da bossa nova, os tais três primeiros discos — *Chega de saudade, O amor, o sorriso e a flor* e *João Gilberto* — que motivaram uma ação de anos a fio e cujo ganho foi dele, João traçou o rumo. […]

Nos discos posteriores e de frequência esparsa, João Gilberto deu luz a canções esquecidas que, guardadas em sua memória absurdamente fantástica, puderam ser pinçadas no momento certo para vir de novo à tona. Era esse um dos motivos que iscava a plateia ansiosa por saber como João a surpreenderia a cada vez. Ouvidas como troféus que se recebe de um mago. Em outras revelações ofertou aquilo que existia escondido em canções familiares, que no entanto ninguém percebia existir. Vieram Adoniran, Gershwin, Denis Brean e, em certas audições surpresa, versões que poucos tiveram a ventura de assistir, "Casa portuguesa", "Oh! Minas Gerais", "Parabéns a você" e outras peças irrisoriamente simples das quais João extraía uma musicalidade escondida que só ele foi capaz de descobrir. Foi mesmo capaz de transformar melodias do anonimato em obras-primas.

O samba do Brasil teve raros momentos de ruptura a determinarem os capítulos de sua história. O mais revolucionário deve-se ao gênio que já foi cantar noutra freguesia, João Gilberto.

# Agradecimentos

Aos amigos, que com tanta paciência e desvelo me concederam valiosos depoimentos, oralmente ou por escrito, contribuindo para o resgate da memória da música popular brasileira com suas preciosas informações, minha gratidão:

Adriana Calcanhotto (17/1/2020), texto do Rio de Janeiro
Alvaro Magalhães (07/11/2019), em Porto Alegre
Arnaldo Bortolon (31/08/2020), do Rio de Janeiro
Augusto de Campos (07/01/2020), em São Paulo
Bebel Gilberto (08/05/2020), do Rio de Janeiro
Ben Ratliff (21/06/2020), texto de Nova York
Carlos Branco (10/11/2019), em Porto Alegre
Carmen Elisa Ritenour (23/06/2020), de Los Angeles
Celso Marques (03/04/2020), textos de Porto Alegre
Cezar Mendes (25/10/2019), do Rio de Janeiro
Chico Batera (03/05/2020), do Rio de Janeiro
Daniel Filho (01/06/2020), do Rio de Janeiro
Duilio Malfati (20/08/2019), em São Paulo
Dulce Costa (06/10/2019), em Guaxupé, in memoriam

Earl Okin (20/07/2020), texto de Londres
Edson José Alves (16/02/2019), em São Paulo, in memoriam
Estevão Hermann (28/05/2020), de Petrópolis
Fernando Romeiro (16/08/2020), texto do Rio de Janeiro
Gabriel Segat (11/12/2019), em São Paulo
Gary Giddins (20/09/2019), em Nova York
Geraldo Leite (13/07/2020), de São Paulo
Gil Lopes (07/07/2020), de Lisboa
João Bosco (16/08/2019), em São Paulo
João Donato (05/02/2020), do Rio de Janeiro
João Mario Linhares (16/08/2019), em São Paulo
José Amâncio Pedreira (26/05/2020), de São Paulo
Juarez Fonseca (08/11/2019), em Porto Alegre
Marcello Campos (07/11/2019), em Porto Alegre
Marcello Dantas (16/08/2020), de São Paulo
Maria Bethânia (04/06/2020), do Rio de Janeiro
Maria de Oliveira, Vivinha (21/11/2019), de Juazeiro
Maria Izabel Figueiredo, d. Bebela (04/12/2019), de Juazeiro
Mauricio Dias (21 e 26/11/2019), de Juazeiro
Monique Gardenberg (09/08/2020), de São Paulo
Otávio Pedreira Ferraz (11/08/2020), de São Paulo
Paulinho Boca de Cantor (21/07/2020), de Salvador
Renato Mendonça (09/11/2019), em Porto Alegre
Roberto Algranti (27/06/2020), do Rio de Janeiro
Roberto Algranti Filho (27/06/2020), do Rio de Janeiro
Roberto Menéndez (24/07/2020), de Ibiza
Rosa Crescente (13/07/2020), de São Paulo
Steve Berger (25/09/2019), em Nova York
Tasso Bangel (26/11/2019), de Porto Alegre
Tavinho Moura (18 e 20/02/2020), textos de Belo Horizonte
Toy Lima (15/07/2020), de Campinas
Tuzé de Abreu (21/01/2020), textos de Salvador
Vanderlei Cunha (11/11/2019), em Porto Alegre
Wander Conceição (10/08/2019, 5 e 07/03/2020) textos de Diamantina

Quero destacar Mauricio Dias e Wander Conceição, cuja dedicação e préstimo no levantamento de informações inéditas sobre Juazeiro e Diamantina respectivamente foram fundamentais para a contextualização dos capítulos iniciais sobre a vida de João Gilberto em sua cidade natal e na que o acolheu mais tarde.

Àqueles a quem recorri, quando opiniões ou esclarecimentos se fizeram necessários, quero manifestar o quanto me ajudaram — desinteressada e generosamente — a amarrar o conteúdo do livro, a assegurar o rigor da informação, orientando-me em aspectos específicos, muitas vezes apenas formal; a eles o meu agradecimento: Adrián Iaies, Ana Basbaum, André Magalhães, Bartolomeo Gelpi, Bebel Gilberto, Ben Ratliff, Beth Carmona, Braulio Tavares, Bryan McCann, Carla Souza Poppovic, Carol Proner, Celina Muylaert, Celso Marques, Cezar Mendes, Cristiane Olivieri, Dan Donaghy, Daniel Filho, Don Payne (in memoriam), Edmilson Capelupi, Elizabeth Machado, Estêvão Hermann, Fernando Kassab, Fernando Meirelles, Fernando Romeiro, Geraldo Leite, Gilberto Fernandes, Hélio Goldsztejn, Heraldo do Monte, Hotel Intercity de Porto Alegre, James Gavin, João Mario Linhares, Joaquim Celidônio Rocha, José Amâncio Pedreira, Juarez Fonseca, Julia Bosco, Juliana Silva Loyola, Justo Lo Prete, Leandro Klebernilson, Luísa Vidigal Belluomini, Marcelo Cintra, Marcelo Machado, Maria Isabel Brant, Marina Vidigal Belluomini, Mario Adnet, Mario Canivello, Mauro Ferreira, Mauro Rodrigues, Mônica Lobo Vidigal, Monique Gardenberg, Otávio Pedreira Ferraz, Pasquale Cipro Neto, Pena Schmidt, Regina Machado, Richard Steurer, Robertinho Brant, Roberto Algranti, Roberto Algranti Filho, Roberto Mendes, Roberto Muylaert, Ronaldo Bastos, Rosa Crescente, Rubens Barbosa, Sérgio Mielniczenko, Sérgio Molina, Tarik de Souza, Tavinho Moura, Tuzé de Abreu, Wander Conceição, Yacoff Sarkovas, Yeda Sá, Zé Nogueira e Zé Nuno Martins.

Um agradecimento muito especial aos competentes e dedicados médicos que tanto me ajudaram a viver até os 87 anos para poder escrever este livro: dr. Marcello Marcondes, dr. Walter Lunardi, dr. Milton Dantas, dr. Eduardo Akaishi, dr. Frederico Perego Costa, dr. Caio Julio Cesar Fernandes e dr. Marcelo Fadul Vilibor.

A todos esses, e aos leitores que me derem o prazer de sua leitura, quero desde já agradecer qualquer apontamento que possa corrigir possíveis enganos em meio a tantas informações sob a forma de palavras e algarismos de toda sorte.

Finalmente a você, minha amada Ercília, companheira que o destino — destino em termos, é verdade — me concedeu para trilharmos juntos o caminho certo dos encantos da natureza, da pureza das amizades, do amor dos filhos e netos, do esplendor da música, desfrutando a plenitude da vida e conservando "… a mente quieta, a espinha ereta e o coração tranquilo…".[1]

Zuza,
primavera de 2020

# Discografia

ÁLBUNS em LP LANÇADOS NO BRASIL (REFERÊNCIAS E
NUMERAÇÃO DOS DISCOS ORIGINAIS NO BRASIL)

CHEGA DE SAUDADE (1959)
LP Odeon # 3073
Gravado no estúdio Odeon no Rio de Janeiro entre 10 de julho de 1958 e 4 de fevereiro de 1959.
Produção: Aloisio de Oliveira; voz e violão: João Gilberto; orquestra com arranjo e regência de
Tom Jobim; flauta: Copinha; trombone: Maciel; bateria: Juca Stockler; percussão: Guarany; coro:
Milton, Acyr e Edgardo.

*Faixas*
1. Chega de saudade (A. C. Jobim/ Vinicius de Moraes)
2. Lobo bobo (Carlos Lyra/ Ronaldo Bôscoli)
3. Brigas, nunca mais (A. C. Jobim/ Vinicius de Moraes)
4. Ho-ba-la-lá (João Gilberto)
5. Saudade fez um samba (Carlos Lyra/ Ronaldo Bôscoli)
6. Maria ninguém (Carlos Lyra)
7. Desafinado (A. C. Jobim/ Newton Mendonça)
8. Rosa morena (Dorival Caymmi)
9. Morena boca de ouro (Ary Barroso)
10. Bim bom (João Gilberto)
11. Aos pés da cruz (Marino Pinto/ Zé Gonçalves)
12. É luxo só (Ary Barroso/ Luiz Peixoto)

O AMOR, O SORRISO E A FLOR (1960)

LP Odeon # 3151

Gravado no estúdio Odeon, Rio de Janeiro, entre 28 de março e 5 de abril de 1960. Produção: Aloisio de Oliveira; orquestra com arranjo e regência de Tom Jobim.

*Faixas*

1. Samba de uma nota só (A. C. Jobim / Newton Mendonça)
2. Doralice (Antonio Almeida / Dorival Caymmi)
3. Só em teus braços (A. C. Jobim)
4. Trevo de 4 folhas (Mort Dixon / Harry Woods / Versão de Nilo Sergio)
5. Se é tarde me perdoa (Carlos Lyra / Ronaldo Bôscoli)
6. Um abraço no Bonfá (João Gilberto)
7. Meditação (A. C. Jobim / Newton Mendonça)
8. O pato (Jayme Silva / Neuza Teixeira)
9. Corcovado (A. C. Jobim)
10. Discussão (A. C. Jobim / Newton Mendonça)
11. Amor certinho (Roberto Guimarães)
12. Outra vez (A. C. Jobim)

JOÃO GILBERTO (1961)

LP Odeon # 10.534

Gravado no estúdio Odeon, Rio de Janeiro, entre 10 de março e 28 de setembro. Produção: João Gilberto e Tom Jobim; violão e voz: João Gilberto. Nas faixas 1, 3, 4, 8 e 10: Walter Wanderley ao órgão, Ratita ao trompete, Milton Banana à bateria, Azeitona ou Bebeto Castilho ao contrabaixo. Nas demais, orquestra com arranjo e regência de Tom Jobim.

*Faixas*

1. Samba da minha terra (Dorival Caymmi)
2. O barquinho (Roberto Menescal / Ronaldo Bôscoli)
3. Bolinha de papel (Geraldo Pereira)
4. Saudade da Bahia (Dorival Caymmi)
5. A primeira vez (Armando Marçal / Alcebiades Barcellos)
6. O amor em paz (A. C. Jobim / Vinicius de Moraes)
7. Você eu (A. C. Jobim / Vinicius de Moraes)
8. Trenzinho (Trem de ferro) (Lauro Maia)
9. Coisa mais linda (Carlos Lyra / Vinicius de Moraes)
10. Presente de Natal (Nelcy Noronha)
11. Insensatez (A. C. Jobim / Vinicius de Moraes)
12. Este seu olhar (A. C. Jobim)

GETZ / GILBERTO (1964)

LP Verve # 2304 071

Gravado em Nova York em 18 e 19 de março de 1963. Produção: Creed Taylor; violão e voz: João

Gilberto; sax-tenor: Stan Getz; piano: Tom Jobim; contrabaixo: Tião Neto; bateria: Milton Banana; vocal: Astrud Gilberto em "Garota de Ipanema" e "Corcovado".

*Faixas*

1. Garota de Ipanema (A. C. Jobim/ Vinicius de Moraes/ N. Gimbel)
2. Doralice (Dorival Caymmi/ Antonio de Almeida)
3. Pra machucar meu coração (Ary Barroso)
4. Desafinado (A. C. Jobim/ Newton Mendonça)
5. Corcovado (A. C. Jobim/ G. Lees)
6. Só danço samba (A. C. Jobim/ Vinicius de Moraes)
7. O grande amor (A. C. Jobim/ Vinicius de Moraes)
8. Vivo sonhando (A. C. Jobim)

GETZ/ GILBERTO #2 (1965)

LP Verve # 14069

Gravado ao vivo no Carnegie Hall em 9 de outubro de 1964. João Gilberto no lado B do LP; Stan Getz e quarteto no lado A. Produção: Creed Taylor; voz e violão: João Gilberto; contrabaixo: Keeter Beets; bateria: Helcio Milito.

*Faixas*

1. Samba da minha terra (Dorival Caymmi)
2. Rosa morena (Dorival Caymmi)
3. Um abraço no Bonfá (João Gilberto)
4. Bim bom (João Gilberto)
5. Meditação (A. C. Jobim/ Newton Mendonça/ N. Gimbel)
6. O pato (Jayme Silva/ Neuza Teixeira)

JOÃO GILBERTO (ORIGINAL: JOAO GILBERTO EN MÉXICO) (1970)

LP Philips #199.055; Original: Orfeon Videovox

Gravado no México. Produção: Mariano Rivera Conde; voz e violão: João Gilberto; bateria: Chico Batera; percussão: Jose Luiz Ferra "La Menja"; orquestra de músicos mexicanos com arranjos e regência: Oscar Castro Neves.

*Faixas*

1. De conversa em conversa (Lúcio Alves/ Haroldo Barbosa)
2. Ela é carioca (A. C. Jobim/ Vinicius de Moraes)
3. O sapo (João Donato)
4. Esperança perdida (A. C. Jobim/ Billy Blanco)
5. Trolley song (Hugh Martin/ Ralph Blane/ Versão de Haroldo Barbosa)
6. João Marcelo (João Gilberto)
7. Farolito (Agustin Lara)
8. Astronauta (Samba da pergunta) (C. A. Pingarilho/ Marcos Vasconcellos)
9. Acapulco (João Gilberto)

10. Besame mucho (Consuelo Velazquez)

11. Eclipse (consta como Ernesto Lecuona)[1]

JOÃO GILBERTO (1973)

LP Polydor # 2451.037

Gravado em Nova York no mesmo ano. Produção: Rachel Elkin; técnico de som: Walter Carlos; voz e violão: João Gilberto; percussão: Sonny Carr; vocal: Miúcha em "Izaura".

*Faixas*

1. Águas de março (A. C. Jobim)

2. Undiú (João Gilberto)

3. Na baixa do sapateiro (Ary Barroso)

4. Avarandado (Caetano Veloso)

5. Falsa baiana (Geraldo Pereira)

6. Eu quero um samba (Haroldo Barbosa/ Janet de Almeida)

7. Eu vim da Bahia (Gilberto Gil)

8. Valsa (ou Bebel ou Como são lindos os Youguis) (João Gilberto)

9. É preciso perdoar (Carlos Coqueijo/ Alcivando Luz)

10. Izaura (Herivelto Martins / Roberto Roberti)

THE BEST OF TWO WORLDS (1976)

LP CBS # 137940

Gravado em Nova York. Produção: Stan Getz; voz, violão, percussão: João Gilberto; vocais: Miúcha; saxofone tenor: Stan Getz; piano: Albert Dailey; bateria: Billy Hait ou Grady Tate; contrabaixo: Clint Houston ou Steve Swalow; percussão: Airto Moreira, Ruben Bassini, Ray Armando e Sonny Carr; guitarra e arranjo de "Double Rainbow": Oscar Castro Neves.

*Faixas*

1. Double Rainbow (Chovendo na roseira) (A. C. Jobim/ Gene Lees)

2. Águas de março (A. C. Jobim)

3. Ligia (A. C. Jobim)

4. Falsa baiana (Geraldo Pereira)

5. Retrato em branco e preto (A. C. Jobim / Chico Buarque)

6. Izaura (Herivelto Martins / Roberto Roberti)

7. Eu vim da Bahia (Gilberto Gil)

8. João Marcelo (João Gilberto)

9. É preciso perdoar (Carlos Coqueijo/ Alcivando Luz)

10. Just One of Those Things (Cole Porter)

AMOROSO (1977)

LP WEA #36.022

Gravado no estúdio Rosebud, em Nova York, de 17 a 19 de novembro de 1976 e no estúdio da Capitol Records em Hollywood, de 3 a 7 de janeiro de 1977. Produção: Tommy LiPuma e Helen Keane; voz e violão: João Gilberto; bateria: Grady Tate e Joe Correro; baixo: Jun Hughart; teclados:

Ralph Grierson; concertmaster: Israel Baker; orquestra com arranjos e regência de Claus Ogerman.

*Faixas*

1. S' Wonderful (George e Ira Gershwin)
2. Estate (Bruno Martino/ Bruno Brighetti)
3. Tim-tim por tim-tim (Haroldo Barbosa/ Geraldo Jaques)
4. Besame mucho (Consuelo Velasquez)
5. Wave (A. C. Jobim)
6. Caminhos cruzados (A. C. Jobim/ Newton Mendonça)
7. Triste (A. C. Jobim)
8. Zingaro (A. C. Jobim/ Chico Buarque)

JOÃO GILBERTO PRADO PEREIRA DE OLIVEIRA (1980)
LP WEA # 36.164
Gravado ao vivo no programa especial da TV Globo no teatro Globo em junho de 1980. Produção: Guto Graça Mello; voz e violão: João Gilberto; convidados especiais: Rita Lee e Bebel; orquestra da TV Globo com arranjos de: Guto Graça Mello ("Menino do Rio"), Dori Caymmi ("Eu e a brisa"), João Donato ("Joujoux e balangandãs") e Gaya ("Canta Brasil"); os demais de Claus Ogerman; regência: Alceu Bocchino.

*Faixas*

1. Menino do Rio (Caetano Veloso)
2. Curare (Bororó)
3. Retrato em branco e preto (A. C. Jobim/ Chico Buarque)
4. Chega de saudade (A. C. Jobim/ Vinicius de Moraes)
5. Desafinado (A. C. Jobim/ Newton Mendonça)
6. O pato (Jaime Silva/ Neuza Teixeira)
7. Eu e a brisa (Johnny Alf)
8. Joujoux e balangandãs (Lamartine Babo)
9. Canta Brasil (Alcyr Pires Vermelho/ David Nasser)
10. Aquarela do Brasil [2] (Ary Barroso)
11. Bahia com H [3] (Denis Brean)
12. Tim-tim por tim-tim [4] (Haroldo Barbosa/ Geraldo Jacques)
13. Estate [5] (Bruno Martino/ Bruno Brighetti)

BRASIL (1981)
LP WEA # 38.045
Gravado no estúdio Sigla no Rio de Janeiro em 1981. Produção, voz e violão: João Gilberto; vozes: Caetano Veloso, Gilberto Gil e Maria Bethânia; percussão: Paulinho da Costa; contrabaixo: Jim Hughart; orquestra com arranjos e regência de Johnny Mandel, gravada em Los Angeles.

*Faixas*

1. Aquarela do Brasil (Ary Barroso)

2. Disse alguém (All of Me) (Seymor Simons/ Gerald Marks/ Versão de Haroldo Barbosa)

3. Bahia com H (Denis Brean)

4. No tabuleiro da baiana (Ary Barroso)

5. Milagre (Dorival Caymmi)

6. Cordeiro de Nanã (Mateus/ Dadinho)

LIVE AT THE 19TH MONTREUX JAZZ FESTIVAL (1986)
LP duplo WEA # 615.6001
Gravado ao vivo no festival em 18 de julho de 1985. Coordenação: Carmela Forsin; voz e violão: João Gilberto.

*Faixas*

1. Tim-tim por tim-tim (Haroldo Barbosa)

2. Preconceito (Wilson Batista/ Marino Pinto)

3. Sem compromisso (Geraldo Pereira/ Nelson Trigueiro)

4. Menino do Rio (Caetano Veloso)

5. Retrato em branco e preto (Tom Jobim/ Chico Buarque)

6. Pra que discutir com madame (Janet de Almeida/ Haroldo Barbosa)

7. Garota de Ipanema (Tom Jobim/ Vinicius de Moraes)

8. Desafinado (Tom Jobim/ Newton Mendonça)

9. O pato (Jaime Silva/ Neuza Teixeira)

10. Adeus América (Haroldo Barbosa/ Geraldo Jaques)

11. Estate (Bruno Martino/ Bruno Brighetti)

12. Morena boca de ouro (Ary Barroso)

13. A felicidade (Tom Jobim/ Vinicius de Moraes)

14. Sandália de prata[6] (Ary Barroso)

15. Aquarela do Brasil (Ary Barroso)

JOÃO (1991)
LP Philips #848 188-2
Gravado no estúdio Polygram no Rio de Janeiro entre 16 e 18 de maio de 1990. Produção: Mayrton Bahia e Carmela Forsin; voz e violão: João Gilberto; orquestra de cordas e sopros com arranjos e regência de Clare Fischer gravada em Los Angeles.

*Faixas*

1. Eu sambo mesmo (Janet Almeida)

2. Siga (Fernando Lobo/ Helio Guimarães)

3. Rosinha (Jonas Silva)

4. Málaga (Fred Bongusto)

5. Una Mujer (Paul Misraki/ S. Pontal Rios/ G. Olivari)

6. Eu e meu coração (Inaldo Vilarinho/ Antonio Botelho)

7. You Do Something to Me (Cole Porter)

8. Palpite infeliz (Noel Rosa)

9. Ave Maria no morro (Herivelto Martins)

10. Sampa (Caetano Veloso)

11. Sorriu pra mim[7] (Garoto/ Luiz Claudio)

12. Que reste-t-il de nos amours[8] (Charles Trenet/ Leon Chauliac)

EU SEI QUE VOU TE AMAR (1994)
LP Epic # 229.042/ 1-476467
Gravado ao vivo no Palace de São Paulo em abril de 1994. Produção executiva: Gil Lopes; voz e violão: João Gilberto.

*Faixas*

1. Eu sei que vou te amar (Tom Jobim/ Vinicius de Moraes)

2. Desafinado (Newton Mendonça/ Tom Jobim)

3. Você não sabe amar (Dorival Caymmi/ Carlos Guinle/ Hugo Lima)

4. Fotografia (Tom Jobim)

5. Rosa morena (Dorival Caymmi)

6. Lá vem a baiana (Dorival Caymmi)

7. Pra que discutir com madame (Haroldo Barbosa/ Janet Almeida)

8. Isto aqui o que é? (Ary Barroso)

9. Meditação (Tom Jobim/ Newton Mendonça)

10. Da cor do pecado (Bororó)

11. Guacyra (Heckel Tavares/ Juracy Camargo)

12. Se é por falta de adeus (Tom Jobim Dolores Duran)

13. Chega de saudade (Tom Jobim/ Vinicius de Moraes)

14. A valsa de quem não tem amor (Custódio Mesquita/ Evaldo Ruy)

15. Corcovado (Tom Jobim)

16. Estate (Bruno Martino/ Bruno Brighetti)

17. O amor em paz (Tom Jobim/ Vinicius de Moraes)

18. Aos pés da cruz (Marino Pinto/ Zé da Zilda)


# CDS LANÇADOS NO BRASIL (REFERÊNCIAS E NUMERAÇÃO DOS ORIGINAIS NO BRASIL)

JOÃO VOZ E VIOLÃO (2000)
CD Universal # 73145467132
Gravado no Rio de Janeiro em julho de 1999. Direção de produção: Caetano Veloso; voz e violão: João Gilberto.

*Faixas*

1. Desde que o samba é samba (Caetano Veloso)

2. Você vai ver (Tom Jobim)

3. Eclipse (Margarita Lecuona)

4. Não vou pra casa (Antonio Almeida/ Roberto Roberti)

5. Desafinado (Tom Jobim/ Newton Mendonça)

6. Eu vim da Bahia (Gilberto Gil)

7. Coração vagabundo (Caetano Veloso)

8. Da cor do pecado (Bororó)

9. Segredo (Herivelto Martins/ Marino Pinto)

10. Chega de saudade (Tom Jobim/ Vinicius de Moraes)

JOÃO GILBERTO IN TOKYO (2004)

CD Universal # 60249816847

Gravado no Tokyo International Forum Hall A em 12 de setembro de 2003. Produção: Shigeki Miyata e João Gilberto; voz e violão: João Gilberto.

*Faixas*

1. Acontece que eu sou baiano (Dorival Caymmi)

2. Meditação (Tom Jobim/ Newton Mendonça)

3. Doralice (Antonio Almeida/ Dorival Caymmi)

4. Corcovado (Tom Jobim)

5. Este seu olhar (Tom Jobim)

6. Isto aqui o que é? (Ary Barroso)

7. Wave (Tom Jobim)

8. Pra que discutir com madame? (Janet de Almeida/ Haroldo Barbosa)

9. Ligia (Tom Jobim)

10. Louco (Henrique de Almeida/ Wilson Batista)

11. Bolinha de papel (Geraldo Pereira)

12. Rosa morena (Dorival Caymmi)

13. Adeus América (Geraldo Jacques/ Haroldo Barbosa)

14. Preconceito (Marino Pinto/ Wilson Batista)

15. Aos pés da cruz (Marino Pinto/ Zé da Zilda)


# CDS NÃO LANÇADOS NO BRASIL[9] ATÉ SETEMBRO DE 2021 (REFERÊNCIAS E NUMERAÇÃO DOS ORIGINAIS)

JOAO GILBERTO AT UMBRIA JAZZ (2002)

CD EGEA

Gravado no Teatro Morlacchi na Perugia, Itália em 18 de julho de 1998. Produção: Carlos Pagnotta; voz e violão: João Gilberto.

*Faixas*

1. Isto aqui o que é (Ary Barroso)

2. De conversa em conversa (Lúcio Alves/ Haroldo Barbosa)

3. Pra que discutir com madame? (Janet de Almeida/ Haroldo Barbosa)

4. Malaga (Fred Bongusto)

5. Estate (Bruno Martino/ Bruno Brighetti)

6. Lá vem a baiana (Dorival Caymmi)

7. Corcovado (Tom Jobim)

8. Doralice (Dorival Caymmi/ Antonio de Almeida)

9. Rosa morena (Dorival Caymmi)

10. Desafinado (Tom Jobim/ Newton Mendonça)

11. Saudade da Bahia (Dorival Caymmi)

12. O pato (Jaime Silva/ Neusa Teixeira)

13. Chega de saudade (Tom Jobim/ Vinicius de Moraes)

14. Garota de Ipanema (Tom Jobim/ Vinicius de Moraes)

GETZ/ GILBERTO '76 (2016)

CD Resonance HCD 2021

Gravado no Keystone Korner de San Francisco entre 11 e 16 de maio de 1976. Produção: Zev Feldman e Todd Barkan; voz e violão: João Gilberto; saxofone tenor: Stan Getz; piano: Joanne Brackeen; contrabaixo: Clint Houston; bateria: Billy Hart.

*Faixas*

1. Apresentação de Stan Getz

2. É preciso perdoar (Alcivando Luz/ Carlos Coqueijo)

3. Águas de março (Tom Jobim)

4. Retrato em branco e preto (Tom Jobim/ Chico Buarque)

5. Samba da minha terra (Dorival Caymmi)

6. Chega de saudade (Tom Jobim/ Vinicius de Moraes)

7. Rosa morena (Dorival Caymmi)

8. Eu vim da Bahia (Gilberto Gil)

9. João Marcelo (João Gilberto)

10. Doralice (Dorival Caymmi/ Antonio Almeida)

11. Morena boca de ouro (Ary Barroso)

12. Um abraço no Bonfá (João Gilberto)

13. É preciso perdoar — Encore (Alcivando Luz/ Carlos Coqueijo)

JOÃO GILBERTO — A NIGHT IN BRAZIL (2020)

CDS JACD 10356

Álbum de dois CDS gravado no Auditório Ibirapuera em São Paulo em 14 de agosto de 2008.[10] Produção: Ken Kondo (supostamente — foi o engenheiro de som do show). Voz e violão: João Gilberto.

*Faixas*

CD 1

1. Desafinado (Tom Jobim/ Newton Mendonça)

2. Estate (Bruno Martino/ Bruno Brighetti)

3. Não vou pra casa (Antonio de Almeida/ Roberto Roberti)

4. Chega de saudade (Tom Jobim/ Vinicius de Moraes)

5. Isto aqui o que é? (Ary Barroso)

6. Chove lá fora (Tito Madi/ Georges Henri)

7. Esse seu olhar (Tom Jobim)

8. Bahia com H (Denis Brean)

9. Da cor do pecado (Bororó)

10. Retrato em branco e preto (Tom Jobim/ Chico Buarque)

11. Samba de uma nota só (Tom Jobim/ Newton Mendonça)

12. Guacyra (Heckel Tavares/ Juracy Camargo)

13. Pra machucar meu coração (Ary Barroso)

14. Garota de Ipanema (Tom Jobim/ Vinicius de Moraes)

CD 2

1. Aos pés da cruz (Marino Pinto/ Zé da Zilda)

2. Treze de ouro (Herivelto Martins/ Marino Pinto)

3. Wave (Tom Jobim)

4. Caminhos cruzados (Tom Jobim/ Newton Mendonça)

5. Doralice (Dorival Caymmi/ Antonio de Almeida)

6. Meditação (Tom Jobim/ Newton Mendonça)

7. Preconceito (Wilson Batista/ Marino Pinto)

8. Disse alguém (Seymor Simons/ Gerald Marks/ Versão de Haroldo Barbosa)

9. O pato (Jayme Silva/ Neuza Teixeira)

10. Corcovado (Tom Jobim)

11. Samba do avião (Tom Jobim)

12. Ligia (Tom Jobim)

13. Você já foi à Bahia? (Dorival Caymmi)

14. Rosa morena (Dorival Caymmi)

15. Morena boca de ouro (Ary Barroso)

# Notas

## I. AMIZADE [pp. 11-20]

1. "Miúcha: por enquanto, ainda acompanhada", de Vivian Wyler, *Jornal do Brasil*, 29/11/1979.

2. "Leviana" é um bolero de Bororó gravado pelos Cariocas pela RCA Victor em 04/07/1952. "Tim-tim por tim-tim" era o lado B de *Caminho errado*, na Sinter, anos 50. "Adeus, América" foi gravado na Continental, era o lado B de *Nova ilusão* em 1948.

3. Em 1963 João Gilberto se apresentou na boate La Bussola, de Viareggio, onde conheceu a canção "Estate".

4. Com base no texto de ZHM, "Telefonemas de João Gilberto", publicado no caderno "Eu & Fim de Semana", *Valor Econômico*, 10/06/2011.

## 2. JUAZEIRO [pp. 21-30]

1. Gravado em junho de 1949, foi sucesso na voz do compositor. "Juazeiro" já havia sido lançado pelos Quatro Ases e Um Coringa em 1947, no lado B de *Baião*.

2. Juazeiro está no trecho denominado médio São Francisco com 1371 quilômetros navegáveis dos 2863 que atravessam cinco estados. Durante anos a ligação entre as duas cidades era feita por transporte fluvial, os paquetes. Em janeiro de 1951 foi inaugurada a ponte Presidente Dutra, ligando Juazeiro e Petrolina.

3. Informações no livro *Do alto-falante à TV*, de Joselino de Oliveira, pp. 22-3.

4. Baseado em trechos do depoimento de Dulce Costa e no vídeo *Juazeiro do seu jeito*, com edição, texto e locução de Maurício Dias.

5. Depoimento de Dulce Costa Nehemy dado a ZHM em 06/10/2019, 53 dias antes de seu falecimento.

6. Atualmente é o Centro de Cultura João Gilberto.

7. Informação do flautista Tuzé de Abreu a ZHM.

8. Maria Izabel Figueiredo Pontes, nascida em Juazeiro, publicou dois livros: *Juazeiro nas artes* e *Lendas do rio São Francisco*. Foi ainda apresentadora na Rádio Juazeiro, ZYN-21.

9. Depoimento de Maria Izabel Figueiredo a ZHM em 04/12/2019.

10. Idem.

11. "Só quem vai a Juazeiro entende o que é que o baiano tem", jornal *Cruzeiro do Sul*, de Sorocaba, 28/05/2011.

12. A Rádio Juazeiro de Joaquim Borges foi instalada na rua da Apolo em 1954, quando João Gilberto já não morava na cidade.

13. Depoimento de Dulce Costa Nehemy.

14. *Do alto-falante à TV*, de Joselino de Oliveira, pp. 52-3.

15. Na mesma reportagem do jornal *Cruzeiro do Sul*.

16. Informação de Carla Souza a ZHM.

17. Depoimentos de Maurício Dias Cordeiro a ZHM em 21 e 26/11/2019.

18. Depoimento de Maria Olivia, Vivinha, a ZHM em 21/11/2019.

19. Euvaldo Macedo Filho, fotógrafo e poeta, falecido com 32 anos em 1982, deixando João Gilberto arrasado.

20. Relato de Euvaldo a Maurício Dias.

21. Maurício Dias Cordeiro é superintendente da Secretaria de Cultura, Turismo e Esportes de Juazeiro e implantou a Casa da Bossa no quarto onde João Gilberto nasceu.

22. Depoimento de Maria Olivia Oliveira a ZHM em 21/11/2019.

23. Depoimento de Maurício Dias a ZHM em novembro de 2019.

24. João Gilberto compôs o baião "Undiú", gravado em 1973 em Nova York no LP *João Gilberto*, conhecido como "Álbum branco". A palavra é repetida 28 vezes na primeira parte.


3. RIO VIA SALVADOR [pp. 31-6]

1. O conjunto Garotos da Lua passou a ser então formado por Alvinho Sena, Acyr Bastos Melo, Milton Silva, Toninho Botelho e João Gilberto no lugar de Jonas Silva.

2. Disco gravado na Todamérica em 9 de abril de 1951 e lançado em julho com acompanhamento da orquestra do maestro Cipó.

3. "Meia luz" está no lado B e "Quando ela sai" no lado A.

4. Depoimento de João Donato a ZHM em 05/02/2020.

5. Idem.


4. PORTO ALEGRE [pp. 37-52]

1. Depois de passar por transformações, o edifício foi convertido na Casa de Cultura Mario Quintana em homenagem ao grande poeta gaúcho, que, entre 1968 e 1980, ocupou o apartamento 217 do hotel.

2. Depoimento de Marcello Campos a ZHM em 07/11/19.

280

3. As informações sobre os locais onde se apresentou são baseadas na reportagem "Os caminhos e lugares de João Gilberto na Porto Alegre de 1955", de Marcello Campos, *Jornal do Comércio*, 19/10/2018 e no seu depoimento a ZHM em 07/11/19.

4. No site Reverb por Marcio Pinheiro.

5. Na mesma matéria de Marcello Campos.

6. Idem.

7. Maria de Lourdes Pederneiras, Malu, era filha de Yara Regina Pederneiras e do engenheiro Heddy Pederneiras. Foi casada com o grande pianista gaúcho Geraldo Flach.

8. Depoimento de Malu Pederneiras a Vanderlei Cunha no programa *Domingo & Arte*, irradiado em 04/05/1968 e dedicado a João Gilberto.

9. Entrevista de Armando Albuquerque a Juarez Fonseca publicada no jornal *Zero Hora*, 13/07/1985.

10. A única cópia dessa gravação pertence a Vanderlei Cunha, que a apresentou em seu programa da Rádio Cultura AM de Porto Alegre, *Domingo & Arte*, em 04/05/1968, dedicado ao cantor; eu a ouvi em novembro de 2019.

11. Depoimento por escrito de Celso Marques enviado a ZHM em 03/04/2020.

12. Compositor de duas óperas, *Carmela* e *O rei Galaor*, e outras peças instrumentais, o gaúcho José de Araújo Vianna realizou no final do século XIX, como maestro ou pianista, concertos e serões em Porto Alegre e no Rio, viajou mais de uma vez à Europa onde estudou em Milão, tendo sido diretor do Conservatório de Música de Porto Alegre aos 37 anos, em 1908. Faleceu no Rio de Janeiro oito anos depois.

13. Em 12/03/1964.

14. Depoimento de Juarez Fonseca a ZHM em 08/11/2019.

15. Depoimento de Carlos Branco a ZHM em 10/11/2019.

16. Depoimento de Álvaro Magalhães a ZHM em 07/11/2019.

17. Na matéria "Quem é Maria do Céu Harris, a mulher que vive com João Gilberto e chegou a disputar a curatela dele", de Leonardo Lichote, publicada em *O Globo*, 17/06/2019.

18. Na matéria "'Fico freando, mas quando vou, é pra não perder', diz Maria do Céu sobre relação com João Gilberto", de Maria Fortuna, Leonardo Lichote e Chico Otavio, publicada em *O Globo*, 14/07/2019.

19. Depoimento de Carlos Branco para ZHM em 10/11/2019.

20. Com o título *Viva o Rio Grande do Sul que eu adoro*, o show de João Gilberto em 2001 em Porto Alegre, teve crítica publicada na *Zero Hora* de 26 de novembro.

21. Depoimento de Renato Mendonça para ZHM em 09/11/2019.


## 5. DIAMANTINA [pp. 53-9]

1. O primeiro LP comercial em estéreo, *The Stereo Disc*, era um disco de demonstração do novo processo na marca Capitol. Foi lançado oficialmente em 1958.

2. Inicialmente morou com a família no Hotel Esplanada e depois mudou-se para uma casa alugada na rua São Francisco, 106, por um breve período.

3. *Ho-ba-la-lá: À procura de João Gilberto* é o livro de Fischer e *Onde está você, João Gilberto?*, o filme de Gachot inspirado no livro.

4. Depoimento concedido ao escritor Wander Conceição em 27/12/2002 para o livro proviso-

riamente intitulado *Desafinado: Das cinzas da acayaca à bossa nova*, a ser publicado pela Editora Mazza. Acayaca era o nome de uma árvore, queimada pelos portugueses por ser o símbolo espiritual dos índios puris, os primeiros habitantes da região de Diamantina.

5. Idem.

6. Conforme citação no jornal *Voz de Diamantina*, 30/09/1956, Péricles já estava em Diamantina, de onde viajou a Belo Horizonte.

7. Os aviões da Organização Mineira de Transportes Aéreos (OMTA) ligavam cidades do estado de Minas Gerais a Belo Horizonte; a companhia utilizava aeronaves Beechcraft e levava a bordo um piloto e cinco passageiros.

### 6. RIO BOSSA NOVA [pp. 60-79]

1. Em *Eis aqui os bossa-nova*, de ZHM, p. 20.

2. No LP *Carícia*, gravado entre março e maio de 1957. "Foi a noite" foi gravada em 19/05/1957.

3. No LP *Chet Baker Sings* lançado em 1956 pelo selo Pacific Jazz.

4. *Eles e eu: Memórias de Ronaldo Bôscoli*, de Luiz Carlos Maciel e Angela Chaves, p. 79.

5. Depoimento no livro *Essa tal de bossa nova*, de Bruna Fonte, p. 35.

6. Em *Chega de saudade*, de Ruy Castro, p. 166.

7. Em *Tons sobre Tom*, de Tárik de Souza e outros, p. 10.

8. Em *Antonio Carlos Jobim: Uma biografia*, de Sérgio Cabral, pp. 131-2.

9. Depoimento a ZHM no livro *Eis aqui os bossa-nova*, p. 34.

10. Com os músicos Hebinho (trompa), Copinha (flauta), Juquinha Stockler (bateria), Vidal (contrabaixo), Edson e Edmundo Maciel (trombones), Irani Pinto (violino), João Gilberto (violão), Tom Jobim (piano) e um naipe de violinos, viola e violoncelo.

11. Trechos do depoimento de Irineu Garcia a ZHM em 22/09/1981, publicado na íntegra no livro *Eis aqui os bossa-nova*, pp. 31-3.

12. Em *Tons sobre Tom*, de Tárik de Souza e outros, p. 117.

13. Idem.

14. Os três depoimentos estão no livro *Eis aqui os bossa-nova* de ZHM, pp. 37-8.

15. O selo do disco estampa Milton Mendonça, e não Newton.

16. Na versão de Cyrene Mendonça, a ideia foi de seu marido; na do baterista Juca Stockler, foi de Tom, conforme detalhes no livro *Tons sobre Tom*, de Tárik de Souza e outros, p. 102.

17. Em *Tons sobre Tom* de Tárik de Souza e outros, pp. 117 e 121.

18. Em *Eis aqui os bossa-nova* de ZHM, p. 41.

19. Em *A canção no tempo*, de Jairo Severiano e ZHM, p. 34.

20. Em 10/07/1958 foram gravadas "Chega de saudade" e "Bim-bom"; em 10/11/1958, "Desafinado" e "Obá-la-lá"; em 23/01/1959, "Brigas nunca mais"; em 30/01/1959, "Morena boca de ouro"; em 04/02/1959, "Lobo bobo", "Saudade fez um samba", "Maria ninguém", "Rosa morena", "Aos pés da cruz" e "É luxo só".

21. Baseado no livro *Eis aqui os bossa-nova*, de ZHM, p. 43.

22. Em *Eis aqui os bossa-nova*, de ZHM, p. 51.

23. Em *Tons sobre tom*, de Tárik de Souza e outros, p. 121. Hebraica era o Grupo Universitário Hebraico do Brasil, no Flamengo, onde seu diretor Moysés Fuks produziu um show estrelado por Sylvinha Telles com participação de Carlos Lyra, Nara Leão, Ronaldo Bôscoli, Luís Eça e outros que foram anunciados no cartaz da entrada como "Um grupo Bossa Nova".

24. A gravação de Isaurinha Garcia está no LP *Sempre personalíssima*, lançado em 1959 com o número 3127, e a de João no LP *O amor, o sorriso e a flor*, com o número 3151, portanto posterior.

25. Em *A canção no tempo*, de Jairo Severiano e ZHM, v. 2, p. 46.

26. Idem, pp. 44-5.

27. Na primeira sessão, em 28/03/1960, foram gravadas "Só em teus braços", "Se é tarde me perdoa" e "Meditação"; em 30/03/1960, "Corcovado" e "Discussão"; em 01/04/1960, "Doralice", "Um abraço no Bonfá" e "Amor certinho"; em 04/04/1960, "Samba de uma nota só" e "O pato"; em 05/04/1960, "Outra vez"; em 08/04/1960, "Trevo de quatro folhas".

28. Antes de ser o contrabaixista de Walter, Azeitona tocava no quarteto da boate Savage da rua Treze de Maio, a uma quadra de onde eu morava, na Cincinato Braga, 144. Lá eu costumava dar canja enfronhando-me no grupo, quando Azeitona me propôs: "Zuza, recebi um convite para tocar na Baiuca, você não quer assumir meu lugar no baixo?". Foi meu primeiro emprego com carteira profissional assinada, categoria músico.

29. Em 09/03/1961 foi gravada "Bolinha de papel"; em 10/03/1961, "Samba da minha terra", "Saudade da Bahia" e "Trenzinho"; em 11/03/1961, "Presente de Natal", última sessão com Walter Wanderley. Em 02/08/1961, com Tom Jobim dirigindo, foi gravada "O barquinho" e "Insensatez"; em 16/08/1961, "O amor em paz" e "Coisa mais linda"; em 14/09/1961, "Você e eu"; em 22/09/1961, "A primeira vez"; em 28/09/1961, "Este seu olhar".

30. No artigo "Trilogia sagrada", de ZHM, publicado em *O Estado de S. Paulo*, 28/05/2011.

31. De Maria Helena Toledo e Luís Bonfá.

32. Diálogos baseados na reportagem de Denise Menchen "Show deu 'maior prejuízo' e 'maior alegria' da vida de empresário", publicada pela *Folha*, caderno *Ilustrada*, em 10/06/ 2011.

33. Uma versão anterior com o título "Menina que passa" foi abandonada: "Vinha cansado de tudo/ de tantos caminhos/ Tão sem poesia/ tão sem passarinhos/ Com medo da vida/ com medo de amar/ Quando na tarde vazia/ tão linda no espaço/ Eu vi a menina/ que vinha num passo/ Cheio de balanço, caminho do mar", conforme Daniella Thompson no texto "O encontro Au Bon Gourmet", publicado em 27/08/2004 em seu site.

34. Fundador e proprietário da Audio Fidelity, etiqueta que lançou um disco estereofônico demonstrativo, portanto não comercial, do novo processo que seria adotado pelas demais gravadoras. Foram prensadas quinhentas cópias de um LP com a banda Dukes of Dixieland no lado A e efeitos da passagem de um trem no lado B. Tornou-se conhecido como Mister Stereo.

35. Texto de Sylvio Tullio Cardoso na contracapa do LP *Bossa nova no Carnegie Hall*, da Audio Fidelity.

36. O sexteto de Sérgio Mendes, o quarteto de Oscar Castro Neves, Normando Santos, Chico Feitosa, Roberto Menescal, Carlos Lyra, Sérgio Ricardo, João Gilberto, Milton Banana, Aloysio de Oliveira, o jornalista Sylvio Tullio Cardoso, o grupo de São Paulo, Agostinho dos Santos, Ana Lúcia e Caetano Zamma, que não era da bossa nova, e o radialista Walter Silva. Tom Jobim foi dias depois.

37. Em *O barquinho vai... Roberto Menescal e suas histórias*, de Bruna Fonte, p. 34.

## 7. BOSSA NOVA USA [pp. 80-102]

1. Cantores e músicos: Carmen Costa, Agostinho dos Santos, Caetano Zamma, Chico Feitosa, Normando Santos, Sérgio Ricardo, Carlos Lyra, Roberto Menescal, Tom Jobim e João Gilberto.

Guitarristas: Bola Sete e Luís Bonfá. Quarteto de Oscar Castro Neves, Sexteto de Sérgio Mendes, Quarteto de Stan Getz, Sexteto de Lalo Schifrin e Big Band de Gary McFarland.

2. Em *Eis aqui os bossa-nova*, de ZHM, p. 74.

3. *Bossa Nova at Carnegie Hall* pela Audio Fidelity, vendido na loja Bruno Blois de São Paulo.

4. Na coluna "Life with Feather", de Leonard Feather, no *Valley Times* da Califórnia.

5. Na p. 9 do programa do concerto de 21/11/1962, marcado para quarta-feira às oito e meia da noite, apresentado pela Audio Fidelity e o Show Magazine.

6. Ainda: Agostinho dos Santos, Luís Bonfá, sexteto de Sérgio Mendes, quarteto de Oscar Castro Neves e o guitarrista norte-americano Charlie Byrd. Apresentação do radialista Felix Grant.

7. A expressão criada por Nelson Rockefeller nos anos 40 permitiu a vinda de Orson Welles ao Brasil, o filme de Walt Disney e a ida de Carmen Miranda.

8. Nessa temporada, Dizzy se identificou totalmente com o samba, realizando no Hotel Glória uma gravação com o arranjador Cipó que eu ouvi em sua casa quando o entrevistei em outubro de 1957. Foi publicada no livro *Música com Z*, p. 207.

9. Um dos álbuns mais ousados da carreira de Stan Getz é *Focus*, gravado logo após seu retorno e no qual improvisou sobre rascunhos dos arranjos de Eddie Sauter, que ele não conhecia até entrar em estúdio.

10. Cena incluída no documentário *Zuza Homem de Jazz*, de 2018, de Janaina Dalri.

11. Texto assinado por Clare Fischer no interior do álbum *Cal Tjader Plays the Contemporary Music of Mexico and Brazil*, gravado para a Verve em março de 1962, com produção de Creed Taylor.

12. Entre outros foram lançados discos de Ramsey Lewis em *Bossa nova*; Charlie Byrd em *Bossa nova pelos pássaros*; Laurindo Almeida em *Ole! Bossa Nova!*; Ike Quebec em *Bossa Nova Soul Samba*; Lalo Schifrin em *Piano, Strings & Bossa Nova*; Zoot Sims em *New Beat Bossa Nova Vols. 1 e 2*; Eddie Harris em *Bossa Nova*; Charlie Rouse em *Bossa Nova Bacchanal*; George Shearing em *Bossa Nova*; Paul Desmond e Jim Hall em *Bossa Antigua*; Dave Brubeck Quartet em *The Dave Brubek Quartet Bossa Nova USA*; Paul Winter Sextet em *Bossa Nova*; Shorty Rogers and His Giants em *Bossa Nova*; Bud Shank e Clare Fischer em *Bossa Nova Jazz Samba* e os Hi Los! em *The Hi Los! Happen to Bossa Nova* que não era jazz.

13. "O pato" (The Duck), "Corcovado" (Quiet Nights of Quiet Stars), "Você eu" (You and I), "O amor em paz" (Love in Peace), "Bolinha de papel" (Little Paper Ball), "Saudade da Bahia" (Longing for Bahia), "Trem de ferro" (Little Train of Iron), "Chega de saudade" (No More Blues), "Rosa morena", "Coisa mais linda" (The Most Beautiful Thing), "Samba da minha terra" (Samba of My Land), "Outra vez" (Once Again) e, por fim, "Jive", um blues-bossa nova de Nat Adderley, trompetista irmão de Cannonball.

14. No texto na contracapa do LP *¡Salud! João Gilberto*.

15. Em vídeo disponível no YouTube: <https://www.youtube.com/watch?v=0dbL4PcVEdI&ab_channel=valeriabdiniz>.

16. Texto de Doug Ramsey para o CD *Getz/Gilberto*, relatando declarações de Creed Taylor.

17. Em *Tons sobre Tom*, de Tárik de Souza e outros, p. 125.

18. No texto de Doug Ramsey para o CD lançado posteriormente.

19. Em carta datada de 14/06/1994 a Donald L. Maggin, autor do livro Stan Getz: *A Life in Jazz*.

20. Disponível no site oficial de Astrud Gilberto: <http://www.astrudgilberto.com/>.

21. Gravado nos estúdios da A & R em 9 e 10/05/1963, contendo "Garota de Ipanema", "Amor em paz", "Água de beber", "Vivo sonhando", "O morro não tem vez", "Insensatez", "Corcovado", "Samba de uma nota só", "Meditação", "Só danço samba", "Chega de saudade" e "Desafinado".

22. Na seção "Round up", de Charles H. Sanders, em 20/06/1964, publicada no *Rock Island Argus*, matutino diário da região de Illinois.

23. Olga Albizu também é a autora da pintura vermelha na capa de *Jazz Samba*.

24. Os quatro prêmios foram para *The Girl from Ipanema* como melhor disco do ano; *Getz/Gilberto*, melhor álbum do ano; Stan Getz, melhor performance de grupo instrumental de jazz; Phil Ramone, melhor engenheiro de som em *Getz/Gilberto*.

25. Com Ralph Peña no contrabaixo, Chuck Flores na bateria, João Donato ao piano.

26. Em "Small Jazz Groups Take over Bowl", de Mimi Clair, no *Los Angeles Times* , 06/09/1964.

27. No *San Francisco Chronicle*, 10/09/1964, com o título "Joao's Bossa Nova Irresistible Charm".

28. Gary usa a expressão hip.

29. Na minha coluna "Folha do Jazz" publiquei a entrevista realizada com Cecil Taylor em 1957.

30. Depoimento de Gary Giddins a ZHM em 20/09/2019.

31. Em *To Be or Not... to Bop*, memórias de Dizzy Gillespie, p. 431.

32. Um dos componentes da bateria usada no jazz, o *hi-hat cymbal*, ou simplesmente chimbal, é formado por dois pratos metálicos menores montados um contra o outro num suporte metálico vertical que os atravessa por um orifício no centro. O prato de baixo é fixo, o de cima se abre e fecha quando acionado por um pedal produzido o som do encontro dos dois pratos.

33. *"You can't catch lightning in a bottle twice"*, no sentido literal: "você não consegue agarrar um raio duas vezes numa garrafa", ou seja, "não se tira a sorte grande duas vezes". No texto do livro *Getz/Gilberto*, de Bryan McCann, p. 118.

34. Publicada no *Jornal do Brasil*, 24/04/1966, p. 8. Aflalo foi um jornalista paulista, profundo conhecedor de jazz, com atividades na imprensa e no rádio. zhm.

35. O som dessa gravação, que faz parte do acervo de ZHM, está perfeito. O problema era ele não se ouvir.

36. Textos de Don Payne enviados a ZHM em dezembro de 2003.

37. Coluna "Voice of Broadway", de Jack O'Brien, no *Vineland Daily Journal* de Nova Jersey, em 25/11/1968.

38. Em *New York Times*, 15/10/1968.

39. Depoimento de Maria Olivia Oliveira a ZHM em 21/11/2019.

40. "O mito sem mistério" publicada na revista *Veja* em, 12/05/1971.

41. Gravada por Nat King Cole, Plácido Domingo, entre dezenas de outras.

42. O ganzá é uma espécie de chocalho de origem africana para acompanhar o ritmo na execução.

43. Depoimento a ZHM em 03/05/20.


8. VOZES EM HARMONIA [pp. 103-16]

1. "Toque a flauta, Josefina" e "Lembrando uns lindos olhos", no disco Columbia 8229, cujo selo curiosamente indica ambas as faces como lado B, não havendo, portanto, um lado A. Na formação, um quinteto com Orlando Romano (solista), Mário Romano (violão), Araré Patusca (violão) Orlando Medeiros (pandeiro) e Amílcar de Conte (violão tenor).

2. Com algumas alterações ao longo do tempo, o sexteto básico era formado por Aloysio de Oliveira (violão e vocal); Hélio Jordão Pereira (violão); Vadeco de Morais Éboli (pandeiro); Ivo Astolfi (violão tenor ou banjo); Afonso Osório (ritmo e flautinha) e seu irmão Stênio Osório (cavaquinho).

3. Em seu livro autobiográfico *De banda pra lua*, p. 82.

4. A fase do repertório exclusivamente brasileiro do Bando termina com "Samba da minha terra", em 1940.

5. Artigo publicado em *A Cigarra*, em maio de 1949. O grupo norte-americano referido é o dos Mills Brothers.

6. Em *Dorival Caymmi: O mar e o tempo,* de Stella Caymmi, p. 93

7. Emplacaram ainda "Nega do cabelo duro" (1942), "Bolinha de papel" (1945), "Na Baixa do Sapateiro" (1947) e "*Boogie-woogie* na favela" (1947), além de sucessos carnavalescos como "Nós, os carecas" (1942) e "Cordão dos puxa-sacos" (1945), composições de autores brasileiros de primeira linha como Ary Barroso, Denis Brean e Geraldo Pereira.

8. Várias mudanças ocorreram, entre elas: Aluisio Ferreira (violão tenor), Alberto Paz (pandeiro), Moacir Bittencourt (violão), Roberto Medeiros, Walter Pinheiro, Felipe Brasil, Renato Batista, Hélio Verri e Russinho (José Ferreira Soares).

9. Acordes perfeitos são formados pela nota fundamental que dá nome ao acorde, seguida da terça maior e da quinta justa. São portanto as notas dó, mi, sol na escala de dó maior. Cantar em uníssono significa que todos estão cantando a mesma nota.

10. A introdução de "Nega do cabelo duro" foi harmonizada com intervalos de terças em acordes consonantes e de sétimas na dominante, conforme depoimento de Edson José Alves a ZHM em 10/02/2019.

11. Autoria de Antônio Almeida e Constantino Silva, o Secundino, gravada pelos Anjos do Inferno em 7/11/1940, obtendo sucesso no Carnaval de 1941.

12. No Ceará, "melé" é sinônimo de "coringa", e por isso, estando no Rio de Janeiro, aceitaram a sugestão de César Ladeira para trocar o nome para Quatro Ases e Um Coringa.

13. Os integrantes do conjunto no Rio de Janeiro eram Evenor Pontes de Medeiros (violonista e líder), José Pontes de Medeiros (violonista), Permínio Pontes de Medeiros (gaitista), André Batista Vieira (o Coringa, cantor e pandeirista) e Esdras Falcão Guimarães, o Pijuca (violonista).

14. "Dezessete e setecentos", de Luiz Gonzaga e Miguel Lima; "É com esse que eu vou" e "Onde estão os tamborins", de Pedro Caetano; "Mangaratiba", de Humberto Teixeira e Luiz Gonzaga, e "Cabelos brancos", de Herivelto Martins e Marino Pinto entre final de 1946 e início de 1949.

15. Os demais eram Arlindo Borges (crooner e violão), Raimundo Evandro Jataí de Sousa (violão tenor e arranjos), Artur Oliveira (afochê) e Danúbio Barbosa Lima (tam-tam).

16. Composição de 1927 de Mort Dixon e Harry Warren, que alcançou o topo das listas de mais vendidos nos anos seguintes, nas mais variadas gravações, e passou a ser associada ao tipo de música de desenho animado.

17. Em *Adoniran dá licença de contar*, Editora 34, p. 72.

18. Formado inicialmente por Arnaldo Rosa (voz principal), Cláudio Rosa (pandeiro), Antônio Gomes Neto, Toninho (violão tenor), Francisco Paulo Galo (tam-tam, substituído por Roberto Barbosa) e Artur Bernardo (violão, substituído por Ventura Ramirez). Novas substituições ocorreram posteriormente.

19. Também conforme Mugnaini Jr., p. 80.

20. Antonio Candido no encarte do LP de Adoniran Barbosa, 1975, pela EMI Odeon.

21. Formação: Francisco Nepomuceno de Oliveira (líder, arranjador e violão tenor), Geraldo Nepomuceno de Oliveira (violonista), Domingos Ângelo de Carvalho, João Cândido Brito, Joaquim Alves e Sóter Cordeiro.

22. Na capa da partitura, o título da composição de Lupicínio é "Schottis da felicidade" e o gênero descrito como schottisch-canção. Com o nome de Quitandinha Serenaders, o quarteto l gravou dez discos, dois na Continental e oito na Odeon, contendo algumas composições do violonista Luís Bonfá.

23. Formado em 1946 por Acyr Bastos Melo, Milton Silva, Alvinho Sena, Toninho Botelho e Jonas Silva, substituído por João que, por faltar aos compromissos, acabou demitido. Gravaram dois discos em 1951.

24. Além dos três, o conjunto Namorados era completado por Francisco Storino (afochê), Otaciliano Silveira (tam-tam) e Francisco Guimarães Coimbra (segundo violão).

25. Lançado em julho de 1945 pela Continental com os Namorados da Lua, "Eu quero um samba" foi também gravado em 1953 na etiqueta Sinter com o conjunto Os Namorados, formado por dois membros do extinto Namorados da Lua, Nanái e Miltinho, entre outros, com arranjos de João Donato, conforme Ruy Castro na quarta edição de seu livro *Chega de saudade*, pp. 56-7. Os Namorados gravaram apenas três discos na Sinter.

26. Depoimento a ZHM em 26/11/2019.

27. Sidney formou o grupo Os Três Morais com sua irmã Jane Morais e seguiu carreira solo cantando boleros com o nome de Santo Morales.

28. No site Sul21, em texto de Zeca Azevedo, "Precisamos resgatar a história e a discografia do Conjunto Farroupilha".

29. Foram cinco LPs na Columbia: *Gaúchos em hi-fi* (1957), *Gaúchos na cidade* (1958), *Os Farroupilha na TV* (1960), *Os farroupilhas em hi-hi* (1960) e *Aí vem a marinha* (1961). *Os farroupilhas* (1963), do selo Fermata, foi o último durante a atividade do grupo.

30. Ismael (violão e voz falsete), Severino (segunda voz), Badeco (terceira e violão), Quartera (quarta) e Waldir (solos e voz grave).

31. A história detalhada dos Cariocas está no livro *Copacabana: A trajetória do samba canção (1929-1958)*, de ZHM, pela Editora 34, pp. 432-40.

32. A história de "O pato" está na p. 44 do volume 2 do livro *A canção no tempo*, de Jairo Severiano e ZHM, Editora 34.


## 9. LIVRE DA BOSSA NOVA [pp. 117-38]

1. O auditório da TV Excelsior era a sala maior de espetáculos do Teatro Cultura Artística, à rua Nestor Pestana, arrendado pela emissora. A Record adquiriu o Cine Rio da rua da Consolação e o transformou no Teatro Record. Meses depois, a emissora precisou de mais um auditório e arrendou o Cine-Teatro Paramount na avenida Brigadeiro Luís Antônio, que foi denominado Teatro Record Centro.

2. Com cenário de Cyro Del Nero e direção de Fernando Faro e Álvaro Moya.

3. Depoimento a ZHM em 07/01/2020.

4. Baseado na reportagem "Os três e suas músicas", de José Nêumanne Pinto, publicada na *Folha de S.Paulo*, p. 31, 10/08/1971.

5. Na reportagem "João Gilberto", de Luis Augusto Gollo, *Correio da Manhã*, 30/04/1971.

6. Trechos extraídos do *Dicionário musical brasileiro* de Mário de Andrade, pp. 475-6.

7. Com a colaboração do prof. dr. Sergio Molina.

8. Em *Eles e eu, memórias de Ronaldo Bôscoli*, de Luiz Carlos Maciel e Ângela Chaves, p. 89.

9. Depoimento a ZHM publicado no livro *Eis aqui os bossa-nova*, p. 85.

10. Walter Garcia, *Bim bom: A contradição sem conflitos de João Gilberto*, pp. 81 e 90.

11. Depoimento de Paulinho Boca de Cantor a ZHM em 21/07/2020.

12. Idem.

13. Na crítica "Back Home Again", de Patricia O'Haire, *Daily News* de 05/01/1972.

14. Youguis ou yogi são os que buscam aprofundar seu conhecimento por meio do corpo, da mente e do espírito com exercícios respiratórios para controlar o nível de energia.

15. Carlos Coqueijo e Alcivando Luz são os autores da música que concorreu, na interpretação do conjunto MPB-4, no primeiro Festival Internacional da Canção em 1966.

16. Depoimento de Sonny Carr a Christopher Dunn, no artigo "Procurando Sonny", publicado no livro *João Gilberto*, org. Walter Garcia, pp. 106-7.

17. No texto "Disco de 1973 é João Gilberto em estado bruto", de Ramiro Zwetsch, no site Radiola Urbana, 09/07/2019.

18. Idem

19. A musicista transexual Wendy Carlos (antes Walter Carlos) foi uma das primeiras a utilizar sintetizadores na música eletrônica.

20. "Quando Wendy Carlos foi técnica de som de João Gilberto", de Ricardo Schott, no site Popfantasma, 08/07/2019.

21. Ad libitum é a expressão que define a execução livre sem obedecer à marcação rítmica.

22. John Josiah Newberry fundou em 1911 uma gigantesca cadeia de mais de quatrocentas lojas que vendiam mercadorias a preços populares, variando de cinco a dez centavos de dólar.

23. Na matéria "No estúdio com Miúcha, Getz e João Gilberto", de Miúcha, publicada em *O Estado de S. Paulo*, 29/05/2010.

24. Na reportagem "A Sumptuous Relic, Castle for a Musical King" de Luisa Kreisberg publicada no *New York Times*, 13/02/1977.

25. Billy Hart ou Grady Tate na bateria, Airto Moreira, Rubens Bassini, Ray Armando e Sonny Carr na percussão, Clint Houston ou Steve Swallow no contrabaixo e Albert Dailey no piano.

26. Em *No balanço da bossa*, de Augusto de Campos, p. 316.

27. "No estúdio com Miúcha, Getz e João Gilberto", de Miúcha, *O Estado de S. Paulo*, 29/05/2010.

28. O quarteto de Stan Getz tinha Joanne Brackeen no piano, Clint Houston no contrabaixo e Billy Hart na bateria. O repertório inclui: "É preciso perdoar", "Águas de março", "Retrato em branco e preto", "Samba da minha terra", "Chega de saudade", "Rosa morena", "Eu vim da Bahia", "João Marcelo", "Doralice", "Morena boca de ouro", "Um abraço no Bonfá" e um bis de "É preciso perdoar".

29. Stan Getz na primeira faixa do CD *Getz/Gilberto '76* (Resonance, 2016).

30. João gravou de 17 a 19 de novembro de 1976 no Rosebud Studio de Nova York, enquanto as cordas foram gravadas em 3, 4 e 7 de janeiro de 1977 no estúdio da Capitol em Los Angeles.

31. Após receber letra de Chico Buarque, Jobim mudou o nome do tema instrumental "Zíngaro" para "Retrato em branco e preto".

32. Depoimento de Steve Berger a ZHM em 25/09/2019.

## 10. CELEBRIDADE [pp. 139-60]

1. Na reportagem "Um encontro com o brasileiro João Gilberto", por Nei Duclós, *Folha de S.Paulo*, 11/03/1978.

2. Depoimento de José Amâncio Pedreira a ZHM em 26/05/2020.

3. Nas reportagens "O papa da bossa nova continua o mesmo", de Symona Gropper, para o *Jornal do Brasil*, 22/03/1978, e "A plateia vaia e aplaude João Gilberto no show de Salvador", da sucursal de Salvador do jornal *O Estado de S. Paulo*, na mesma data.

4. Entre os quais Enrico Caruso, Maria Callas, Arturo Toscanini, Arthur Rubinstein, Heitor Villa-Lobos, Guiomar Novaes, Anna Pavlova, Vaslav Nijinsky, Rudolf Nureyev, Isadora Duncan, Duke Ellington e Ella Fitzgerald.

5. Nas matérias "Um banquinho, um violão, o amor do público, e Gilberto", publicada em *O Estado de S. Paulo*, 29/03/1978, e "60 minutos de João Gilberto" no *Jornal da Tarde*, na mesma data.

6. Reportagem "O coração de João Gilberto batendo forte em Nova York", *Folha de S.Paulo*, 03/07/1978.

7. Na resenha "Newport Re-Creates Beginning of Bossa Nova with First Stars", de John Rockwell, *New York Times*, 02/07/1978.

8. Depoimento de Estevão Hermann a ZHM em 28/05/2020.

9. "A noite em que João Gilberto deu mais um bolo no público", de Dulce Tupy, *Jornal do Brasil*, 09/11/1979.

10. Idem.

11. "O Canecão é inviável para a bossa", de João Luiz de Albuquerque, revista *IstoÉ*, 14/11/1979.

12. *Jornal do Brasil* de 9/11/1979.

13. Na reportagem "Ex-empresário de João Gilberto foi agente da ditadura militar na USP", de Marco Rodrigo Almeida, *Folha de S.Paulo*, 29/04/2018.

14. Depoimento de Daniel Filho a ZHM em 01/06/2020.

15. Idem.

16. Depoimento de Bebel Gilberto a ZHM em 08/05/2020.

17. Reportagem "Mistério à baiana", *Veja*, 03/06/1981.

18. Release do disco, distribuído à imprensa pela WEA.

19. Idem.

20. Depoimento de Maria Bethânia a ZHM em 04/06/2020.

21. Depoimento de Guto Graça Mello no release da WEA para o disco.

22. Depoimento de Maria Bethânia a ZHM em 04/06/2020.

23. Depoimento de Guto Graça Mello no release da WEA para o disco *Brasil*.

24. "João Gilberto é a perfeição", de Sérgio Vaz, *Jornal da Tarde*, 06/06/1981.

25. "João Gilberto: de novo em disco a voz-guia da MPB", de Tárik de Souza, *Jornal do Brasil*, 31/05/1981.

26. Depoimento de Gary Giddins a ZHM em 20/09/2019.

27. Idem de Sérgio Vaz.

28. Baseado na matéria "O entusiasmo do público, a briga com o som, a categoria de sempre", de José Nêumanne Pinto, *Jornal do Brasil*, 25/08/1981.

29. Depoimento de Severino Filho a ZHM em 01/02/2005.

30. Em *Tons sobre tom*, de Tárik de Souza e outros, p. 77.

31. Em "O mito sem mistério", Tárik de Souza, revista *Veja*, 12/05/1971.

32. Em "Coletânea de João Gilberto traz cifras para músicos", *Folha de S.Paulo*, 23/11/1988.

33. Em "João Gilberto e o projeto utópico da bossa nova", de Lorenzo Mammì, *Novos Estudos Cebrap*, n. 34, novembro de 1992.

34. Na crítica de John S. Wilson publicada no *New York Times*, 15/10/1968, traduzida no livro *João Gilberto* organizado por Walter Garcia, p. 39.

35. *Eles e eu: Memórias de Ronaldo Bôscoli*, de Luiz Carlos Maciel e Ângela Chaves, p. 84.

36. "Tony Bennett: 'João Gilberto é meu cantor favorito'", de Carol Nogueira, revista *Veja*, 15/10/2012.

37. Depoimento de Edson José Alves a ZHM em 16/02/2019.


## 11. A DANÇA DA MELODIA COM A HARMONIA [pp. 161-80]

1. Trechos com base nas reportagens "Depois das vaias, o João Gilberto genial de sempre", de Renata Rangel, *Folha de S.Paulo*, 15/12/1982, e "A noite de João", de Rosa Bastos, *Jornal da Tarde*, 15/12/1982.

2. Idem.

3. "O Brasil vê João Gilberto amanhã", de Renata Rangel", *Folha de S.Paulo*, 17/12/1982.

4. Reportagem "Em Roma, Bahia *al primo canto*", de Antônio Risério, *Folha de S.Paulo*, 23/08/1983.

5. Com base na matéria "O que você sabe e muito mais sobre o Festival de Águas Claras", site Vivendo Bauru, 11/06/2017.

6. O Festival de Águas Claras foi realizado em 1975, 1981, 1983 e 1984, com shows de Arthur Moreira Lima, Fagner, Paulinho da Viola, Raul Seixas, Erasmo Carlos, Wanderléa, Sivuca, Wagner Tiso, Tetê Espíndola, Almir Sater, Moraes Moreira, Walter Franco, Gilberto Gil, Luiz Gonzaga, Gonzaguinha, Alceu Valença, Hermeto Pascoal, Egberto Gismonti, entre outros. Nenhuma briga nas quatro edições.

7. Conforme "Porque o Festival de Iacanga não aconteceria hoje", de Bibiana Garrido, *Jornal Dois*, 30/01 2019.

8. Pelo Free Jazz Festival nos anos 80 e 90 estiveram no palco do Palace Pat Metheny, Gerry Mulligan, Max Roach, Horace Silver, Wynton Marsalis, McCoy Tyner, Herbie Hancock, Little Richard, Chuck Berry, B. B. King, James Brown, Stevie Wonder, entre outros.

9. Messias, Edson José Alves e Zé Bicão eram os arranjadores. Bolão, Edson José Alves, Toninho Carrasqueira e Mazzola, os flautistas.

10. Crítica de ZHM publicada em 05/11/1983.

11. Para detalhes sobre Zé Bicão, veja meu livro *Copacabana: A trajetória do samba-canção*, pp. 308-9.

12. Crítica de ZHM publicada em 05/11/1983.

13. Aqui trechos baseados nas matérias "João Gilberto estreia em Lisboa", de Matinas Suzuki Jr., viajando a convite da Ponte Cultural TAP e da Showbras, publicada na *Folha de S.Paulo* em 07/06/1984 e "João Gilberto: a estreia desastrada em Portugal" do enviado especial Antônio Cunha, publicada no *O Estado de S. Paulo*, 09/06/1984.

14. José Nuno Martins — autor, produtor de rádio e televisão portuguesa e responsável por dezenas de espetáculos de artistas brasileiros em Lisboa no renovado contexto sociocultural de Portugal democrático — explica que essa música era um emblema de tudo aquilo que jovens públicos e músicos lusos haviam rejeitado na Revolução dos Cravos.

15. Baseado no texto "Vi-o chorar como uma criança", de João Gobern, publicado em seu Facebook em 09/07/2019.

16. Baseado no texto "João Gilberto: samba bom em lugar impróprio", de ZHM, publicado em *O Estado de S. Paulo*, 29/06/1985, e reproduzido no livro *Música com Z*, p. 290.

17. "João × Tom: o grande duelo", de Roberto Muggiati, *O Estado de S. Paulo*, 18/02/2012.

18. Essa composição de Ary Barroso, lançada em 1942 pelo cantor Morais Neto, por erro foi intitulada como "Sandália de prata" no disco, devido aos versos "Bota a sandália de prata/ e vem pro samba sambar". Por outro lado, existe o samba "Sandália de prata", de Pedro Caetano e Alcir Pires Vermelho, gravado também em 1942 por Francisco Alves.

19. Em "A bossa volta a reinar", revista *Veja*, 25/06/1986. Nenhuma das quinze músicas eram de autoria de João Gilberto.

20. Na resenha "O som mais bonito que existe", por Telmo Martino, Caderno 2 de *O Estado de S. Paulo*, 18/06/1986.

21. Na resenha "João muito além dos adjetivos", por Maria Amélia Rocha Lopes, *Jornal da Tarde*, 18/06/1986. Indicado para o Grammy na categoria de melhor intérprete, João não venceu.

22. A primeira gravação de "O pato" está no LP *O amor, o sorriso e a flor*; a segunda, em *Getz/Gilberto #2*, a terceira, em *João Gilberto Pereira Prado de Oliveira*, e a quarta, no álbum de Montreux.

23. Na reportagem "Palavra de João Gilberto", de Tárik de Souza, *Jornal do Brasil*, 16/06/1988.

24. Depoimento de Roberto Algranti a ZHM em 27/6/2020.

25. "Ausência leva João à Justiça", de Pedro Tinoco, *Jornal do Brasil*, 29/06/1990.

26. Depoimento de Roberto Algranti a ZHM em 27/06/2020.

27. Na matéria "Coletânea de João Gilberto traz cifras para músicos", de Luiz Tatit, *Folha de S.Paulo*, 23/11/1988.

28. Na ação movida em 1999 para a comprovação das alegadas mixagens de som feitas pela EMI.

29. Na matéria "Os 22 anos de demanda judicial com a gravadora EMI que desencantaram João Gilberto", no site Espaço Vital Independente, 08/07/2019.

30. Na matéria "João Gilberto ganha ação milionária por seus direitos autorais", de Naiara Galarraga Gortázar, *El País*, 29/03/2019.

31. Com base em "João surpreende com a 'Saudosa maloca' de Adoniran", por Carlos Calado, *Folha de S.Paulo*, 10/12/1988, e "O mais chique dos cantores", por Apoenan Rodrigues, *Jornal do Brasil* na mesma data.


## 12. ARREDIO E MAGISTRAL [pp. 181-203]

1. Depoimento de João Bosco a ZHM em 19/08/2019.

2. Idem.

3. Depoimento de Edson José Alves a ZHM em 10/02/2019.

4. Depoimento de João Bosco a ZHM em 19/08/2019.

5. Idem.

6. Na matéria "Gravadora relança a santíssima trindade da bossa-nova ortodoxa", de Luis Antonio Giron, *Folha de S.Paulo,* 12/08/1990.

7. Com o título "A vida secreta de um gênio brasileiro", *Veja,* 30/05/1990.

8. Contrabaixista James Hughart, baterista Joe Correro e percussionista Michito Sanchez.

9. No texto "O trabalho de parto que resultou em João", por Ruy Castro, *Revista do CD,* abril de 1991.

10. Relato de Marina Linhares a Geraldo Leite, diretor da emissora.

11. "João Gilberto abraça Noel", caderno B do *Jornal do Brasil,* 13/12/1990.

12. Depoimento de Roberto Algranti para ZHM em 27/06/2020.

13. As anteriores "Eu quero um samba" está no LP conhecido como "Álbum branco" de 1973 e "Pra que discutir com madame" no álbum de Montreux de 1986.

14. "O nome dele é Janet", de Apoenan Rodrigues, *Jornal do Brasil,* 09/06/1990. Janet de Almeida faleceu em 1945.

15. Na matéria "Falaram muita bobagem a respeito de 'João'", de Véronique Montaigne, publicada originalmente no *Le Monde* e traduzida por Clara Allain para a *Folha de S.Paulo,* que a publicou em 08/06/1991.

16. A MTV, Music Television, pertencente ao Grupo Abril, surgiu no Brasil em outubro de 1990, transmitindo por sinal aberto de televisão clips de música, isto é, música com imagens visando atingir o público jovem.

17. Depoimento de Gil Lopes a ZHM em 07/07/2020.

18. Baseado no texto "Quem é o filho de Juveniano e dona Patu", *Folha de S.Paulo,* 08/06/1991.

19. Baseado na reportagem "Cantor vive isolado no 29º andar de flat no Rio", de Sérgio Sá Leitão, *Folha de S.Paulo,* 08/06/1991.

20. Depoimento de Duílio Malfatti a ZHM em 20/08/2019.

21. Depoimento de Gil Lopes a ZHM em 07/07/2020.

22. Na reportagem "Fui mordomo de João Gilberto", de Plínio Fraga, *Folha de S.Paulo,* 14/08/2008.

23. Idem.

24. O espetáculo *João e Antônio* foi gravado e exibido pela TV Globo.

25. No livro *O réu e o rei,* de Paulo Cesar de Araújo, p. 155.

26. Depoimento de Rosa Crescente a ZHM em 13/07/2020.

27. O VHS (Video Home System) era um padrão comercial de gravação analógica em fitas de videotape que, com o tempo, foram substituídos por padrões de melhor qualidade.

28. Depoimento de Rosa Crescente a ZHM em 13/07/2020.

29. A programação daquele ano teve quatro noites, a saber: 1. Paulinho da Viola & convidados, destacando Gilberto Gil, Canhoto da Paraíba e a Velha Guarda da Portela; 2. Egberto Gismonti: violão/piano, destacando Nelson Ayres, Gil Jardim e John McLaughlin; 3. João Gilberto e Bebel Gilberto; 4. Naná Vasconcelos convida destacando Don Cherry, Vernon Reid, Hugo Fattoruso e Artur Maia.

30. "Não vou pra casa" é um samba de Roberto Roberti e Antônio Almeida. Foi gravado na Columbia em 11/11/1940 no lado B do disco de Joel e Gaúcho, que tinha no lado A "Aurora" de Mário Lago e Roberto Roberti, uma das melhores marchinhas para o Carnaval de 1941.

31. Depoimento de Toy Lima a zHM em 15/07/2020.

32. Em *João Gilberto*, de zHM, v. 26 na coleção Folha Explica, da Publifolha, pp. 73-4 e 115.

33. O grupo dos brasileiros era formado por João Gilberto, Milton Nascimento, Gilberto Gil, Caetano Veloso, Gal Costa, Nana e Danilo Caymmi, Paulo e Daniel Jobim, Jacques e Paula Morelenbaum, Eliane Elias, Maucha Adnet, Astrud Gilberto, Oscar Castro Neves e os percussionistas Paulinho da Costa e Café. Os norte-americanos eram Herbie Hancock, Dave Grusin, Sting, Lee Ritenour, Michael Brecker, John Patitucci, Harvey Mason, Russell Ferrante e Mike Shapiro.

34. Sergio Mielniczenko apresentava o programa *Brazilian Hour* na kxLU de Los Angeles.

35. Depoimentos de Carmen Elisa e de Gil Lopes a zHM, respectivamente em 03/06/2020 e 07/07/2020.

36. Nesse período, de agosto de 1995 a maio de 1996, João se apresentou na Sala Villa-Lobos de Brasília, no Teatro Rio Vermelho de Goiânia e no Teatro Castro Alves de Salvador.

37. Depoimento de Toy Lima para zHM em 15/07/2020.

38. Artigo de Fernando Kassab publicado em *A Cidade de Ribeirão Preto*,14/07/2019.

39. Também cantou "E daí?" (Miguel Gustavo), "Faixa de cetim" (Ary Barroso), "Mágoa" (Tom Jobim e Marino Pinto), "Violão amigo" (Bide/Marçal), "Ave-Maria no morro" (Herivelto Martins) e "Garota de Ipanema" (Jobim e Vinicius) com o recitativo original só ouvido no Au Bon Gourmet.

40. Trechos do artigo "Denis Brean", de zHM, publicado no *Correio Popular* de Campinas, 19/06/2011.

41. Na matéria "Silenzio, João Gilberto sussurra", de Gino Castaldo, *La Repubblica*, Roma, 16/07/1996.

42. A sigla jvc provém de Japan Victor Company, a corporação japonesa de Yokohama que produz equipamentos de áudio e vídeo e patrocinou o festival.

43. "João Gilberto faz show histórico no Carnegie Hall", de Marcelo Bernardes, O *Estado de S. Paulo*, 22/06/1998.

44. Depoimento de Gary Giddins a zHM em 20/09/2019.


13. MINIMALISMO [pp. 204-28]

1. Depoimento de Augusto de Campos a zHM em 06/01/2020.

2. Localizado na avenida Corrientes, 857, próximo da avenida 9 de Julio, chama a atenção pela enorme fachada retangular de vidro e apenas o nome Gran Rex no alto.

3. Trechos da crítica "João y Caetano, en el reino de la inusual sutileza", de René Vargas Veras, *La Nación*, 21/03/1999, tradução livre de zHM.

4. Depoimento de Roberto Menéndez a zHM em 24/07/2020.

5. No final da década de 50 e início da de 60, grande parte dos artistas internacionais da TV Record visitava a América do Sul pela primeira vez numa parceria de Paulinho Machado de Carvalho com Clemente Lococo, proprietário do magnífico Teatro Opera. Assim funcionaram as temporadas de Louis Armstrong, Ella Fitzgerald, Tony Bennett, entre outros.

6. Na resenha de Arthur Nestrovski, "Castigo e bênção de dois orixás", *Folha de S.Paulo*, 01/10/1999.

7. Na reportagem "Vaiado, João Gilberto ameaça não voltar a sp", de Jotabê Medeiros, O *Estado de S. Paulo,* 01/10/1999.

8. Na reportagem "Dono do Credicard Hall admite falha acústica", de Jotabê Medeiros, *O Estado de S. Paulo*, 01/10/1999.

9. "Problema não preocupa grupo que investiu R$ 34 milhões na casa", de Edilson Coelho, *O Estado de S. Paulo*, 01/11/1999.

10. Depoimento de Ben Ratliff a ZHM em 21/06/2020.

11. Faixa 13 do CD *Livro* de 1997.

12. Na resenha "Para ouvir a música mais bela do que o silêncio", de Mauro Dias, em *O Estado de S. Paulo*, em 13/01/2000.

13. Em *"João voz e violão"* na reportagem de Mauro Dias, *O Estado de S. Paulo*, 13/01/2000.

14. Depoimento de João Mário Linhares a ZHM em 19/08/2019.

15. Extraído da reportagem "João faz eco de velhos sucessos em novo CD", de Pedro Alexandre Sanches, *Folha de S.Paulo*, 13/01/2000.

16. Depoimento de Gabriel Segat a ZHM em 12/12/2019.

17. Em "A viagem de João", de Mario Sergio Conti, *Folha de S.Paulo*, 20/07/2000.

18. Depoimento de Earl Okin a ZHM em 28/07/2020.

19. Na matéria "A águia e os urubus", *Veja*, 19/01/2000.

20. Na matéria "O pior de João ganhou o Grammy", de Walter Silva, *Jornal da Tarde*, 03/04/2001.

21. Na matéria "O cantor brasileiro a quem nada é permitido", de Ruy Castro, publicada em *O Estado de S. Paulo* de 29/01/2000.

22. Na matéria "Desde cedo nas veias da América", de Tárik de Souza, *Jornal do Brasil*, 23/01/2001.

23. Trecho do texto "A grande síntese", de Edinha Diniz, no caderno "João Gilberto, o dono da bossa", *Jornal do Brasil*, 03/06/2001.

24. As principais atrações eram apresentadas no Carnegie Hall, que naquele ano contava com o Brad Mehldau Trio, Keith Jarrett Trio, Eddie Palmieri Big Band, septeto de Wynton Marsalis, Omara Portuondo e Bebel Gilberto dividindo a noite de 28 de junho com Anjélique Kidjo.

25. Depoimento a ZHM em 20/09/2019.

26. O primeiro concerto do JATP — projeto de apresentação de jazz em teatros — foi realizado em julho de 1944 em Los Angeles. Daí em diante vários artistas, como Nat King Cole, Ella Fitzgerald, Dizzy Gillespie, Billie Holiday, Charlie Parker, Oscar Peterson, Lester Young, entre dezenas de outros craques, participaram em algum momento desses concertos. O JATP foi levado ao Japão de 1953 a 1983.

27. Elizeth Cardoso gravou um disco na sua apresentação no teatro Shibuya Kokaido de Tóquio em 23/09/1977; Nara Leão também, com Roberto Menescal e músicos japoneses, em junho de 1985, num estúdio em Tóquio; Paulinho da Viola foi recebido por uma escola de samba de japoneses em 1986; tive a honra de levar Milton Nascimento para sua primeira turnê ao Japão em abril de 1988, com shows em Tóquio e Osaka.

28. Depoimento de Gil Lopes a ZHM em 07/07/2020.

29. Para a primeira temporada no Japão, foram programados três concertos em Tóquio nos dias 11, 12 e 16/09/2003, e mais um no Pacifico Yokohama de Yokohama em 15/09. Todos com lotação esgotada.

30. "Conheça os técnicos japoneses que cuidam da turnê de João Gilberto", de Marcus Preto, *Folha de S.Paulo*, 15/12/2011.

31. Na matéria "João Gilberto depura clássicos em CD gravado em Tóquio", *O Estado de S. Paulo*, 08/05/2004.

32. Fonemas vozeados são aqueles cuja produção envolve ação das pregas vocais, estruturas localizadas na laringe, que são responsáveis pela produção do som que ocorre a partir da pressão de ar vinda dos pulmões.

33. Os elementos de técnica vocal tiveram a colaboração de Regina Machado, professora de voz popular do Departamento de Música do Instituto de Artes da Unicamp.

34. As anteriores foram em 1962, 1978, 1998, 2000, 2002.

35. Baseado no texto "Bossa Nova Legend Casts Spell in US", de Charles J. Gans da Associated Press, 20/06/2004.

36. Em 2 e 3/10/2004 no Osaka Festival Hall e em 6, 7, 10 e 11 no Forum de Tóquio.

37. O compositor, flautista e médico baiano Tuzé de Abreu (Alberto José Simões de Abreu) registrou suas memórias sobre encontros e viagens com João Gilberto em mais de uma dezena de textos inéditos, enviados ao autor em janeiro de 2020, para este livro.

38. No texto de Fernando Romeiro "O violão de João Gilberto", disponível em <https://pt.slide-share.net/gabrielvandresen1/106528103-violaojg>.

39. Ainda detalhes sobre os violões de João Gilberto no texto de Fernando Romeiro.

40. Em e-mail de Fernando Romeiro a ZHM em 06/08/2020.

41. Depoimento de Arnaldo Bortolan para ZHM em 31/08/2020.

42. Nos dias 4-5, 8-9/11/2006.

43. O blu-ray utiliza o processo ótico de um raio laser para que se assista vídeo e áudio de alta definição armazenado num disco de 12 centímetros de diâmetro que requer um equipamento adequado para a sua reprodução.

44. "Treze de ouro", de Herivelto Martins e Marino Pinto, gravada pelos Anjos do Inferno em 25/04/1949 e "Pica-pau", de Ary Barroso, também gravada pelos Anjos do Inferno em 13/11/1941.

45. Como informa Mauro Ferreira em seu blog no G1, a gravação desse concerto de 2006 de João em Tóquio foi exibida, treze anos depois, nos cinemas do Japão em sessões especiais programadas de 8 a 14 de março. Em agosto de 2019 o blu-ray *João Gilberto — Live in Tokyo November 8&9, 2006 Tokyo International Forum Hall A* foi comercializado somente no Japão, com tiragem limitada de 5 mil cópias, embalado em caixa de pano.


## 14. PÔR DO SOL [pp. 229-50]

1. Baseado no texto "À espera do último ato", de Fernando Serapião, no livro *Auditório Ibirapuera: o projeto esquecido de Niemeyer*, publicado pela Editora Livre em 2013. O auditório foi inaugurado em 2005.

2. Depoimento de Monique Gardenberg a ZHM em 09/08/2020.

3. Idem.

4. O Banco Itaú foi o patrocinador do evento denominado *Itaú Brasil*, criado pelo diretor de marketing Antonio José Matias.

5. Mônica Bergamo, "João por Cláudia", *Folha de S.Paulo*, 24/08/2008.

6. Depoimento de Marcello Dantas a ZHM em 16/08/2020.

7. Depoimento de Monique Gardenberg a ZHM em 09/08/2020.

8. Pela ordem: "Aos pés da cruz", "Treze de ouro", "Wave", "Caminhos cruzados", "Doralice", "Meditação", "Preconceito", "Disse alguém", "O pato", "Corcovado", "Samba do avião", "Ligia", "Você já foi à Bahia?", "Rosa morena", "Morena boca de ouro", "Desafinado", "Estate", "Não vou

pra casa", "Chega de saudade" e "Isto aqui o que é?". No bis: "Chove lá fora", "O nosso olhar", "Bahia com H", "Da cor do pecado", "Retrato em branco e preto", "Samba de uma nota só", "Guacyra", "Pra machucar meu coração" e "Garota de Ipanema".

9. Trecho do texto "Era como se estivesse na casa dos meu pais, em Copacabana", *Folha de S.Paulo*, 16/08/2008.

10. "'São Paulo, I love you', diz João Gilberto", para a agência Reuters, em 15/08/2008.

11. "Ele brinca de moldar o som na boca", *O Estado de S. Paulo*, 16/08/2008.

12. "Com tudo do jeito que ele gosta, João relaxa e faz valer a espera", *Folha de S.Paulo*, em 16/08/2008.

13. "Som 'misterioso' invade palco, mas João finge que não ouve", de Ivan Finotti, *Folha de S.Paulo*, 15/08/2008.

14. Trechos do texto "Conheça os técnicos japoneses que cuidam das turnês de João Gilberto", de Marcus Preto, *Folha de S.Paulo*, 15/12/2011.

15. Depoimento de Monique Gardenberg a zhm em 09/08/2020.

16. Baseado nos textos "No Rio, João Gilberto aplaude e pede bis", de Ruy Castro *Folha de S.Paulo*, e "João é todo sorrisos na volta ao Rio", de Lauro Lisboa Garcia, *O Estado de S. Paulo*, ambos de 26/08/2008.

17. Depoimento de Otávio Ferraz a zhm.

18. Nas reportagens de *A Tarde*, 25/08/2008, e *Correio*, 04/09/2008, informando que os ingressos das filas A a W custavam R$ 180,00 e os da fila Z, R$ 30,00.

19. Carlos Coqueijo Torreão da Costa tocava violino, piano, violão e bandolim e escrevia regularmente para o *Jornal da Bahia* e *A Tarde*. Professor na Faculdade de Direito da Universidade Federal da Bahia, é autor do tocante "É preciso perdoar", em parceria com Alcivando Luz, gravado por João Gilberto no disco *The Best of Two Worlds*, além de outras 36 canções, sendo treze com Alcivando.

20. É "Recife, cidade lendária", de Capiba, composta em 1930.

21. Trecho da matéria "Bossa nova hi-tech", de Lauro Lisboa Garcia, *O Estado de S. Paulo*, 08/07/2008.

22. Depoimento de Marcello Dantas a zhm em 16/08/2020.

23. "Mostra cria cantinhos em plena Oca", de Luiz Fernando Vianna, *Folha de S.Paulo*, 07/07/2008.

24. "Carnegie Hall lotado recebe João Gilberto", de Sérgio Dávila, *Folha de S.Paulo*, 22/06/2008.

25. Depoimento de Steve Berger a zhm em 24/09/2019.

26. Depoimento de Gabriel Segat a zhm em 11/12/2019.

27. "Carnegie Hall vira templo da mpb", de Tonica Chagas, *O Estado de S. Paulo*, 24/06/2008.

28. "Entre sirene, celulares, choro e risos", de Sérgio Dávila, *Folha de S.Paulo* em 24/06/2008.

29. Depoimento de Gabriel Segat a zhm em 11/12/2019.

30. Na matéria "Carnegie Hall vira templo da mpb", de Tonica Chagas, *O Estado de S. Paulo*, 24/06/2008.

31. Gravada por Kate Smith ao final da Primeira Guerra e, em 1939, por Bing Crosby. A versão para o português é de João de Barro (Braguinha) e foi gravada por Francisco Alves em 03/05/1945.

32. Na matéria "João, o tempo e o vento", de Sérgio Dávila, *Folha de S.Paulo*, 24/06/2008.

33. O contrato assinado em 05/01/2008 por Yutaka Toyama da Promax, Carmela Forsin da ShowBras e João Gilberto, o Artista, ajustava três shows no Japão: em Tóquio nos dias 01 e 02/11

e em Yokohama em 03/11 pelo total de 450 mil dólares em cinco parcelas, além de cinco passagens aéreas, sendo duas em primeira classe em voo da JAL em que as despesas da escala em Nova York corriam por conta da Promax, bem como a estadia em Tóquio de 27/10 a 06/11, ocupando uma suíte e quatro singles.

34. *Música popular brasileira cantada e contada por...*, de José Eduardo Homem de Mello, Edições Melhoramentos em coedição com a Editora da Universidade de São Paulo em 1976, esgotado.

35. O BBE norte-americano hardware Sonic Maximizer and Noise Reduction, e o programa Sonic Studio Mastering.

36. "Fita gravada por João Gilberto em 58 vira hit na web", de Lauro Lisboa Garcia, *O Estado de S. Paulo*, 08/02/2009.

37. Títulos das músicas identificadas na ordem das faixas: "Um abraço no Bonfá", "Chega de saudade", "Bim bom", "Ho-ba-la-lá", "É luxo só", "Desafinado", "Saudade fez um samba", "Esse seu olhar", "A felicidade, "Preconceito", "Caminhos cruzados", "Mago", "Lobo bobo", "Brigas nunca mais", "O bem do amor", "Louco", "Trevo de quatro folhas", "O pato", "Aos pés da cruz", "Rosa morena", "João Valentão", "Chão de estrelas", "Nos braços de Isabel", "Lá vem a baiana", "Doralice" (duas vezes), "Você não sabe amar" e "Beija-me".

38. Produzido por Arnaldo DeSouteiro e gravado em 2008 no Rio de Janeiro, o CD foi lançado só no exterior em outubro de 2009 com as seguintes faixas: "Bim bom" (João Gilberto), "Ho-ba-la-lá" (João Gilberto), "Coisas distantes" (João Donato/ João Gilberto/ Lísias Ênio), "Minha sauda-de" (João Donato/ João Gilberto), "Você esteve com o meu bem?" (João Gilberto/ Russo do Pandeiro), "Valsa (Como são lindos os youguis ou também Bebel)" (João Giberto), "Um abraço no Bonfá" (João Gilberto), "Glass beads (No coreto)" (João Donato/ João Gilberto), "João Marcelo" (João Gilberto), "Undiú" (João Gilberto), "Acapulco" (João Gilberto) e "Ho-ba-la-lá" (João Gilberto/ versão Aloysio de Oliveira).

39. Na matéria "Pérolas da autoria de João Gilberto", de Lauro Lisboa Garcia, *O Estado de S. Paulo*, 26/01/2010.

40. Na matéria "João Gilberto confirma show", de Julio Maria, *O Estado de S. Paulo*, 07/06/2011.

41. Na matéria "Artista celebra aniversário com turnê e DVDs", de Marcus Preto, *Folha de S. Paulo*, 10/06/2011.

42. O portal iBahia informa em 10/08/2011, em texto de Emília Oliveira, as datas fechadas: 28/10, Salvador no Teatro Castro Alves; 05/11, São Paulo, no Via Funchal; 15/11, Rio de Janeiro, no Municipal; 19/11, Brasília; 25/11, Porto Alegre.

43. Na matéria "Show de João Gilberto em Salvador terá transmissão para Juazeiro a pedido do próprio cantor", no site RedeGN, 02/10/2011.

44. "Chega de friagem", de Ivan Marsiglia, *O Estado de S. Paulo*, 13/11/2011.

45. Idem.

46. "Turnê de João Gilberto é oficialmente cancelada", no site G1, 14/12/2011.

47. Depoimento para ZHM em 16/08/2020.

48. Na nota "STJ decide que artista terá de ser indenizado", *Folha de S.Paulo*, 17/12/2011.

49. Na matéria "Esperando João", de Consuelo Dieguez, revista *piauí*, janeiro de 2016.

50. Na matéria "As fitas da discórdia", de Julio Maria, *O Estado de S. Paulo*, 15/05/2013.

51. Na matéria "João Gilberto, agora, fica com as fitas", de Julio Maria, *O Estado de S. Paulo*, 22/05/2013.

52. Na matéria "Esperando João", de Consuelo Dieguez, revista *piauí*, janeiro de 2016.

53. Extraído do texto "Esperando João" de Consuelo Dieguez, revista *piauí*, janeiro de 2016.

54. Idem.

55. Em *O Estado de S. Paulo*, 10/06/2016.

## 15. ADEUS [pp. 251-64]

1. No texto de Débora Nascimento no site Mirante, 08/07/2019.

2. Na matéria "Nos últimos anos, a solidão que tanto prezava se cercou de ruídos e brigas familiares", de Claudio Leal, *Folha de S.Paulo*, 07/07/2019.

3. Na matéria "Mais leve do que o vento", de Julio Maria, *O Estado de S. Paulo*, 28/12/2018.

4. Na matéria "Madrinha da música, cantora Miúcha morre aos 81 anos", Claudio Leal, *Folha de S.Paulo*, 28/12/2018.

5. No livro *Ho-ba-la-lá: À procura de João Gilberto*, de Marc Fischer, p. 81.

6. Depoimento de Arnaldo Bortolon para ZHM em 31/08/2020.

7. Na matéria "'Nunca nos separamos', diz Maria do Céu sobre João Gilberto", de Maria Fortuna, Leonardo Lichote e Chico Otávio, *O Globo*, 14/07/2019.

8. No artigo "A grande síntese", de Edinha Diniz, *Jornal do Brasil*, 03/06/2001. A socióloga escreveu biografias de Chiquinha Gonzaga, Cartola, Machado de Assis, Jorge Amado e Zélia Gattai.

9. Depoimento de Arnaldo Bortolon a ZHM em 31/08/2020.

10. Idem.

11. "Últimos anos de João Gilberto foram marcados por desordem jurídica e financeira", de Claudio Leal, *Folha de S.Paulo*, 06/07/2019.

12. Depoimento de João Bosco a ZHM em 17/08/2019.

13. No artigo "João Gilberto não era o rabugento que se pensava", de Mario Sergio Conti, *Folha de S.Paulo*, 12/07/2019.

14. Em texto do monge budista Celso Marques para ZHM em janeiro de 2020.

15. Na matéria "Lista de discípulos inclui Caetano, Gil, Chico e até ex-guitarrista do Police" de Thales de Menezes na *Folha de S.Paulo* em 07/07/2019.

16. Em telefonema entre Jairo Severiano e ZHM em 20/09/2020. Escrevemos juntos os dois volumes de *A canção no tempo*, pela Editora 34.

17. A canção chamava "Pensando no amor" e por sugestão de Djavan passou a ser "Talvez".

18. Depoimento de Cezar Mendes a ZHM em 25/10/2019.

19. Conforme a matéria "Tristeza não tem fim", de Roberta Penafort, *O Estado de S. Paulo*, 03/05/2018.

20. No texto "Funeral", de Tuzé de Abreu, da série inédita "Encontros com João Gilberto" enviada a ZHM em janeiro de 2020.

21. Na mesma matéria de Roberta Penafort em maio de 2018.

22. Depoimento de Cézar Mendes a ZHM em 25/10/2019.

23. "Compositor segue entre dois endereços pelo Rio", de Julio Maria, *O Estado de S. Paulo*, 06/06/2018.

24. Depoimento de Cezar Mendes a ZHM em 25/10/2019.

25. "Coro dos desafinados", de Anna Virginia Balloussier e Ivan Finotti, *Folha de S.Paulo*, 06/08/2019.

26. Depoimento de Cézar Mendes a ZHM em 25/10/2019.

27. "João Gilberto vence processo milionário contra gravadora dos três primeiros discos", de Maurício Meireles, *Folha de S.Paulo*, 29/03/2019.

28. "Número de discos vendidos por João Gilberto é nebuloso e trava processo milionário", de Lucas Brêda e Ivan Finotti, *Folha de S.Paulo*, 06/08/2019.

29. Depoimento de Cézar Mendes a ZHM em 25/10/2019.

30. "Os últimos dias de João Gilberto, a voz da bossa" da AFP, tradução de Thaís Ferraz, *Folha de S.Paulo*, 08/07/2019.

31. Em texto enviado por Gil Lopes a ZHM em 25/08/2020.

32. "Funeral", um dos textos de Tuzé de Abreu sobre suas memórias de João Gilberto enviados a ZHM em janeiro de 2020.

33. "Corpo de João Gilberto é enterrado em Niterói", de Roberta Jansen com Associated Press, *O Estado de S. Paulo*, 09/07/2019.

34. No texto "Funeral", de Tuzé de Abreu, da série inédita "Encontros com João Gilberto", enviada a ZHM em janeiro de 2020.


AGRADECIMENTOS [pp. 265-8]

1. Em "Coração tranquilo", de Walter Franco, 1978.


DISCOGRAFIA [pp. 269-78]

1. "Eclipse" é de autoria de Margarita Lecuona.

2. Faixa extra (*bonus track*) apenas no CD WEA 398424122-2.

3. Faixa extra (*bonus track*) apenas no CD WEA 398424122-2.

4. Faixa extra (*bonus track*) apenas no CD WEA 398424122-2.

5. Faixa extra (*bonus track*) apenas no CD WEA 398424122-2.

6. O título correto da faixa é "Isto aqui o que é?". "Sandália de prata" é um samba de Pedro Caetano e Alcir Pires Vermelho, gravado por Francisco Alves em 1942.

7. Apenas no CD.

8. Apenas no CD.

9. Até julho de 2021.

10. "*Unofficial Release of João Gilberto's Last Concert in August 2008 at Auditório Ibirapuera.*"

# Referências bibliográficas

LIVROS

ANDRADE, Mário de. *Dicionário musical brasileiro*. Belo Horizonte: Itatiaia; São Paulo: Edusp, 1989.

ARAÚJO, Paulo Cesar de. *O réu e o rei*. São Paulo: Companhia das Letras, 2014.

CABRAL, Sérgio. *Antônio Carlos Jobim: Uma biografia*. Rio de Janeiro: Lumiar, 1997.

CÂMARA, Marcelo; MELLO, Jorge; GUIMARÃES, Rogério. *Caminhos cruzados: A vida e a música de Newton Mendonça*. Rio de Janeiro: Mauad, 2001.

CAMPOS, Augusto de. *Balanço da bossa e outras bossas*. São Paulo: Perspectiva, 1974.

CASTRO, Ruy. *Chega de saudade*. São Paulo: Companhia das Letras, 1990.

_____. *A onda que se ergueu no mar*. São Paulo: Companhia das Letras, 2001.

CAYMMI, Dorival. *Cancioneiro da Bahia*. São Paulo: Record, 1978.

CHEDIAK, Almir. *Songbook de Tom Jobim*. Rio de Janeiro: Lumiar, 1994.

COELHO NETTO, J. Teixeira. *Introdução à teoria da informação estética*. Petrópolis: Vozes, 1973.

CONCEIÇÃO, Wander; FERNANDES, Antonio Carlos. *La mezza notte*. Teófilo Otoni: Editora Universidade Federal dos Vales de Jequitinhonha e Mucuri, 2007.

*Dicionário de Sinônimos da Tertúlia Edípica*. Porto: Porto Editora, 1977.

DOURADO, Henrique Autran. *Dicionário de termos e expressões da música*. São Paulo: Ed. 34, 2004.

FEATHER, Leonard. *Encyclopedia of Jazz in the Sixties*. Nova York: Horizon Press, 1966.

FISCHER, Marc. *Ho-ba-la-lá: À procura de João Gilberto*. São Paulo: Companhia das Letras, 2011.

FONTE, Bruna. *O barquinho vai... Roberto Menescal e suas histórias*. São Paulo: Irmãos Vitale, 2010.

GALVÃO, Luiz. *Anos 70: Novos Baianos*. São Paulo: Ed. 34, 1997.

GARCIA, Walter: *Bim Bom: A contradição sem conflitos de João Gilberto*. São Paulo: Paz e Terra, 1999.

_____ (Org.). *João Gilberto*. São Paulo: Cosac Naify, 2012.

GAVA, José Estevam. *A linguagem harmônica da Bossa Nova*. São Paulo: Editora Unesp, 2002.

GILLESPIE, Dizzy; FRASER, Al. *To Be Or Not To Bop*. Boston: Da Capo Press, 1979.

MAMMI, Lorenzo. *A fugitiva*. São Paulo: Companhia das Letras, 2017.

MARCONDES, Marcos Antonio. *Enciclopédia da música brasileira: Erudita folclórica popular*. São Paulo: Art Editora, 1977.

MCCANN, Bryan. *Hello, Hello Brazil*. Durham: Duke University Press, 2004.

_____. *Getz/ Gilberto*. Londres: Bloomsbury Academic, 2019.

MELLO, Zuza Homem de. *João Gilberto*. São Paulo: Publifolha, 2001.

_____. *Eis aqui os bossa-nova*. São Paulo: WMF Martins Fontes, 2008.

MENESCAL, Roberto; FONTE, Bruna. *Essa tal de bossa nova*. São Paulo: Prumo, 2012.

MURRELSS, Joseph. *Million Selling Records*. Londres: B. T. Batsford, 1978.

OLIVEIRA, Joselino de. *Do alto-falante à TV, a trajetória da radiofonia de Juazeiro*. Juazeiro: Agência de Desenvolvimento Econômico e Cultural da Prefeitura de Juazeiro, 2007.

ROCHA, Carlos Alberto de Macedo; ROCHA, Carlos Eduardo Penna de M. *Dicionário de locuções e expressões da língua portuguesa*. Rio de Janeiro: Lexikon, 2011.

SERAPIÃO, Fernando; HARA, Helio; NEPOMUCENO, José. *Auditório Ibirapuera o projeto esquecido de Niemeyer*. São Paulo: Livre, 2013.

SEVERIANO, Jairo; MELLO, Zuza Homem de. *A canção no tempo*, v. 2. São Paulo: Ed. 34, 1998.

SILVA, Walter. *Vou te contar*. São Paulo: Editora Códex, 2002.

SOUZA, Tárik de; CEZIMBRA, Márcia; CALLADO, Tessy. *Tons sobre Tom*. Rio de Janeiro: Revan, 1995.

TATIT, Luiz. *O cancionista: Composições de canções no Brasil*. São Paulo: Edusp, 1995.

TÔRRES, Artur de Almeida. *Moderna gramática expositiva da língua portuguesa*, 8. ed. Rio de Janeiro: Editora Fundo de Cultura, 1959.

URDANG, Laurence. *The Oxford Thesaurus*. Oxford: Oxford University Press, 1992.

MERRIAM-WEBSTER. *Webster's New Collegiate Dictionary*. Springfield: G & C Merriam Co. Publishers, 1951.


JORNAIS, REVISTAS E AGÊNCIAS DE NOTÍCIAS

*Associated Press*

*Correio do Povo*

*Daily Press*

*Down Beat*

*El Clarín*

*Época*

*Folha de S.Paulo*

*Jornal da Tarde*

*Jornal do Brasil*

*La Nación*

*La Repubblica*

*Le Monde*

*Los Angeles Times*

*O Cruzeiro*

*O Estado de S. Paulo*

*O Globo*

*Pittsburgh Post-Gazette*

*Rock Island Argus*

*The Anniston Star*

*The Daily Journal*

*The Gazette*

*The New York Times*

*The Observer*

*The Sacramento*

*The San Francisco Chronicle*

*The San Francisco Examiner*

*The Springfield News*

*The Tampa Tribune*

The Village Voice
*Última Hora*
*Valley Times-News*
*Veja*

*Ventura County Star*
*Vineland Daily Journal*
*Zero Hora*

SITES

Mencionados nas notas deste livro, assim como o site <http://daniellathompson.com/>.

# Créditos das imagens

pp. 1, 2 e 15: Acervo Maria Olívia Pereira de Oliveira (Vivinha)/ Reprodução de Ivan Cruz. Agradecimentos a Carlos Maurício Cordeiro (Mauriçola) e Omar Babá Torres

p. 3 (acima): Clóvis Melo/ Editora Globo/ Agência O Globo

pp. 3 (abaixo) e 9 (ao centro): Arquivo/ Estadão Conteúdo

p. 4: DR/ Carlos Kerr/ Manchete

p. 5: Antonio Nery/ Tyba

p. 6: David Zingg/ Acervo Antonio Venancio

p. 7: Acervo Iconographia

p. 8 (acima): David Zingg/ Acervo Instituto Moreira Salles

p. 8 (abaixo): Valentim/ Acervo UH/ Folhapress

p. 9 (acima): Acervo UH/ Folhapress

p. 9 (abaixo): Mario Thompson

p. 10 (acima): Alcyr Cavalcanti/ Agência O Globo

pp. 10 (abaixo), 13 (abaixo) e 14: Arquivo/ Agência O Globo

p. 11 (acima): Renato dos Anjos/ Folhapress

p. 11 (abaixo): Olivio Lamas/ Agência O Globo

pp. 12 (acima) e 16: Dario Zalis

p. 12 (abaixo): Leonardo Aversa/ Agência O Globo

p. 13 (acima): João Wainer/ Folhapress

# Índice onomástico

*40 Years of Bossa Nova, The* (show de 1998 em Nova York), 202

"Abraço no Bonfá, Um" (composição instrumental), 51, 73, 244
"Abre a janela" (canção), 172
Abreu, José Maria de, 33
Abreu, Tuzé de, 222, 224, 257, 260, 262
Abujamra, Antônio, 164
"Acalanto" (canção), 42
"Acapulco" (canção), 100, 246
"Acontece que eu sou baiano" (canção), 105-6, 205, 208
Adderley, Cannonball, 79, 84
"Adeus, América" (canção), 114, 173-4, 180
Aflalo, Armando, 96
"Águas de março" (canção), 127, 132, 227
Alberto (do Enamorados do Ritmo), 26
Albizu, Olga, 92, 95, 134
"Álbum branco" *ver João Gilberto* (álbum de 1973)
Albuquerque, Armando, 40-3, 51, 130
Albuquerque, João Luiz de, 120

Alemanha, 16, 113, 254
Alf, Johnny, 35-6, 60, 72, 241
Algranti, Roberto, 177, 185, 187
"Alguém como tu" (canção), 36
"All of Me" (canção), 154, 233
Almeida, Aracy de, 32
Almeida, Harry Vasco de, 105
Almeida, Hianto de, 34
Almeida, Janet de, 14, 96, 112, 187-8
Almeida, Joel de, 188
Almeida, Laurindo de, 33, 86-8
Alvarenga e Ranchinho, 173
Alves, Ataulfo, 96
Alves, Carmélia, 136
Alves, Edson José, 106, 160, 183
Alves, Francisco, 15, 25, 37-8, 119, 156
Alves, Lúcio, 14, 33, 36, 73, 106, 111-2
"Always" (canção), 131
"Amanhã" (canção), 26
"Amar é bom" (canção), 33
Amaral, Ricardo, 120
"Amor em paz, O" (canção), 19, 76
*Amor, o sorriso e a flor, O* (álbum), 71-4, 186, 263

"Amor, o sorriso e a flor, O" (canção), 119
Amorim, Paulo, 216
*Amoroso* (álbum), 13, 16, 135-8, 142, 145, 148, 186, 214
Ana Lúcia (cantora), 81-2
Andrade, André Gustavo de, 248
Andrade, Faustino, 58
Andrade, Mário de, 121
Ângela Maria, 36, 66
"Anjo cruel" (canção), 33
Anjos do Inferno (conjunto musical), 25, 68-9, 104-8
Antonio (garçom), 51
*Antonio Carlos Jobim the composer of Desafinado Plays* (álbum), 91, 123, 135
Antônio Maria, 33, 169
Antunes, Arnaldo, 259
"Aos pés da cruz" (canção), 68, 173, 227
"Aquarela do Brasil" (canção), 78, 144, 151, 154, 255
Araújo, Juarez, 18-9
Araújo, Paulo Cesar de, 194
Araújo, Severino, 25, 114
Arcoverde, Ely, 100
Armstrong, Louis, 84, 87, 153
"Arrastão" (canção), 117
Arrudinha (baterista), 74
"Às três da manhã" (canção), 19
"Asa branca" (canção), 120
"Astronauta, O" (canção), 78
*Astros do Disco* (programa de tv), 12, 71
"Atabaque" (canção), 88
*Autobiografia de um iogue* (Yogananda), 255
"Avarandado" (canção), 127
*Ave verum* (Mozart), 260
"Ave-Maria" (canção), 255
"Ave-Maria no morro" (canção), 19, 164, 188
"Aves no samba" (canção), 116
Azeitona (contrabaixista), 74-5
Azevedo, Alfeu de, 112-3

"Babalu" (canção), 99
Babasin, Harry, 88

Babenco, Héctor, 179
Babo, Lamartine, 150, 169
Baby do Brasil, 125
"Baby" (canção), 119
Bacall, Lauren, 81
Bach, Johann Sebastian, 260
Bacharach, Burt, 83
*Bachianas Brasileiras nº 4* (Villa-Lobos), 229
*Bachianas Brasileiras nº 5* (Villa-Lobos), 260
Badeco, 235
"Bahia com H" (canção), 141-2, 154, 200
*Bahia de Todos os Sambas* (show), 165
Bahia, Mayrton, 185-6
"Baião" (canção), 107-8, 136, 167
Bailly, Otávio, 77
Baker, Chet, 43, 60, 93, 138, 156, 233
"Balada triste" (canção), 66
"Balaio" (canção), 113
*Balanço da bossa* (Augusto de Campos), 204
Baldauf, Norberto, 39, 48, 51
Banda Nova, 173-4
"Bandeira do Brasil" (canção), 173
Bandeirantes, Rede, 162-4
Bando da Lua (conjunto musical), 103-4
Bando Liceal, 108
Bangel, Iná, 112-3
Bangel, Tasso, 112-3
Baracho, Vitalino Alves, 56
*Barato de Iacanga, O* (documentário), 166
Barbosa, Adoniran, 74, 96, 109-10
Barbosa, Haroldo, 13, 112, 114, 154, 235
Barbosa, Luís, 105
Barkan, Todd, 134
Barreto, Emicles Pais, 25
Barroso, Ary, 14, 33, 36, 57, 97, 106, 127, 146
"Bastidores" (canção), 164
Batatinha, 165
Batista, André, 107
Batista, Linda, 36
Batista, Wilson, 119
Bebela, d. (professora e escritora), 24-5
"Beija-me" (canção), 244
Bellini (jogador), 69

308

Benjó, Simão, 18-9
Bennett, Tony, 83, 160
Benson, George, 16
Berembein, Manuel, 120
Bergamo, Mônica, 231
Berger, Steve, 138, 242
Berlin, Irving, 92-3, 99, 131, 243
Berry, Chuck, 94
"Besame mucho" (canção), 99-101, 136, 138
*Best of Two Worlds, The* (álbum), 132-4
Betts, Keter, 95
Bide (sambista), 75
*Big Band Bossa Nova* (álbum), 82
*Billboard* (revista), 92
*Bim Bom — The Complete João Gilberto Song-book* (álbum), 245
*Bim Bom* (Walter Garcia), 124
"Bim bom" (canção), 58, 61-2, 65-6, 130, 179, 227, 245
Bittencourt, Sérgio, 120-1
Blanco, Billy, 33, 36
Blane, Ralph, 99
Bley, Carla, 45
Bloch, Pedro, 97, 159
"Boa noite amor" (canção), 164
"Boas festas" (canção), 164
Bocchino, Alceu, 145, 148-9
"Boggie-woogie na favela" (canção), 201
Bola de Nieve, 215
Bola Sete (guitarrista), 82
Bolão (saxofonista), 155
Boles, John, 86
"Bolinha de papel" (canção), 75, 106
Boneca Regina, d. *ver* Fernandes, Maria Adelaide Regina
Bonfá, Luís, 33, 35, 76, 81-2, 111, 246
Boni (José Bonifácio de Oliveira Sobrinho), 144
"Boogie-woogie do rato" (canção), 201
"Boogie-woogie na favela" (canção), 201
Borges, Oto, 105
Bororó, 151, 210, 235
Bortolon, Arnaldo, 224, 249, 253
Bosco, João, 181-4, 204, 255, 262

Bôscoli, Ronaldo, 61, 68, 70, 72, 82, 123, 143, 160
*Bossa nova, A* (espetáculo coletivo em São Paulo), 71
*Bossa Nova: New Brazilian Jazz* (álbum), 82
*Bossa Nova (New Brazilian Jazz)* (show em Nova York, 1962), 80-3, 85, 87, 90, 94-5, 114, 142
Botezelli, J. C., 110
Brackeen, Joanne, 134
Braga, Sônia, 149
Brahma Número 1 (campanha), 189-91
Branco, Carlos, 45, 49-50
Branco, Waltel, 155, 164-5, 169
*Brasil* (álbum de 1981), 145, 153, 186
*Brasil 60* (programa de TV), 117
"Brasil pandeiro" (canção), 48, 105, 125
Bratke, Marcelo, 229
*Brazil Bossa Nova & Blues* (álbum), 86
*Brazilliance* (álbum), 88
Brean, Denis, 142, 200-2, 215, 264
"Brigas, nunca mais" (canção), 68, 72, 195
Brothers Four, The, 94
Brown, Carlinhos, 182
Brown, Clifford, 138
Brown, Ray, 219
Brubeck, Dave, 84-5
Buarque, Chico, 11, 96, 102, 164, 194-5, 257-8
Bubi *ver* Horowitz, Leon
Buda, 256
Bueno, Maria Esther, 69
Byrd, Charlie, 85-6, 94, 142

"Cabecinha no ombro" (canção), 66
"Cabelos brancos" (canção), 107
Cabral, Sérgio, 194
Caffé, Miécio, 32, 164
*Cal Tjader Plays the Contemporary Music of Mexico and Brazil* (álbum), 86
Calcanhotto, Adriana, 261
Caldas, Sílvio, 25, 34, 68, 155, 161, 215, 244
"Caminhos cruzados" (canção), 138, 213-4, 235, 243

Campos, Augusto de, 118, 132, 204

Campos, Marcello, 39

Campos, Rodrigo, 129

Canazio, Antonio ("Moogie"), 211

*Canção do amor demais* (álbum), 63

"Canção do mar" (canção), 76

*Canção no tempo, A* (Severiano e Homem de Mello), 72

Candido, Antonio, 12, 110

Canhoto, 63

"Canta, Brasil" (canção), 148-50, 155

Cantuária, Vinicius, 155

Capiba, 240

Cardoso, Elizeth, 36, 62-6, 68, 86, 123

Cardoso, Fernando Henrique, 199

"Carinhoso" (canção), 48

Cariocas, Os (conjunto musical), 13, 33, 72, 76-7, 79, 112-4, 155, 173, 235

Carisi, John, 87

Carla (filha de Walter Santos), 26

Carlos, Wendy, 129

Carmichael, Hoagy, 93

Carmona, Beth, 196

Carr, Sonny, 127-8

Carrero, Tônia, 76

"Carta que eu não escrevi, A" (canção), 51

Carter, Ron, 93

Carvalhinho, 188

Carvalho, Joubert de, 155

Carvalho, Roberto de, 146

"Casa de campo" (canção), 18

"Casa portuguesa, Uma" (canção), 170, 264

Cascatinha e Inhana, 108, 201

Castaldo, Gino, 202

Castilho, Bebeto, 66, 75

Castilho, Moacyr Octávio *ver* Otávio Terceiro

Castor (técnico de som), 46, 49, 206

Castro, Danilo Vidal de, 112-3

Castro, Estrela D'Alva, 112-3

Castro, Fidel, 84

Castro, Ruy, 67, 186, 217

Cavalcanti, Manuel, 177

Caymmi, Dori, 72, 148-9

Caymmi, Dorival, 33, 42, 57, 69, 75, 96, 105, 108, 113, 159, 165, 198, 215, 221, 235, 237-8, 240, 244-5, 255

Celestino, Vicente, 37

Cerezo, Toninho, 165

"Chapeuzinho Vermelho" (conto de fadas), 68

Charles, Ray, 53

*Charlie Parker with Strings* (álbum), 138

Chaves, Juca, 157

Chaves, Ovídio, 38

Checchin Junior, Antonio, 166

*Chega de saudade* (álbum), 43, 68-9, 71, 83, 239, 244, 263

*Chega de saudade* (Ruy Castro), 67

"Chega de saudade" (canção), 11, 19, 62-6, 94, 120, 123, 130, 135, 141, 150, 155, 165, 169, 179, 194, 210, 227, 259, 261-2

*Chet Baker & Strings* (álbum), 138

Chevalier, Maurice, 188

Chico Batera, 100, 102, 135, 146

China, Pedro, 26

*Chopp da Brahma* (disco não comercializado), 190

"Chove lá fora" (canção), 48, 238

Christian, Lillie Delk, 154

Christina, Monica, 133

Cícero, padre, 22

Clapton, Eric, 247

Clara, santa, 255

Clark, Lygia, 69

Clark, Stanley, 126

Cleveland, Jimmy, 92

*Clifford Brown with Strings* (álbum), 138

Clinton, Bill, 212

"Coisa mais linda" (canção), 75

Cole, Nat King, 159

Coleman, Ornette, 53, 94

Collor, Rosane, 189

Coltrane, John, 53, 121

Como, Perry, 85

Conceição, Wander, 56-7, 59

Concerto do Carnegie Hall *ver Bossa Nova*

*(New Brazilian Jazz)* (show em Nova York, 1962)
Conjunto Farroupilha, 51, 112-3
Conjunto Melódico Norberto Baldauf, 39
Connor, Chris, 53
Conte, Amílcar de, 103
Conti, Mario Sergio, 186, 213, 255
*Contrôle Discal* (programa belga de rádio), 182
*Copacabana Palace* (filme italiano), 76
"Copacabana" (canção), 33
Copinha (flautista), 65
Coqueijo, Carlos, 238
"Corcovado" (canção), 78, 81, 88, 90, 115, 120, 142, 227, 235
Corea, Chick, 126, 131
Corrêa, Ismael, 74
Corte Real, Roberto, 140-1
Cortes, Paixão, 113
Costa, Alaíde, 72
Costa, Carmen, 82
Costa, Dulce, 23, 25
Costa, Gal, 49, 118-9, 165, 194, 199, 208-9, 215
Costa, Judith Leal, 23
Costa, Mário Dias, 82
Costa, Paulinho da, 153
Crescente, Luiz Eduardo, 195-6
Crescente, Rosa, 195-6
Crosby, Bing, 25
*Cruzeiro, O* (revista), 80-1
Cuba, 84
"Cubanchero, El" (canção), 108
Cugat, Xavier, 25
Cultura (TV), 195-8
Cunha, Antônio, 171
"Curare" (canção), 148, 150, 155, 164

D'Almeida, Neville, 176
"Da cor do pecado" (canção), 201, 210, 226
Dadainha *ver* Paz, Maria da Conceição Oliveira (Dadainha, irmã de João Gilberto)
Dadi, 125
Dallamano, Massimo, 76

Daniel Filho, 144-6, 148-9
Dantas, Daniel, 249
Dantas, Fred, 24
Dantas, Marcello, 230, 241-2, 246-7
Darin, Bobby, 53
Dávila, Sérgio, 242
Davis Jr., Sammy, 77, 83
Davis, Clive, 216
Davis, Miles, 93-4, 173, 189, 221, 263
"De conversa em conversa" (canção), 120
De Palma, Jula, 76
"Dê um rolê" (canção), 126
Dedé (monja), 224
Del Nero, Cyro, 120
Demongeot, Mylène, 76
Demônios da Garoa, 108-10
Deniz, Paulo, 39, 51
Deodato, Eumir, 11
*Desafinado* (single), 85, 89, 92
*Desafinado: Bossa Nova & Jazz Samba* (álbum), 86
"Desafinado" (canção), 19, 51, 67-8, 83, 85, 93-4, 120, 141-2, 148, 161, 165, 167, 170, 194, 198, 210, 214, 216, 235, 240, 259
"Desde que o samba é samba" (canção), 210
Desmond, Paul, 136
"Deus salve a América" (canção), 243
"Dezessete e setecentos" (canção), 107
Diabos do Céu (orquestra de sopros), 104
Diamantina (MG), 53-9
*Diário de Lisboa* (jornal), 170
*Diário Popular* (jornal), 170
Dias, Maurício, 26-7
Dias, Mauro, 210, 217
*Dicionário musical brasileiro* (Mário de Andrade), 121
Diddley, Bo, 94
Didi (jogador), 69
Diegues, Cacá, 235
Dieguez, Consuelo, 249
Dietrich, Marlene, 83
Diniz, Edinha, 218, 222, 224, 253
Diniz, Edson, 238

"Disparada" (canção), 117
Distel, Sacha, 83
"Dobrado de amor a São Paulo" (canção), 169
Donato, João, 34, 43, 60, 112, 136, 143, 148, 151
*Dono do mundo, O* (telenovela), 190
"Dora" (canção), 105
"Doralice" (canção), 105-6, 120, 135, 142, 165, 179, 226, 233, 235, 243, 245
Dorough, Bob, 242
Dorsey, Tommy, 25, 114
Dowd, Tom, 53
*Downbeat* (revista), 87, 92, 132
Drummond de Andrade, Carlos, 43, 58
Duarte, Aderbal, 224, 238
Duarte, João, 27-9
Duarte, Maria de Lourdes, 25
Dunn, Christopher, 128
Duprat, Rogério, 118, 120
Duran, Dolores, 33, 63, 83
Duvivier, George, 92

"É com esse que eu vou" (canção), 107
"É luxo só" (canção), 68
"É preciso perdoar" (canção), 128, 132, 135
Eça, Luisinho, 60, 83
"Eclipse" (canção), 99-100, 210
Edinho (pintor e escultor), 125
Edinho (violonista), 61
"Ela é carioca" (canção), 115
Elis Regina, 11, 12, 96, 102, 117
Ellington, Duke, 25, 93, 131
"Emília" (canção), 172
Enamorados do Ritmo (conjunto musical), 26, 106
*Encontro, O* (pocket show), 77-8
*Encyclopedia of Jazz* (Feather), 82
Engenheiros do Hawaii (banda), 195
*Época* (revista), 247
*Equilibrium verde* (ilustração de Olga Albizu), 134
Ertegün, Nesuhi e Ahmet (trio de irmãos turcos), 53

*Escola Risonha e Franca* (programa de rádio), 109
"Escurinho" (canção), 15
*Especial de 25 anos* (TV Cultura), 196-7
Espinosa, Jorge, 206
"Esse seu olhar" (canção), 19, 238
*Esta vida é um Carnaval* (show), 35
*Estado de S. Paulo, O* (jornal), 168, 196, 210, 217, 220, 262
Estados Unidos, 12, 13, 66, 77, 83-6, 90, 92, 94-5, 101, 104, 106, 118, 121, 134-5, 142, 153, 185, 187, 197, 202, 206, 212, 219-20
"Estate" (canção), 15, 48, 51, 136, 138, 141, 148, 155, 165, 170, 174, 198, 218
"Este seu olhar" (canção), 76, 221
"Estrada do sol" (canção), 100
"Eu e a brisa" (canção), 148-9
"Eu e meu coração" (canção), 188
"Eu quero um samba" (canção), 111-2, 127
"Eu sambo mesmo" (canção), 14, 96, 106, 142, 187
*Eu sei que vou te amar* (álbum), 198
"Eu sei que vou te amar" (canção), 48, 195, 201
"Eu sonhei que tu estavas tão linda" (canção), 51
"Eu vi um leão" (canção), 107
"Eu vim da Bahia" (canção), 127, 132, 135, 141, 210
Europa, 121, 137, 147, 173, 182, 184-5, 219
Evangelho de João, 255
Evans, Bill, 128, 137
"Exaltação à Mangueira" (canção), 96
Excelsior (TV), 74, 117, 200
Ezabella, Fernanda, 233

Fábio Jr., 149
Faissol, Claudia, 224, 230-4, 241-2, 246-9, 258
Falcão (jogador), 165
"Falsa baiana" (canção), 119, 127, 132
Faria Jr., Miguel, 241
Faria, Arthur de, 45
Farmer, Art, 93

Farney, Dick, 32-3, 36, 85, 221
Faro, Fernando, 118, 164
"Farolito" (canção), 99
Farroupilhas em Hi-Fi, Os (álbum), 113
Feather, Leonard, 82, 87
"Feitiço da Vila" (canção), 164
Feldman, Zev, 134
"Felicidade, A" (canção de João Gilberto), 51, 180
"Felicidade" (canção de Lupicínio Rodrigues), 111
Felício, irmãs, 58
Fernandes, Alberto, 39-40, 42
Fernandes, Maria Adelaide Regina (d. Boneca Regina), 39-40, 42, 51
Ferraz, Hélio, 236
Ferraz, Otávio, 231-7
Ferreira, Bibi, 117
Ferreira, Djalma, 70
Ferreira, Durval, 72
Ferreira, Inês, 166
Festival de Águas Claras, 108, 166-7
Festival do Samba Moderno, 70
Figueiredo, Maurício, 187
Final do Juízo (show), 126
Fino da Bossa, O (programa de tv), 12, 14, 96, 106, 117
Fischer, Clare, 86, 186, 188
Fischer, Eduardo, 189-91
Fischer, Marc, 55-6, 252
Fitzgerald, Ella, 83, 214, 221, 241
"Fiz a cama na varanda" (canção), 38
Flecha de Lima, Paulo Tarso, 199
"Foi a noite" (canção), 60
"Foi na Lapa" (canção), 119
Folha de S.Paulo (jornal), 217
"Folha morta" (canção), 36, 146
Fonseca, Juarez, 41, 44
Forsin, Carmela, 45-6, 49, 176, 185, 230
Fortes, Fernando, 196
"Fósforo queimado" (canção), 36
"Fotografia" (canção), 195, 201
França, 83, 182, 188
Frey, Sidney, 79, 82

Gachot, Georges, 55, 252
Galhardo, Carlos, 25
Galvão, Luiz, 124-5
Garcia, Irineu, 63
Garcia, Isaurinha, 70-1
Garcia, Walter, 124
Gardenberg, Monique, 230, 234
Garland, Judy, 100
Garner, Erroll, 131
"Garota de Ipanema" (canção), 19, 78-9, 90, 141-2, 165, 199, 202, 205, 213, 218, 227-8, 233, 241
Garoto (compositor), 33
Garotos da Lua (conjunto musical), 32-5, 111, 115, 145, 155
Gasperini, Gian Carlo, 209
"Gauchinha Bem-Querer" (canção), 51
Gaúcho (álbum), 113
Gaurichon, Luc, 182
Gavin, James, 134
Gaya, Lindolfo, 143, 148-9
Genro, Tarso, 45
Gentil, Romeu, 108
Gershwin, George, 86, 92, 131, 138, 264
Getz, Stan, 19, 79, 82, 84-6, 88-91, 94-5, 126, 131-5, 142, 202
Getz, Steve, 134
Getz/Gilberto (álbum), 89, 92-5, 131-2, 134-5, 191
Getz/Gilberto — volume #2 (álbum), 95, 134
Getz/Gilberto '76 (álbum), 134
Giddins, Gary, 93, 153-4, 203, 218
Gil, Gilberto, 11, 127, 145, 151-4, 165, 173, 187, 195, 199, 256
Gilberto, Astrud, 26, 42-3, 72, 84, 89-91, 95, 193-4, 197, 199, 241
Gilberto, Bebel, 12, 27, 97, 128, 131, 140, 145, 148-50, 155, 165, 197, 200, 202, 207, 245, 250, 255, 260-1
Gilberto, João Marcelo, 95, 102, 197-8, 206, 223
Gillespie, Dizzy, 82, 84, 94
Gimbel, Norman, 90

*Girl from Ipanema, The* (single), 89-90, 93
"Girl from Ipanema, The" (canção), 90, 93
Giron, Luís Antônio, 247
Gleason, Ralph J., 93
*Globo, O* (jornal), 217
Globo, Rede, 144, 151, 164, 190
Gnattali, Radamés, 33, 41, 48, 130
Gobern, João, 171
"God Bless America" (canção), 243
Golson, Benny, 84
Gomes, Carlos, 47
Gomes, Jorginho, 125
Gomes, Pepeu, 125
Gonçalves, Antunes, 191
Gonçalves, Nelson, 114
Gonzaga, Luiz, 21, 58, 107-8
Gonzaga, Zezé, 215
Goodman, Benny, 84
Gordin, Lanny, 119
Goulart, João, 37
*Grandes Nomes* (especiais de tv), 144
Granz, Norman, 219
Gréco, Juliette, 81
Grupo X (conjunto musical), 103
Grusin, Dave, 199
"Guacyra" (canção), 195, 201
Guanaes, Nizan, 230
Guarani (baterista), 25, 66, 75, 123
Guevara, Che, 84
Guinle, Jorginho, 83

"Há quem sambe por sambar" *ver* "Eu sambo mesmo" (canção)
Hall, Jim, 83, 138
Hamilton, Chico, 93
Hancock, Herbie, 93, 211
Harris, Maria do Céu, 46, 49-50, 52, 206, 213, 252-3, 256, 258, 260
Hart, Billy, 134
Harte, Roy, 88
Hawkins, Coleman, 86
Heath, Percy, 79, 84
Hedy (esposa de Miecinho), 32

"Hei de ver-te um dia" (canção), 15
Heineken Concerts, 195, 197-8
"Helena! Helena!" (canção), 107
Heloísa (irmã de Claudia Faissol), 258
Hendricks, Jon, 87, 247
Hendricks, Lambert & Ross (trio), 87
Henri, Raul, 240
Hermann, Estevão, 142-3
Hernández, Rafael, 108
Hime, Francis, 11
Hino Nacional Brasileiro, 51
*Histórias das Malocas* (programa de rádio), 109
"Ho-ba-la-lá" (canção), 62, 67, 130, 245
Holanda, Chico Buarque de *ver* Buarque, Chico
Holanda, Heloísa Maria Buarque de *ver* Miúcha
Holanda, Maria Amélia Alvim Buarque de, 96, 142, 164
Holanda, Sérgio Buarque de, 12, 96, 142, 164, 251
Holden, Stephen, 199
Holder, Geoffrey, 136
Homem de Mello, Zuza, 9-10, 13-6, 86, 97, 103, 233, 259
Horowitz, Leon (Bubi), 56-7
"How about You?" (canção), 93
Hughart, Jim, 153
Hungria, Júlio, 99

"I'm Looking Over a Four Leaf Clover" (canção), 73, 109
"Insensatez" (canção), 19, 51, 76, 115, 213
"Isaura" (canção), 128, 132-3, 251
"Isto aqui o que é?" (canção), 19, 167, 170, 174, 221
"It Happened in Monterey" (canção), 86

"Jacarepaguá" (canção), 108
Jackson do Pandeiro, 215
Jacob do Bandolim, 121
Jacques, Geraldo, 13, 114
Jam, The (banda), 256

Jamili, Jorge, 247
"Janelas abertas número 2" (canção), 120
Japão, 219, 222, 224-5, 230, 234, 237, 243, 246, 249, 253-4, 257
*Jazz Meets Bossa Nova* (álbum), 86
*Jazz Samba* (álbum), 82, 85, 92, 94
*Jesus, alegria dos homens* (Bach), 260
*João* (álbum de 1991), 158, 187, 189-90, 223
*João e Antônio* (show), 191, 194-5
*João Gilberto — O mito* (coletânea de 1988), 178, 185, 248
*João Gilberto* (álbum de 1961), 74-6, 109, 263
*João Gilberto* (álbum de 1973), 112, 127, 129, 132
*João Gilberto* (Zuza Homem de Mello), 198
*João Gilberto 80 anos: uma vida bossa nova* (projeto de show), 246-7
*João Gilberto en México* (álbum), 98-9
*João Gilberto in Tokyo* (álbum), 220-1
*João Gilberto Live at the 19th Montreux Jazz Festival* (álbum), 174-5, 198
*João Gilberto Live at Umbria Jazz* (álbum), 218
*João Gilberto Prado Pereira de Oliveira* (álbum de 1980), 150
"João Marcelo" (canção), 102, 120, 246
*João voz e violão* (álbum de 2000), 209-10, 217
João, São, 255
*João: a arte e o ofício de cantar* (especial de TV), 162
Jobim, Dora, 241
Jobim, Paulo, 178
Jobim, Tom, 36, 42-3, 60, 62-5, 67-8, 70-1, 73-8, 81, 84, 86-93, 102, 114, 124, 130, 132-3, 138, 143, 173-4, 178, 191-4, 198-9, 226-7, 230, 241, 244, 256
Joel e Gaúcho (dupla), 188, 197, 201
Jofre, Éder, 69
Jolly, Pete, 186
Jones, Quincy, 84
Jorginho (saxofonista), 34
*Jornal da Tarde*, 153-4, 171, 174
*Jornal do Brasil*, 144, 166, 177, 217-8
Jornal do Brasil, Rádio, 187

*Jornal Nacional* (telejornal), 190
"Joujoux e balangandãs" (canção), 146, 148-50, 155
Jovininho *ver* Oliveira, Jovino Antônio Pereira de (Jovininho, irmão de João Gilberto)
Juazeiro (BA), 19, 21-31, 54-5, 58, 62, 98, 106, 123-4, 127, 139, 144, 183, 234
"Juazeiro" (canção), 21-2
Judice, José, 244
Julio Maria, 248, 250
Juquinha (baterista), 66, 75, 123
Jureck, Tom, 132
"Just One of Those Things" (canção), 133

Karam, Sérgio, 45
Keane, Helen, 137
Kent, Stacey, 256
Kern, Jerome, 92-3
Kessel, Barney, 60
King, Morgana, 83
Kingston Trio, 94
Kobe, Carlos, 195
Kondo, Kenichiro, 219-20, 234
Kopoul, Rémy Kolpa, 181-2, 184
Koscina, Sylvia, 76
Krall, Diana, 211, 256
Kubitschek, Juscelino, 54
K-Ximbinho, 33

"Lá vem a baiana" (canção), 195, 201
Ladeira, César, 107
Lane, Burton, 93
Lane, Virginia, 37
Lara, Agustín, 99
Laranjeira, Elza, 215
Lavigne, Paula, 209, 230, 257-8, 260
Lázaro, Marcos, 12, 96
Leão, Danuza, 233
Leão, Nara, 61, 72
Lecuona, Ernesto, 99
Lecuona, Margarita, 99
Lee, Rita, 145-6, 148-50
Legião Brasileira de Assistência, 189

Leib, Gabi, 143
Leite, Geraldo, 187
Leivinha, 166
Lemos, Fafá, 70
Leonidoff, Leon, 114
Leporace, Vicente, 109
Lessa, Barbosa, 113
Liberation Orchestra, 45
"Lígia" (canção), 132, 226, 235
Lima, Raul, 38
Lima, Toy, 195, 197-8, 200
Lincoln, Ed, 60
"Linda flor" (canção), 155
Linhares, Marina, 187
Lins, Ivan, 148
LiPuma, Tommy, 137
Lisboa, 49, 169, 171, 220
Liston, Melba, 84
Little Richard, 94
"Lobo bobo" (canção), 68
Lobo, Edu, 11, 194
Lobo, Ercília, 18, 20, 216
London, Julie, 60, 118
Londres, 118-9, 213-4, 216
Longano, Isidoro, 155
Lopes, Gil, 176, 185, 187, 189-93, 195-7, 199, 219, 249
Lopes, Maria Amélia Rocha, 174
Los Angeles Times (jornal), 93
"Louco" (canção), 164, 173, 202
"Lua e estrela" (canção), 155
Luisa (filha de João Gilberto), 231-4, 249
Luna, Pedrito, 26
Lyra, Carlos, 61, 68, 72, 75, 81, 84, 115, 134, 230, 244

Macedo, Walter, 28
Macero, Teo, 132
Machado, Carlos, 35, 111, 114
Machado, Edson, 92
Machado, Rodolfo, 120
Maciel Maluco, 65
Maciel, Luís Carlos, 144

MacKay, Ellin, 131
Madi, Tito, 33, 36, 61, 71, 113
Magaldi, João Carlos, 120
Magalhães, Álvaro, 45-9
Magrinho Elétrico, 188
Maia, Lauro, 75, 107
Maia, Tim, 17, 215
"Mais que nada" (canção), 202
"Malaga" (canção), 188, 218
Malfatti, Duílio, 192-4
Maluf, Vera, 171
Mammì, Lorenzo, 158
Manchete (revista), 70, 173
Mandel, Johnny, 87, 153, 186
Mandel, Jonnhy, 153
"Mangaratiba" (canção), 107
"Manhã de Carnaval" (canção), 82, 94
Mann, Herbie, 86
Marçal (sambista), 75
Maria Bethânia, 145, 151-4, 157, 165, 168, 194, 215
"Maria ninguém" (canção), 68
Maria Pezinho, 24-5
Mariah, 150
Marisa Gata Mansa, 35
Marques, Celso, 40, 43, 255
Martha, Maria, 15
Martin, Hugh, 99
Martino, Bruno, 15-6
Martino, Telmo, 174
Martins, Célio, 152, 176, 185
Martins, Herivelto, 19, 238
Martins, Roberto, 244
Mata, Nilson, 143
Matogrosso, Ney, 164
Mattar, Thiago, 166-7
Maysa, 67
Mazzola, Marco, 248
McCann, Bryan, 95
McCorkle, Susannah, 256
McFarland, Gary, 79, 82
Medaglia, Júlio, 118
Medeiros, Antônio, 215

Medeiros, Jotabê, 233
"Meditação" (canção), 70-1, 227
"Meia luz" (canção), 34
Mello, Guto Graça, 144, 146, 148, 151-3
Mel-Tones, 111
Mendes, Cézar, 256, 258
Mendes, Sérgio, 82, 84
Mendonça, Newton, 67, 70-1
Mendonça, Renato, 48, 50, 52
Menéndez, Roberto, 206-7
Menescal, Roberto, 60-2, 66, 72, 75, 79, 82, 114-5, 215
Menezes, Thales de, 256
"Menina moça" (canção), 71
"Menino do Rio" (canção), 144, 148, 150, 174
Merky, Z. J., 65
Mesquita, Custódio, 33
*Messaggero, Il* (jornal), 165
"Meu coração vagabundo" (canção), 119, 210
"Meu mundo caiu" (canção), 66
Midani, André, 150-1
Miele, Luís Carlos, 143
Mielniczenko, Sergio, 199
Migliori, Gabriel, 31
Milito, Hélcio, 66, 83, 95
Miller, Glenn, 25, 114
Mills Brothers, 104-5
Miltinho (pandeirista), 105, 111, 215
Milton Banana, 60, 75, 77, 89, 91, 93, 96, 205
"Minas Gerais" (canção), 19, 264
Mingus, Charles, 53
"Minha casa" (canção), 155
"Minha saudade" (canção), 136, 245
Miranda, Carmen, 104, 106
Miranda, Gustavo Carvalho, 260
Miranda, Raphael, 249-50
Miúcha, 12-3, 27, 55, 96-8, 112, 120-1, 126, 128, 131-3, 140, 143, 145, 148, 164, 207, 251-2, 255, 257, 260-1
Miyata, Shigeki, 219
*Moacyr Franco Show* (programa de tv), 117
Modern Jazz Quartet, The, 53, 79, 94, 173
Modernaires, 111, 114

Modugno, Domenico, 202
Molles, Osvaldo, 109
*Monde, Le* (jornal), 242
Monk, Thelonious, 53, 121, 156
Monte, Heraldo do, 74
Monteiro, Ciro, 188, 201, 215
Monteiro, Doris, 33, 36, 76
Monteiro, Mário, 145
Mooney, Art, 73
Moraes, Vinicius de, 42, 60, 63-4, 68, 77, 90, 140-1, 169, 230, 241, 256
Morais, Bola, 125
Morais, Sidney, 113
Moreira Salles, Walter, 190
Moreira, Airto, 126
Moreira, Juarez, 245-6
Moreira, Moraes, 125, 165
Morelenbaum, Jacques, 156, 210
"Morena boca de ouro" (canção), 42, 57, 68, 226, 239
Mota, Nilo Xavier da, 108
Motta, Arnaldo, 58
Motta, Drehylde Leão, 58
Motta, Nelson, 153, 175
Moura, Tavinho, 54
Moya, Álvaro, 119
Mozart, Wolfgang Amadeus, 260
MTV (Music Television), 189-90
Mugiatti, Roberto, 173
Mugnaini Jr., Ayrton, 109
"Mujer, Una" (canção), 188, 190
Mulligan, Gerry, 79, 89, 93-4
Muylaert, Roberto, 195

"Na Baixa do Sapateiro" (canção), 106, 127
Nacif, Simone, 248
*Nación, La* (jornal), 205, 207
Nader, Carlos, 230, 241-2
Namorados da Lua (conjunto musical), 111-2
"Nanã" (canção), 153
Nanái (violonista), 105, 111
"Não diga não" (canção), 36
"Não pago o bonde" (canção), 15

"Não vou pra casa" (canção), 197, 210
Nascimento, Milton, 11
Nazinha, vó, 58
"Nega do cabelo duro" (canção), 106
"Negrinho do Pastoreio" (canção), 113
Negrita, Charles, 125
Nepomuceno, José Augusto, 209
Nery, Maria Eugênia, 238
Neto, Ismael, 33, 112, 114
Neves, Ezequiel ("Zeca"), 167
Neves, Oscar Castro, 72, 81, 84, 99, 101, 132, 135
*New Beat Bossa Nova* (álbum), 86
*New York Times, The* (jornal), 80, 98, 159, 199, 209
Ney, Nora, 33, 36
Niemeyer, Oscar, 69, 229
Nilo Sérgio, 73, 109
"Ninguém me ama" (canção), 36
"No rancho fundo" (canção), 164
"No tabuleiro da baiana" (canção), 152, 154, 157
Nobs, Claude, 173
Noel, Noélia, 38
*Noite do amor, do sorriso e da flor, A* (show), 72
*Noite do sambalanço* (show), 72
Norberto, Cândido, 51
"Nos braços de Isabel" (canção), 244
Nossa Senhora das Grotas (padroeira de Juazeiro), 23
*Noturno* (programa de rádio), 187
"Nova ilusão" (canção), 202
Nova Jersey, 12, 97, 118, 204, 252
Nova York, 12-3, 16, 28-30, 53, 79-81, 84, 88, 91, 93, 97-8, 114, 121, 126-7, 129, 132, 135-6, 139-40, 142, 175, 189, 199, 202, 209, 211-2, 216, 218, 220, 257, 260
Novos Baianos, 124-5
Nuova Orchestra da Camera di Roma, 165

"Odete" (canção), 120
Ogerman, Claus, 13, 91, 135, 145, 186
Oiticica, Hélio, 69, 217

Okin, Earl, 214
Oliveira, Aloysio de, 65-6, 77, 103-4
Oliveira, Dalva de, 25, 36
Oliveira, Dewilson, 28
Oliveira, Ederval Pereira de (Vavá, irmão de João Gilberto), 30, 182, 194
Oliveira, Francisco Nepomuceno de, 110
Oliveira, Joviniano Domingos de (pai de João Gilberto), 24, 26-7
Oliveira, Jovino Antônio Pereira de (Jovininho, irmão de João Gilberto), 55, 57
Oliveira, Maria Oliva de (Vivinha, irmã de João Gilberto), 24, 26, 30, 98
Oliveira, Martinha do Prado Pereira de (d. Patu, mãe de João Gilberto), 24-7, 31, 40, 198
*Onde está você, João Gilberto?* (filme), 252
"Onde estão os tamborins" (canção), 107
"One Note Samba" (canção), 93
Operação Bossa Nova, 70
*Orfeu da Conceição* (musical), 60, 230
*Orfeu Negro* (filme), 82
Orquestra Sinfônica de Lisboa, 169
Otávio Terceiro, 18, 46-7, 49-50, 52, 120-1, 200, 206-7, 213, 222, 224, 231, 252
"Outra vez" (canção), 42, 63, 67, 82

Paiva, Vicente, 255
"Palpite infeliz" (canção), 179-80, 187-8
Papudinho (trompetista), 74, 87
Paquito, 108
"Parabéns a você" (canção), 19, 40, 140, 184, 264
Paris, 95, 181, 219
Parker, Charlie, 138
Pastels (conjunto norte-americano), 111
"Pato, O" (canção), 19, 51, 72, 115-6, 148-49, 160, 167, 170, 175, 205, 213, 218, 227, 244
Patu, d. *ver* Oliveira, Martinha do Prado Pereira de (d. Patu, mãe de João Gilberto)
"Pau de arara" (canção), 94
Paul, Les, 118
Paulinho Boca de Cantor, 125
Paulinho da Viola, 215

Paulino, Franco, 80
Payne, Don, 83, 91, 97
Paz, Maria da Conceição Oliveira (Dadainha, irmã de João Gilberto), 54-7, 222
Pederneiras, Hedy, 51
Pederneiras, Malu, 40, 42
Pedreira, José Amâncio, 140, 142
Pedro Pirulito, 29
Pelé (jogador), 69, 133, 182
Peña, Ralph, 86, 186
"Pensou cerveja, pediu Brahma Chopp" (jingle), 189-90
Pequinho, 213
Pêra, Marília, 148
Pereira, Chico, 62, 178, 244-5
Pereira, Geraldo, 15, 33, 75
Perez, Cecilia, 216
Perez, Fernando, 216
Perry Como Show, The (programa de tv), 85
piauí (revista), 249
Piazzolla, Astor, 173
Pica-Pau (radialista) ver Silva, Walter
"Pica-pau" (canção), 14, 97, 106, 227
Pick-up do Pica-Pau (programa de rádio), 71
Pied Pipers, 114
Pierre, Max, 210
Pignatari, Décio, 118, 204
Pijuca (violonista), 107
Pingarrilho, 100
Pinto, Marino, 108, 238
Pinto, Walter, 37
Pitanga, Camila, 210
Pixinguinha, 104
Pobre menina rica (musical), 230
Poladian, Manoel, 142
Police, The (banda), 256
Ponte Preta, Stanislaw, 70
Pontes de Medeiros, irmãos, 107
Porter, Cole, 86, 92-3, 158, 176
Porto, Sérgio, 78
Portugal, 49, 171, 252, 261
Powell, Baden, 60, 115
"Pra ninguém" (canção), 209

"Pra que chorar" (canção), 115
"Pra que discutir com madame" (canção), 48, 172, 174, 176, 179, 226
"Preconceito" (canção), 172, 174
"Prelúdio para ninar gente grande" (canção), 111
"Prenda minha" (canção), 49, 51
"Presente de Natal" (canção), 76
"Presidente Bossa-Nova" (canção), 157
Presley, Elvis, 94
Preto, Marcus, 129
Prieto, Antonio, 205
"Primeira vez, A" (canção), 75, 119, 165
Priolli, Mário, 142
Programa do Zuza (programa de rádio), 103

Quadros, Jânio, 84
"Quando você recordar" (canção), 33
Quartera, 235
Quarteto Quitandinha, 111
Quatro Ases e Um Coringa (conjunto musical), 25, 107-9
"Que reste-t-il de nos amours" (canção), 188
"Quem há de dizer" (canção), 51, 119-20
"Quem há dizer" (canção), 119
Quintana, Mario, 51
Quitandinha Serenaders (conjunto musical), 35, 38, 54, 111, 115

Radiolândia (revista), 67
Ramos, Flávio, 77-8, 83
Ramos, Tony, 147
Raposo, Omar, padre, 261
Ratita (trompetista), 75
Ratliff, Ben, 209
RDP (Rádio Difusão Portuguesa), 169
Record, Rádio, 109
Record, Rede, 11-2, 31, 67, 71, 77, 83, 96, 98, 110, 113, 117, 163
Red Hot Chili Peppers (banda), 209
Redondo, Jaime, 255
Reeves, Dianne, 211
Reis, Dilermando, 63

Reis, Mário, 70, 104, 150, 156, 169
"Requebre que eu dou um doce" (canção), 105
Rescala, Tim, 260
"Retrato em branco e preto" (canção), 13, 19, 48, 51, 119-20, 133, 135, 138, 141, 149-50, 179, 227, 235
*Revista do Rádio*, 67
Ricardo, Sérgio, 72
Rich, Buddy, 83
Rio de Janeiro, 18, 32, 35-6, 38-9, 54, 60, 69, 79, 84, 96, 108, 126, 144, 152, 191-2, 197, 220, 224, 230-1, 234-5, 240, 243, 247, 260-2
"Rio" (canção), 115
"Risque" (canção), 36
Ritenour, Carmen Elisa, 199-200
Rivera Conde, Mariano, 98, 101
Roberto Carlos, 168, 195
Rocha, Paulo Mendes da, 229
Rockettes, 114
Rodemburg, Carlos, 249
Rodgers, Richard, 92-3
Rodrigues, Amália, 170
Rodrigues, Jair, 117
Rodrigues, Karin, 76
Rodrigues, Lupicínio, 36, 39, 111, 118-20
Rodrigues, Magim, 190
Rodrigues, Nelson, 69
Rodriguez, Fátima, 206
Rogers, Shorty, 173
"Rosa morena" (canção), 57, 68-9, 105-6, 120, 159, 170, 198, 221, 235, 238
Rosa, Noel, 32, 70, 179, 187-8, 236, 263
"Rosinha" (canção), 188
Rossi, Mário, 244
Rousseau, Christophe, 244
RTP (Rádio e Televisão Portuguesa), 169
Ruschel, Alberto, 111
Russell, Rosalind, 81
Russo do Pandeiro, 35

"S' Wonderful" (canção), 136, 138, 141, 149, 214

Sá, Marta Maria Oliveira, 55
Sá, Pedro Augusto Cezar Oliveira, 54-5
Sá, Péricles Rocha de, 54-5, 57-8
Sabá (contrabaixista), 136
Sakamoto, Ryuji, 219
*¡Salud! João Gilberto, Originator of the Bossa Nova* (álbum), 87
Salvador (BA), 22, 31-2, 36, 40, 58, 105, 111, 127, 139-40, 154, 194, 209, 230-1, 235-7, 247
"Samarina" (canção), 18
"Samba da bênção" (canção), 52, 78
"Samba da minha terra" (canção), 75, 95, 141, 179
"Samba da pergunta" (canção), 100
"Samba de uma nota só" (canção), 72, 78, 89
"Samba de verão" (canção), 115
"Samba do Arnesto" (canção), 109-10
"Samba do avião" (canção), 42, 76, 78, 115, 235
Samba Session, 70
"Sampa" (canção), 188-90
Santos Jr., Messias, 168
Santos, Agostinho dos, 81-2
Santos, Carlos, 143
Santos, Edésio, 28
Santos, Moacir, 33, 114
Santos, Nelson Pereira dos, 69
Santos, Walter, 26
São Paulo, 15, 26, 32, 60, 67, 71, 74-5, 79, 83-4, 86, 96, 103, 108-10, 113, 117, 124, 126, 135, 139, 141, 144, 151, 154-5, 166, 168-9, 171, 179, 189-90, 192, 197-8, 200, 208, 211, 216, 219, 224, 229-31, 233-4, 242-3, 245, 247
"Sapo, O" (canção), 120
"Saudade da Bahia" (canção), 75, 120, 179
"Saudade fez um samba" (canção), 68
"Saudosa maloca" (canção), 109-10, 164, 169, 180, 215
"Saudosismo" (canção), 120
Schapiro, Phil, 81
Schifrin, Lalo, 79, 82
Schneider, Maria, 211

"Se acaso você chegasse" (canção), 51
"Se é por falta de adeus" (canção), 195
"Se todos fossem iguais a você" (canção), 60
"Se você se importasse" (canção), 36
Segat, Gabriel, 211-2, 243
Segovia, Andres, 85
"Segredo" (canção), 210
"Sem compromisso" (canção), 173-4
"Sem ela" (canção), 33
"Sem você" (canção), 42
Sena, Alvinho, 32
Severiano, Jairo, 106, 108, 256
Severino Filho, 112, 114-5, 155
Shank, Bud, 88
Shorter, Wayne, 93
Show do Dia 7 (programa de TV), 110
"Siga" (canção), 188
Silva, Jaime, 72, 115
Silva, Jonas, 32, 34
Silva, Orlando, 15, 25, 31, 33-4, 68, 117, 156-7, 173, 190
Silva, Walter (Pica-Pau), 71, 80, 118
Silveira, Orlando, 34
"Sílvia" (canção), 73
Simone, Nina, 93
Simonetti Show (programa de TV), 117
Sims, Zoot, 86
"Sinal fechado" (canção), 117
Sinatra, Frank, 77, 102, 154, 190-1, 202, 234, 241
"Sinfonia do Rio de Janeiro" (canção), 36, 235
Siqueira, Lília, 23
Skorpio, Naïla, 144
Smith, Carson, 93
Smith, Jimmy, 74
"Só danço samba" (canção), 76, 78, 88, 115
Soares, Claudette, 60, 72
Soares, Elza, 72
"Solitude" (canção), 51
Som Livre Exportação (programa de TV), 120
Sorrah, Renata, 149
"Sorriu pra mim" (canção), 188
Sousa, Valter, 26

Souto, Eduardo, 190
Souza, Tárik de, 98, 120-1, 153, 156, 158, 177, 217
Spin (revista), 209
Steurer, Richard, 211
Stevens, Morty, 83
Sting, 199
Sued, Ibrahim, 78
Suero, Orlando, 80-1
Sukman, Hugo, 230
Summers, Andy, 256
Suplicy, Marta, 229
Sweet, Lucia, 177
Syeliton (colega de Caetano), 11

Tabajara, Orquestra, 25
Taborda, Felipe, 187
"Taça do mundo é nossa, A" (canção), 67, 111
Tatit, Luiz, 157
Tavares, Odorico Montenegro, 31
Taylor, Cecil, 94
Taylor, Creed, 84-5, 88-91, 94
Tcherkesian, Krikor, 144, 151, 155, 163
Teixeira, Humberto, 21, 107
Teixeira, Neusa, 72-3, 115
"Telefone" (canção), 115
Telles, Luís, 35-6, 38-40, 42, 51, 54, 111
Telles, Sylvia, 35, 60, 72-3, 78
"Tem dó" (canção), 115
"Teresa da praia" (canção), 36
Tereza (esposa de Tom Jobim), 63, 84
"Terra seca" (canção), 88
Thompson, Mario Luiz, 198, 201
Tião Neto, 89, 91, 93
"Tico-tico no fubá" (canção), 73
Times (jornal londrino), 216
"Tim-tim por tim-tim" (canção), 13, 114, 148, 165, 227
Tinhorão, José Ramos, 217
Titulares do Ritmo, 67, 110
Tjader, Cal, 86
"Too Busy" (canção), 154
Tóquio, 219, 221, 224, 232, 253

Toyama, Yutaka, 219
Trajano, José, 120
"Trem de ferro" (canção), 75, 108
Trenet, Charles, 188
"Trevo de quatro folhas" (canção), 73, 109
"Treze de ouro" (canção), 227, 238
Trigêmeos Vocalistas, 173
Trio Elétrico Dodô e Osmar, 165
Trio Irakitan, 61
Trio Nagô, 66, 108
Trio Surdina, 33
Trio Tamba, 66
"Triste" (canção), 13, 138, 141
"Trolley Song" (canção), 99-100
"Tua presença, A" (canção), 120
Tupi (TV), 117-8, 120, 139-40, 142, 204
Turma da Gafieira, 33
Tynan, John, 88

*Última Hora* (jornal), 42, 80, 121
"Undiú" (canção), 127, 245
Usami, Toshihiko, 232-4, 237

Vadu Corta-Passe, 29
Valente, Assis, 105, 164
Valle, Marcos, 11, 115
"Valsa" (canção), 127
"Valsa da despedida" (canção), 164
"Valsa de quem não tem amor, A" (canção), 195
Valzinho, 33
Van Steen, Ricardo, 189
Vargas Vera, René, 205
Vargas, Getúlio, 37
Vargas, Pedro, 25
Vasconcelos, Dora, 82
Vasconcelos, Marcos, 100
Vassourinha (cantor), 172
"Vatapá" (canção), 105
Vaughan, Sarah, 83
Vavá *ver* Oliveira, Ederval Pereira de (Vavá, irmão de João Gilberto)
Vaz, Sérgio, 154

*Veja* (revista), 98, 121, 158, 174, 186, 217
Velázquez, Consuelo, 99, 101
Veloso, Caetano, 11, 49, 118-9, 127, 145, 149, 151-4, 165, 181-2, 184, 194-5, 199, 204, 208-9, 215, 230, 257-8
Veloso, Moreno, 182
Veloso, Tom, 257
"Vestido de bolero" (canção), 105
Viana, Shú, 136
Vianna, Araújo, 47-8
Vianna, Hermano, 230
Vianna, Luiz Fernando, 234
"Vida de bailarina" (canção), 36
Vieira, André, 107
Vieira, Luís, 111
Vilar, Léo, 104-6
Villa-Lobos, Heitor, 229, 260
"Vingança" (canção), 36
Vitale, Vicente, 63
*Viva Bossa Nova!* (álbum), 86
Vivinha, d. *ver* Oliveira, Maria Oliva de (Vivinha, irmã de João Gilberto)
Vocalistas Tropicais, 108-9
"Você esteve com meu bem?" (canção), 35
"Você já foi à Bahia?" (canção), 105, 119, 235
"Você não sabe amar" (canção), 195, 235
"Você vai ver" (canção), 210
"Voltei a cantar" (canção), 169, 172
"Vou vender meu barco" (canção), 111

Wanderley, Walter, 70, 74-5, 87
Washington, D.C., 84-5
"Wave" (canção), 48, 138, 141, 148, 165, 167
Wein, George, 211-2, 222, 242
Weinert, Astrud *ver* Gilberto, Astrud
Welding, Peter, 92
Weller, Paul, 256
"What'd I Say" (canção), 53
Wiederspahn, Theodor, 37
Williams, Tennessee, 81
Williams, Tony, 93, 126
Wilson, John S., 80, 98, 159
Winter, Paul, 86

Wise, Arnie, 128
Woods, Phil, 84
Wright, Leo, 92

Yogananda, 127, 255
"You Do Something to Me" (canção), 158, 176, 188
"You Know I Just Shouldn't Stay" (canção), 133

"You're the Top" (canção), 194

Zacarias (clarinetista), 25
Zaide, Eduardo, 231, 249
Zamma, Caetano, 82
Zé Baixinho, 125
Zé Bicão, 169
*Zero Hora* (jornal), 47-8
Zico (jogador), 165

ESTA OBRA FOI COMPOSTA EM DANTE PELO ACQUA ESTÚDIO E IMPRESSA
PELA LIS GRÁFICA EM OFSETE SOBRE PAPEL PÓLEN SOFT DA SUZANO S.A.
PARA A EDITORA SCHWARCZ EM OUTUBRO DE 2021

A marca FSC® é a garantia de que a madeira utilizada na fabricação do papel deste livro provém de florestas que foram gerenciadas de maneira ambientalmente correta, socialmente justa e economicamente viável, além de outras fontes de origem controlada.